Rosamond Smith
Schlangenhaut

D0784208

Rosamond Smith

Schlangenhaut

Psychothriller

Deutsch von Maria Poelchau

Deutsche Erstausgabe
Februar 1997
Deutscher Taschenbuch Verlag GmbH & Co. KG,
München
© 1992 The Ontario Review Inc.
Titel der amerikanischen Originalausgabe:
›Snake Eyes‹ (Dutton, New York)
© 1997 der deutschsprachigen Ausgabe:
Verlag Kiepenheuer & Witsch, Köln
Umschlaggestaltung: Balk & Brumshagen
Umschlagfoto: © Marek Vogel
Gesetzt aus der Sabon 10/12˙
Satz: Verlagsbüro Walter Lachenmann, Waakirchen/Schaftlach
Gedruckt auf säurefreiem, chlorfrei gebleichtem Papier
Druck und Bindung: Kösel, Kempten
Printed in Germany · ISBN 3-423-15108-0

Ihr habt gehört, daß da gesagt ist: Auge um Auge, Zahn um Zahn. Ich aber sage euch, daß ihr nicht widerstreben sollt dem Übel. *Matth. 5, 38–39*

Alle Reisen haben einen geheimen Bestimmungsort, von dem der Reisende nichts weiß. *Martin Buber*

Für Dutch Leonard –
il miglior fabbro

TEIL I

1

Lee Roy Sears hatte nur eine einzige Tätowierung – auf seinem sehnigen linken Unterarm –, aber sie war ein Meisterwerk. Er hatte sie selber entworfen und durch einen philippinischen Tätowierungskünstler in Manila ausführen lassen, wohin er gegen Ende seines Dienstes in Vietnam auf Urlaub geschickt worden war. Das war Ende 1971.

Die Tätowierung stellte alle konformistischen Begriffe von »Häßlichkeit« und »Schönheit« in Frage. Sie war so häßlich, daß sie sich unter den Augen des Betrachters in etwas Schönes verwandelte.

Eigentlich war die Tätowierung nicht nur eine Tätowierung – ein in lebendes menschliches Fleisch kunstvoll gestichelter Farbstoff –, sondern etwas wirklich Vorhandenes, eigenständig Lebendiges. Man brauchte sie bloß ein paar Minuten konzentriert anzusehen, um das zu begreifen.

Seit frühester Jugend von Traumvisionen heimgesucht, hatte Lee Roy Sears sie einem Fiebertraum im Dschungel von Vietnam entnommen – eine fest zusammengerollte Schlange, öligschwarz, goldgeschuppt, mit einem knochigen, menschenähnlichen Kopf. Zwischen ihren gebogenen Giftzähnen, aus denen giftiger Speichel tropfte, kam eine kleine gespaltene rote Zunge hervor, und in ihre sonderbar schimmernden Goldaugen waren winzige schwarze Pupillen eingeritzt. Noch bevor Lee Roy Sears mit den Unterarmmuskeln jenen Trick vollführte, durch den er den Eindruck erweckte, als erwache die Schlange zuckend zum Leben – bereit, hochzuschnellen und zuzustoßen, bereit, ihre Giftzähne in warmes Fleisch zu schlagen –, schreckte man instinktiv zurück.

Gestreckt wäre die Schlange nur etwa zwanzig Zentimeter lang gewesen. Aber in der Erinnerung hielt man sie für viel größer – lebensgroß.

In der Erinnerung hielt man sie womöglich gar nicht für eine Tätowierung.

Lee Roy Sears schämte sich nicht für »Schlangenauge«, wie er die Tätowierung liebevoll nannte – Lee Roy Sears schämte sich für nichts, was mit Lee Roy Sears zu tun hatte, ausgenommen ein selten vorkommendes Nachlassen der Kräfte und des Willens, aber – schließlich war er ja kein Dummkopf – er wußte die Schlange bei sogenannten offiziellen Anlässen zu verbergen. Wenn es notwendig erscheinen mochte, sich aus strategischen Gründen an die Gepflogenheiten der bürgerlichen Gesellschaft anzupassen. Wie bei der Verhandlung vor dem mit fünf Mitgliedern besetzten Begnadigungsausschuß im Staatsgefängnis von Connecticut in Hunsford am Morgen des 11. Mai 1983, sechsunddreißig Stunden, bevor Lee Roy Sears, des Mordes für schuldig befunden, auf dem elektrischen Stuhl in einem Nebenflügel der Strafanstalt sterben sollte.

Ruhig, wachsam, aufrecht saß der Verurteilte da und hörte zu, wie fremde Menschen sein Schicksal, seinen »Fall« vor ihm diskutierten. In seiner makellos sauberen Khaki-Anstaltskleidung saß er da. Scharfe Bügelfalten in der Hose, das langärmelige Hemd bis zu den Handgelenken diskret zugeknöpft.

2

Es ist traurig, finde ich. Er hat einen so gehetzten Blick.« Es war am Abend des 11. Mai 1983. In ihrem weißen Kolonialhaus am Glenway Circle, in Mount Orion, New Jersey, sprach Gina O'Meara mit ihrem Mann Michael, der am nächsten Vormittag an der Verhandlung in Hunsford teilnehmen und sich zugunsten des verurteilten Mörders Lee Roy Sears äußern sollte – den Michael, soweit Gina das beurteilen konnte, nicht unbedingt für einen Mörder hielt. Sie starrte auf ein kleines unscharfes Foto von Sears, das an eine der zahlreichen fotokopierten Unterlagen in Sears' Akte geheftet war. Ein so eigenartiges, angespanntes, grüblerisches Gesicht! Wie die häßlich-exotischen Masken aus Polynesien, die an den Wänden jenes düsteren Flügels des Metropolitan Museum of Art hingen – mit Höhlen statt Augen, aber waren es tatsächlich Höhlen und nicht doch irgendwie Augen, die sehen konnten?

Michael O'Meara erzählte Gina selten von seiner ehrenamtlichen juristischen Tätigkeit für die »Koalition«, weil Gina in ihrer koketten und doch scharfsinnigen Art ihn gern wie ein gegnerischer Anwalt herausforderte. Als Ehefrau fand sie, daß ein so hart und hingebungsvoll arbeitender Mensch wie Michael O'Meara für seine Bemühungen auch bezahlt werden sollte, obwohl sie das nicht gern zugab, weil es so klang, als wollte *sie* bezahlt werden. Deshalb ging sie die Sache nun eher ideologisch an, in philosophierendem Ton, und sagte mit gerunzelter Stirn: »Ich weiß, daß ich das wahrscheinlich nicht richtig verstehe, die Rechtswissenschaft ist ein Spiel, das man nicht richtig spielen kann, ohne die Regeln zu kennen, aber, Schatz, ist es denn nicht entscheidend, ob dieser Mann ein Mörder ist oder nicht? Und nicht, ob er ein faires Verfahren hatte oder ob er verleumdet wurde oder ob es da diese Sache gab – wie heißt das noch? – ›staatsanwaltliches‹ – «

» – Ermessen. «

»Ja. Meinst du nicht? «

»In unserem heutigen Strafrechtssystem kann der Staatsanwalt seine Macht mißbrauchen «, sagte Michael ernst. »Er setzt von Anfang an die Bedingungen des Verfahrens fest, zuerst vor der Anklagejury, dann bei der Hauptverhandlung. Es ist sein Vorrecht, Vereinbarungen im Falle eines Geständnisses anzubieten, verängstigte und manchmal sogar geistig minderbemittelte Menschen dazu zu bringen, ein Geständnis abzulegen, obwohl sich in der Hauptverhandlung herausstellen könnte, daß die Anklage gegen sie nicht bewiesen werden kann. Wenn sie sich dann auf die Hinterbeine stellen und auf einem Prozeß bestehen, um sich reinzuwaschen, können sie wiederum, wie Sears, bestraft werden. «

»Aber ist Lee Roy Sears nun ein Mörder oder nicht? *Weiß* das denn niemand? «

Michael seufzte. Er hatte Gina den komplizierten Fall nur in den Grundzügen geschildert und Sears' frühere Zusammenstöße mit dem Gesetz und gewisse unbegründete, später eingestellte Strafanzeigen wegen Entführung und Vergewaltigung übergangen. Er glaubte aus der unbefangenen Stimme seiner Frau unterschwellig zahllose ungläubige, fordernde Stimmen herauszuhören, die etwas wissen, und nicht nur einfach etwas glauben wollten. Dennoch, man mußte es versuchen. »Sears beharrt darauf, keinen Schuß abgegeben zu haben; zwei Zeugen behaupten, er hätte geschossen. Es waren noch andere dort, die Schußwaffen hatten. Der Staatsanwalt hat den Fall vor fünf Jahren so geschickt dargelegt, und die Verteidigung hat ihn so vermasselt, daß das Urteil gegen den Angeklagten erging. Das ist alles, was wir – also wir Außenstehenden – wirklich wissen. «

Gina sagte leicht zurechtweisend: »So wie du es darstellst, klingt es, als ob der Prozeß eine Lotterie war.«

»War er auch. So sind Prozesse nun mal. Jedenfalls für die Armen in Amerika.«

»Aber ein paar von diesen Angeklagten *sind* doch schuldig, oder? Selbst wenn die Verteidigung den Fall vermasselt?«

Michael versuchte zu lächeln und drückte Ginas feingliedrige Hand mit den sorgfältig lackierten Nägeln. Er war nur mittelgroß, ein Meter sechsundsiebzig, wenn er sehr gerade stand, hatte aber eine nette stämmige Figur mit breiten Schultern und großen Händen und Füßen. Ein Mann, der etwas Bärenhaftes an sich hatte, jedenfalls wenn man sich die landläufige Vorstellung von Bären zu eigen machte: Es war etwas sowohl Jungenhaftes als auch Ängstliches an ihm, ein eigentümlich flehender Blick, ein augenzwinkerndes Grinsen, das ihn bei Männern wie Frauen beliebt machte; besonders bei Frauen, jedenfalls anfangs. Er sah weder gut aus, noch war er häßlich. Er hatte glanzlose Augen von trübem Braun, aber einen herzlichen, direkten, offenen Blick. Sein rötlich-blondes gelocktes Haar hatte schon früh angefangen, sich an der Stirn stark zu lichten, aber auf dem Scheitel blieb es elastisch wie ein Hahnenkamm. Er hatte einen forschen, fast heftigen Händedruck, doch wenn er etwas berührte, geschah es stets sanft, als fürchtete er im Bewußtsein seiner Kraft, unabsichtlich zu verletzen. Im Gegensatz zu ihm war Gina schlank, sogar dünn, auf schicke Weise dünn, sehr feminin, mit hohen zarten Wangenknochen, einem klassisch ovalen Gesicht und großen meergrünen Gemmenaugen, aschblondem, stets modisch geschnittenem Haar – derzeit in Höhe ihrer anmutigen Kinnlinie ausschwingend, so daß ihr schöner Hals vorteilhaft zur Geltung kam. War Michael O'Meara, dessen Gefühle ihm unverhüllt und direkt wie bei einem Kind vom Gesicht abzulesen waren und der kein Blatt vor den Mund nahm, für einen Juristen merkwürdig arglos, so war bei Gina alles vieldeutig, raffiniert, berechnet. Ihre Manieriertheit hatte etwas Orientalisches, obgleich sie in ihren Wertvorstellungen wie auch in der Art ihrer Weiblichkeit ganz und gar amerikanisch war: Als Mann war man von ihr bezaubert, aber sehr wahrscheinlich auch verärgert, irritiert – denn flirtete die Frau eigentlich, oder hielt sie einen nur durchtrieben zum Narren? Jetzt war sie neunundzwanzig, drei Jahre jünger als Michael. In Michaels bewundernden Augen sah sie kaum älter oder reifer aus als bei ihrer romantischen ersten Begegnung vor fast einem Jahrzehnt, als sich in dem roten Sandsteingebäude in der Delancey Street die Fahrstuhltür geöffnet hatte und er plötzlich einem strahlend schönen Mädchen in einem Cocktailkleid aus schimmernder schwarzer Seide gegenüberstand.

In gewisser Hinsicht umwarb er sie immer noch, vielleicht zum Teil deshalb, weil Gina noch nicht schwanger geworden war. So blieb sie in gewissem Sinne jungfräulich, nicht vollständig erobert. Von Anfang an hatte Michael eine subtile, wenngleich starke erotische Anziehung zwischen ihnen beiden empfunden, bei der er, der männliche Mann, sie, die weibliche Frau schlechthin, die schließlich nicht so leicht zu erobern ist, für sich gewinnen mußte. »Gina, Liebling«, sagte er und streichelte ihre Hände, die kühl, trocken und etwas ruhelos in seinen lagen, »darum geht es nicht. Es gibt immer Grade von Schuld, wie es Grade von Vorsätzlichkeit gibt. Ein Verbrechen wird erst dadurch zum Verbrechen, daß *mens rea,* sinngemäß ›Böswilligkeit‹ oder verbrecherischer Vorsatz, vorliegt, im Gegensatz zum ›Zufall‹. Du weißt sicher auch, daß unser Strafrechtssystem die Wohlhabenden begünstigt. Denk doch an einen Mistkerl wie diesen –«, und er nannte den Namen eines Gesellschaftslöwen aus Manhattan, der des Mordversuchs an seiner Frau, einer reichen Erbin, die jahrelang im Koma lag, angeklagt und freigesprochen worden war. »Angeklagten, die sich Privatanwälte leisten können, wird unweigerlich eine Gerechtigkeit zuteil, die armen Angeklagten nicht zuteil wird. Lee Roy Sears war arm. Ich kenne seinen Werdegang nur in groben Zügen, aber –«

»Ist er nicht Indianer? Hast du das nicht gesagt?«

»Er behauptet, daß er zu einem Achtel Seneca ist, aus dem Norden des Staates New York. Er –«

»Warte – er könnte doch schuldig sein, selbst wenn er diskriminiert worden ist. Stimmt das nicht?«

»Sieh mal, Gina. Wie viele der entsetzlich zahlreichen Morde, die jedes Jahr in den Vereinigten Staaten begangen werden – achtundvierzigtausend, habe ich neulich gelesen –, werden von der Polizei aufgeklärt? Wie viele Straftäter werden verhaftet, angeklagt, vor Gericht gestellt, für schuldig befunden, geschweige denn zum Tode verurteilt? Wie viele von ihnen verbringen schließlich wie Lee Roy Sears Jahre ihres Lebens im Todestrakt?«

»Was willst du damit sagen? Und schrei bitte nicht so.«

»Ich sage ja nichts, Schatz, ich frage.«

»Vielleicht«, beharrte Gina, »*sollten* sie das aber.«

Michael lachte bissig. »Sollten – was? Zum Tode verurteilt werden?«

Gina hielt inne. Ihre korallenroten Lippen kräuselten sich zu einem kleinen Lächeln, zogen sich dann ernst zusammen.

»Schuldig gesprochen werden.«

»Ja, und dann?«

»Und dann was?«

»Und dann – wie würde man sie bestrafen?«

»Das weiß *ich* doch nicht, um Gottes willen! Laß uns ins Bett gehen«, sagte Gina lachend. »*Du* bist der Anwalt in der Familie.«

»Ich versuche nur darauf hinzuweisen, Gina, wie relativ der Strafbegriff ist, in jeder Gesellschaft. Es gibt die alte, primitive *lex talionis* – ›Auge um Auge‹. Es gibt den neuen, revolutionären Begriff der Rehabilitation, den die Quäker entwikkelt haben. Wir haben im Fall Lee Roy Sears Protest erhoben gegen die empörende Ungerechtigkeit der Strafe, nicht gegen die Tatsache seiner Schuld.«

»Also weißt du, Michael O'Meara, ebensowenig wie irgend jemand sonst, ob der Mann ein Mörder ist oder nicht. Oder ob er vielleicht noch andere Morde begangen hat und nie erwischt wurde.«

»Gina, wie kannst du so etwas sagen!«

Michael war regelrecht entsetzt, was Gina zum Lachen

brachte – er war ein so lieber Mann, und in solchen Augenblicken, jedenfalls wenn sie in ihrem gemütlichen Haus allein zusammensaßen und es keine Ablenkungen gab – keine anderen, eindrucksvolleren, romantischer veranlagten Männer –, liebte sie ihn, liebte sie ihn sehr.

Impulsiv gab ihm Gina, die die Kränkung und Mißbilligung in seinen Augen sah, einen Kuß auf die großen, behaarten Knöchel seiner Hand und entzog ihm die ihre. Sie löste Lee Roy Sears' Foto von dem Schriftstück, an das es geheftet war, und hielt es vors Lampenlicht, wobei sie nachdenklich die Stirn runzelte und sich mit den makellos weißen Zähnen auf die Unterlippe biß. Schließlich sagte sie, wie um die Diskussion endgültig abzuschließen: »Dein Freund da sieht nicht gerade indianisch aus, oder?«

Michael O'Mearas Geheimnis, der Motor, der ihn nach eigener Auffassung antrieb und der wahrscheinlich seinem beruflichen Erfolg zugrunde lag, war sein Schuldgefühl.

Eine dunkle Schuld, eine Schuld, für die es anscheinend keinen Grund gab. Mehr als das: ein Gefühl, auf bestimmte Weise Unrecht getan zu haben und sich nicht erinnern zu können, was für ein Unrecht das gewesen war oder wem er es zugefügt hatte oder wann – vielleicht vor Jahren, als er ein Kind war?

Die Schuld lag wie ein flacher Teich dunklen, fauligen Wassers auf dem Boden seines Bewußtseins. Solange er sich beschäftigte, wußte er kaum, daß sie da war, aber sie *war* da. Michael hatte keine Möglichkeit, sich bei seinem Vater danach zu erkundigen, aber er hatte mehrmals versucht, seine Mutter zu fragen – war irgend etwas in seiner Kindheit passiert, hatte er etwas getan, für das er streng bestraft oder vielleicht nicht ausreichend genug bestraft worden war? War damals irgend etwas Erschütterndes oder Geheimnisvolles geschehen, das nie eine Erklärung gefunden hatte?

Michaels Mutter war eine gesellige Frau mit einem großen Freundeskreis, eine routinierte Bridgespielerin; aber leicht verletzt und schnell beleidigt, selbst wenn sie sich auch nur indirekt kritisiert fühlte. Sie hatte auf seine ernsten Fragen mit einem nervösen und, wie Michael fand, etwas ärgerlichen Lachen reagiert und irgendwelche schlimmen Erinnerungen abgestritten – »Bis zum Tod deines Vaters waren wir alle so glücklich.« Michaels Vater war ein sehr erfolgreicher Pelzhändler gewesen, der an Magenkrebs starb, als Michael sein zweites Jahr am Williams College absolvierte. »*So* glücklich«, sagte sie wieder, abschließend.

Michaels fünf Jahre jüngere Schwester Janet war auch nicht hilfreicher. Janet lebte jetzt in Manhattan und arbeitete in einer, wie sie sagte, mehr als untergeordneten Position für CBS-TV. Sie hatte sich eine fröhliche, freche, schnelle Redeweise zugelegt, die alle persönlichen Geschichten, auch die Familiengeschichten, am liebsten in der Umhüllung flegelhafter Anekdoten nach Art der Fernseh-Talkshows servierte. Sie sprach von Michael als dem idealen älteren Bruder, der sie, als sie zusammen aufwuchsen, lieb beschützt hatte, gewitzt und hilfreich war und sogar auf eine besondere, ihm eigene Weise gut aussah, so daß er ein Vorbild für die anderen Jungen und Männer in ihrem Leben geworden war – »Leider – wo doch heutzutage die meisten Männer, ausgenommen Michael, Scheißkerle, schwul oder beides sind.« Und dabei warf Michaels jüngere Schwester den Kopf zurück und lachte rasselnd, wie er es noch nie bei ihr gehört hatte.

Seine Jugend in Darien, Connecticut, erschien Michael aus der Perspektive des Erwachsenen sehr amerikanisch und zugleich ereignislos. Er konnte sich an keine denkwürdigen Traumata, Verletzungen, Enttäuschungen erinnern. In der High School hatte man ihn nie geschnitten; er war vielmehr beliebt gewesen, ein überdurchschnittlich guter Football-Spieler, aktiv in der Schülermitverwaltung, ein sehr guter, aber nicht außergewöhnlich begabter Schüler. Die Angst, eine obskure, unnennbare Schuld auf sich geladen zu haben, stieg schon damals zuweilen in ihm auf, ließ sich aber leicht wieder vertreiben. Und dann ging er, achtzehnjährig, aufs Williams College und betrat eine neue Welt – zwar war Michael

O'Meara anders als viele seiner Altersgenossen Ende der sechziger und Anfang der siebziger Jahre nicht durch die Agitation gegen den Vietnamkrieg radikalisiert worden, aber als idealistischen und mitfühlenden jungen Mann hatte ihn das Vorbild eines aktivistischen Pfarrers, der sich selbst als »christlicher Renegat« bezeichnete und den seine Kirche wegen seiner politischen Ansichten öffentlich getadelt hatte, tief bewegt und zu geistigem Engagement motiviert. Aus diesem Grund wollte er nach dem College ebenfalls Pfarrer werden: welcher Konfession, das spielte in dieser Epoche ökumenischer Gefühle kaum eine Rolle.

Die O'Mearas, zwei Brüder, waren schon früh – in den vierziger Jahren des neunzehnten Jahrhunderts – aus Dublin eingewandert. Anscheinend hatten sie mit erstaunlicher Eilfertigkeit ihren römisch-katholischen Glauben über Bord geworfen und sich in Neuengland eingelebt; sie und ihre Kinder ließen sich, wenn sie heirateten, von Liebe oder auch von Geschäftsinteressen leiten. Die Familie von Michaels Mutter war, wenngleich nicht sehr streng, protestantisch – für Michaels Mutter war es ebenso peinlich, über Themen wie Gott, Erlösung, Seele zu sprechen wie über körperliche Intimitäten oder Krankheiten. Michaels Vater hatte sich überhaupt keiner offiziellen Religion zugehörig gefühlt, bezeichnete sich aber selber unbestimmt als Christ, wie um sich von den Juden, seinen Erzrivalen im Pelzhandel, abzusetzen.

Obwohl Michael sich nicht so sehr nach Gottes Wort als nach Gottes Geist verzehrte, hatte er sich an einem hervorragenden, sogar sehr berühmten theologischen Seminar in New York City immatrikuliert mit der Absicht, protestantischer Geistlicher und zugleich (darüber war sich Michael nicht ganz klar) Lehrer zu werden. Allerdings fühlte er sich sogleich von den Anforderungen und Erwartungen des Seminars überwältigt, die in krassem Gegensatz zu dem freundlichen Lehrplan für das Studium zum Bachelor of Arts standen, das er in den ersten Semestern betrieben hatte. Altgriechisch? Latein? Hebräisch? Die Einführungskurse zwangen den Einundzwanzigjährigen zu der lähmenden Erkenntnis, daß er keine Ahnung hatte, was *Religion* bedeutete, geschweige denn, was *Gott* bedeutete – es waren bloße Worte, Wortsymbole, Begriffe, politisch-historisch-soziologisch-geographische Phänomene, in ständiger Verschiebung und Entwicklung. (Michael war sich sicher gewesen, daß er wußte, wer Jesus Christus war, aber konfrontiert mit einer kritischen Deutung des Neuen Testaments, sah er schnell ein, daß der Jesus Christus seiner Zeit nicht der Jesus Christus der Folgezeiten war; auch war der Jesus Christus seiner Zeit widersprüchlich in seiner Lehre und seinem Verhalten.) Unterzog man die Bibel einer Analyse, stellte sich heraus, daß sie nicht das Wort Gottes war – wohl kaum! –, sondern ein über Jahrhunderte nicht eben pingelig zusammengetragenes Sammelsurium verschiedenster Verfasser; kurz, ein Werk der Erfindung, zum Teil sehr seltsamer Art, das miteinander konkurrierende Ideologien und sogar Religionen enthielt. Der so eifersüchtige, drohende, unberechenbare Gott Jahwe ließ sich aus bescheidenen Quellen herleiten – er hatte als Vulkangott irgendwo in der Welt grauer Vorzeit seinen Anfang genommen! Wie ein mittelmäßiger Lokalpolitiker, der nicht durch Verdienst, sondern praktisch durch Zufall zu ungeahnten Höhen aufsteigt, hatte dieser Vulkangott irgendwie den allerhöchsten Thron erklommen und konnte nun nicht mehr abgesetzt werden.

Natürlich sagten Michael O'Mearas Lehrer am Seminar solche Dinge nicht direkt oder mit einfachen Worten; denn dann hätte das Spiel aus sein können, und zwar schnell.

Michael mußte auch bedenken – was ihm früher nur vage bewußt war –, daß das Christentum, also die jüdisch-christliche Tradition, nur eine unter vielen und keineswegs die beständigste war. Die Welt lag unter Schichten von erloschenen, fast erloschenen, lebendigen, blühenden, aufkeimenden Religionen, genau wie die Erde im Laufe der Zeit geologische Schichten gebildet hat. Jeder Religion lag eine göttliche Kartographie zugrunde, und jede Religion hatte ihren Erlöser oder deren mehrere; es gab heilige Schriften und heilige Männer, Wunder, Mysterien, Autoritäten, Riten und Rituale, Opfer, Sakramente, Dämonen, Himmel und Höllen und Ebenen dazwischen, jede nur erdenkliche Strafe, jeden nur erdenklichen kindlichen Wunsch. Wie bei einer Low-Budget-Inszenierung, wo wenige Schauspieler viele Rollen spielen, waren die Götter der einen Sekte die Teufel der anderen. Wurde »Liebe deinen Nächsten« gepredigt, so wurde »Hasse deine Feinde« praktiziert. Die friedliebendsten Menschen konnten in die blutrünstigsten Krieger verwandelt werden, wenn ihr Gott sie zur Tat aufrief und ihre Priester die Schwerter segneten.

Keine dieser Enthüllungen war neu. Aber alle waren sie neu für Michael O'Meara.

Benommen und demoralisiert, doch nicht bereit aufzugeben, weil es schließlich das Vorbild des aktivistischen Geistlichen gab, eines sehr intelligenten und vernünftigen Mannes, der dennoch an Jesus Christus geglaubt hatte wie unzählige ähnlich vorbildliche Männer in der Geschichte, denen es gelungen war, Intelligenz und Glaube zu vereinen, hatte sich Michael rein intellektuell auf das Studium der Philosophie und Theologie gestürzt. Einiges gehörte zur Pflichtlektüre, anderes erforschte er, auf eigene Faust im Zickzackkurs vorgehend, in der Seminarbibliothek mit ihren Millionen Bänden (in Sprachen, die Michael zumeist leider – oder glücklicherweise? – nicht verstand). Xenophanes, Descartes, Voltaire, Platon, Pascal, Augustinus, Luther, Nietzsche, Thomas von Aquin und viele andere in wirrer Chronologie; Tillich über den Gottessymbolismus, Eliade über den Mythos, Kierkegaard über Furcht und Beben, Tolstoj über die Lehre Christi, Dostojewskijs Großinquisitor; die Bedeutung der Schriftrollen vom Toten Meer; Barth, Buber, Maritain, Schweitzer, Weil; päpstliche Enzykliken – Pius IX., Leo XIII., Johannes XXIII. Da gab es die blitzende, glanzvolle Waffe des Strukturalismus, den Laserstrahl der Semiotik, ferner die Kühnheit der Freudschen Psychoanalyse, den Hoffnungsstrahl der Jungschen Individuation. Da gab es natürlich die Anthropologie, die erbarmungslos wie das Skalpell des Chirurgen Hirn, Blutgefäße, Nerven bloßlegte. Es gab sogar ein Intermezzo mit Filmen von Ingmar Bergman, streng, kalt, schön, die Michael sich mit einigen seiner neuen Freunde vom Seminar häufig und wie besessen ansah. Als er ›Wie in einem Spiegel‹ zum dritten Mal sah, brach er am Ende des Films weinend zusammen und stolperte aus dem Kino in den schwefligen Frühabenddunst auf der Bleecker Street. Ein paar beängstigende Sekunden lang wußte er tatsächlich nicht, wo er war, und noch weniger, warum gerade dort.

Wo war er hin, fragte er sich, jener quecksilbrige Schwung der Gewißheit, den er nur etwa ein Jahr zuvor erlebt hatte, jene fast flegelhafte Fröhlichkeit, die in seinen Adern pulsierte, die tiefinnere Überzeugung, die alle absurden Schatten des Schuldgefühls vertrieb, daß es ihn gab, einen lebendigen Gott, einen allumfassenden Geist, den man erfahren, wenn auch nicht verstehen konnte?

»So spät erst lernte ich dich lieben, Du alte und ewig junge Schönheit, so spät erst liebte ich Dich!« – diese zum Text eines Volkslieds gewordenen Worte von Augustinus gingen ihm durch den Kopf.

War es zu spät?

Unrasiert, untergewichtig, heiser von einer schweren Erkältung, in sichtlicher Verzweiflung, erschien Michael zu einer vereinbarten Besprechung bei seinem Berater im Seminar, einem Mann, der in den vierziger Jahren bei Tillich studiert hatte und selber als Autorität auf dem Gebiet des Neuen Testaments hohes Ansehen genoß. Ohne weitere Umschweife fragte Michael: »Ich möchte nur wissen – *gibt* es einen Gott? Und wenn ja, was sollen wir tun?«

Im Verlauf der Unterredung kam man überein, daß Michael O'Meara womöglich weder für ein Studium am Seminar noch für eine lehrende Tätigkeit im allgemeinen geeignet sei.

Nach diesem Desaster fing er wieder von vorne an und bereitete sich auf das Medizinstudium vor. Ihn beflügelte der Gedanke, daß es schließlich das Ziel aller Männer (und Frauen) guten Willens sei, Gutes zu tun, mochte Gott nun existieren oder nicht: Aber um Gutes zu tun, mußte man dazu ausgebildet sein, etwas Bestimmtes *gut* zu tun. Wie so viele Medizinstudenten aus dem Einführungskurs, mit denen er sich anfreundete, dachte er, daß es keine direktere Möglichkeit gäbe, anderen zu helfen, als Arzt zu werden.

Michael wurde im seiner Meinung nach reifen Alter von vierundzwanzig Jahren an einer nicht gerade renommierten Medical School im Norden New Yorks zugelassen. Hier sollte er eine noch kürzere Verweildauer haben als im Seminar, wo er noch bis zum Abschluß des Jahres hatte bleiben können.

Es war nicht das einschläfernde Auswendiglernen, das ihn zur Strecke bringen sollte – Michael hatte immer zu den eifrigen, von allzuviel Phantasie unbelasteten Studenten gehört, die sich eher kooperativ als rebellisch verhalten und denen das Auswendiglernen selbst langweiliger, zusammenhangloser Fakten leichtfällt. Auch machte ihm der stundenlange Schlafentzug, für den das Medizinstudium berüchtigt ist, nichts aus – Michaels für Pykniker typischer Stoffwechsel erlaubte ihm, lange Stunden wach zu bleiben, ermöglichte ihm aber auch, nach Lust und Laune, wo er sich gerade aufhielt, kurze, wunderbar erfrischende Nickerchen zu machen, die manchmal nur eine Minute dauerten. Was ihn zur Strecke brachte, war die Anatomie: seine erste Leiche.

Michael O'Meara hatte schon beim Ausfüllen der Bewerbungsunterlagen für das Medizinstudium gewußt, aber nicht darüber nachdenken wollen, daß er irgendwann während des Studiums eine Leiche würde sezieren müssen. Er hatte gewußt, aber nicht darüber nachdenken wollen, daß diese Aufgabe ihm Schwierigkeiten machen würde. (Wenn Janet O'Meara ihre unterhaltenden Anekdoten über ihren vorbildlichen älteren Bruder Michael zum besten gab, sprach sie oft von seiner hochgradigen Empfindsamkeit und seinem extremen Einfühlungsvermögen – »Er gehört zu den Leuten, die keiner Fliege etwas zuleide tun können, und damit meine ich tatsächlich eine *Fliege*.«) Er hatte allerdings nicht ganz mitgekriegt, daß er schon am ersten Unterrichtstag eine Leiche zu Gesicht bekommen würde. »Meinen die das ernst?« fragte er jemanden aus einem älteren Semester und bekam zur Antwort: »Meinst *du* es ernst?«

Ältere Studenten amüsierten sich über die Erstsemester

und gaben ihnen, was die unvermeidliche Leiche betraf, den herablassenden Rat, sich bloß nicht einen schon jahrelang toten Körper aufhalsen zu lassen.

Am Montagmorgen ging der mit Schrecken erwarteten Sektion in der Anatomie eine Einführungsvorlesung voraus. Nach etwa einer halben Stunde wurde ohne weitere Umstände, ohne Gespür für die Dramatik der Situation, eine Leiche in den Hörsaal geschoben, während der Anatomieprofessor seine Vorlesung fortsetzte und jeder hastig weiter mitschrieb oder mitzuschreiben versuchte. Michael, der nahe dem Seitengang in der vierten Reihe der steil ansteigenden Sitzplätze saß, fummelte mit Tränen in den Augen an seinem Kugelschreiber herum, ließ ihn fallen, hob ihn wieder auf, wobei ihm plötzlich ein scharfer Geruch in die Nase stieg. Der Leichnam auf der Bahre war diskret in Weiß gehüllt; ein menschlicher Körper nur in Umrissen. Als der Assistent auf Geheiß des Professors das Tuch wegzog, breitete sich im Hörsaal kindliche Erleichterung aus – die Leiche lag unter einer undurchsichtigen Plastikfolie. Und unter dieser Folie kam eine weitere Schutzschicht zum Vorschein, diesmal aus Gaze; unter der Gaze wiederum Gaze, die Hände und Kopf bedeckte. Inzwischen hatte sich Michael wie die meisten anderen um ihn herum etwas entspannt. Das Gesicht der Leiche – ihre Identität – wurde nicht enthüllt. Nicht in der Vorlesung.

Trotzdem starrte Michael wie gebannt auf die mumienhafte, so völlig bewegungslose Gestalt. Der Anatomieprofessor war ein energiegeladener grauhaariger Mann von kleiner Statur, der in bedächtigem Tonfall sprach, Pausen zum Mitschreiben einlegte und den Blick rasch, aber mechanisch durch den großen Raum schweifen ließ: Wie lebendig *er* war, dem toten Körper auf der Bahre so unähnlich wie möglich. Michael dachte, wie unheimlich, sich in Gegenwart eines ... Leichnams zu befinden, eines Wesens wie wir selbst, einst im Besitz einer Persönlichkeit, einer Identität, einer Seele; aber nun nicht mehr. Ein Schuldgefühl überkam ihn, ein galliger Geschmack tief im Mund. Wie schlecht du bist, Michael O'Meara. Wie böse, und es gibt kein Entkommen.

Er schluckte, rüttelte sich wach. Die Anatomievorlesung näherte sich ihrem Ende; die Leiche, jetzt harmlos, ein bloßes Objekt, wurde wieder zugedeckt, aus dem Hörsaal gefahren. Michael dachte: Das ist Unsinn. Ich bin stark. Ich bin motiviert. Ich weiß, was ich tue und warum.

Seit seiner Desillusionierung durch die offizielle Religionslehre und die Scharen lächerlicher, rivalisierender Götter war er sich nicht einmal mehr sicher, ob er überhaupt an das »Böse« glaubte.

Gleich nach der Vorlesung kam die Anatomie, eine zweistündige Tortur, in die Michael mit einem starken Adrenalinstoß hineinging; er war entschlossen, seine erste Erfahrung mit einer Sektion nicht nur durchzustehen, sondern sich dabei hervorzutun. Er lächelte ausdruckslos und merkte, daß auch andere lächelten, wenn auch mit verschreckten, trüben Augen. Michael O'Mearas typische Reaktion auf Krisensituationen – eine Reaktion, die er sein Leben lang beibehalten sollte – war die eines Quarterback von begrenzter Fähigkeit, aber mit visionären Träumen: Sein stämmiger, elastischer Körper besaß eine schwerfällige Anmut, eine Beherrschtheit und Begeisterung in der Beherrschtheit. Seit der Zeit im Sommerlager in den Adirondacks, als er dreizehn war, hatte er festgestellt, daß andere ihn als eine natürliche Führerfigur betrachteten; einer von denen, die nicht nach Führerschaft streben, sie vielleicht sogar peinlich finden, aber sich, weil die anderen es wollen, zumindest eine Zeitlang damit abfinden. Deshalb setzte Michael an jenem Montagmorgen im September 1975 in dem alptraumhaften, nach Phenol stinkenden Saal, in dem auf fünfundzwanzig Tischen fünfundzwanzig Leichen unter undurchsichtigen Plastikfolien lagen, eine gleichmütige Miene auf, nickte lächelnd zu den Worten eines der Dozenten und lächelte auch, als die Studenten in Gruppen aufgeteilt und jeweils einem Tisch und einer Leiche zugeordnet wurden, seinen Kameraden aus der Gruppe – drei sehr bleichen jungen Männern, die offensichtlich darauf warteten, daß Michael sich am Kopfende des Tisches aufstellen und die Leiche aufdecken würde – aufmunternd zu.

Der Tisch, der Michaels Gruppe zugeteilt worden war, stand Gott sei Dank an einem der hohen Fenster, und die ihnen zugewiesene Leiche wirkte nicht sehr groß. (Mehrere Leichen im Saal sahen riesig aus.) War das nun gut oder schlecht? Michael wurde, noch während er den anderen zulächelte, plötzlich von Schrecken erfaßt: Wenn ihr Leichnam nun kein Erwachsener, sondern ein junger Mensch war – ein Kind?

Der Dozent fuhr mit seinem Vortrag fort, und die Studenten öffneten auf sein Geheiß ihre Instrumentenkästen, untersuchten die Skalpelle, Scheren, eine Metallsäge. (Eine Metallsäge? Um den Schädel durchzusägen?) Sezieren war eine Methode, die man wie jede Methode erlernte. Der menschliche Körper war ein Körper, ein Gegenstand der Anatomie. Michael nickte, als sei er völlig einverstanden. Der Dozent hatte ihn schon bemerkt und schien seine Worte allein an ihn zu richten, wie es Lehrer häufig taten. Michael O'Meara, der intelligente, fähig wirkende junge Mann mit den ausgeprägten Zügen, dem aufgeweckten, festen Blick, dem blonden Haar mit dem rötlichen Schimmer, das als dünner Flaum auch die bloßen Arme bedeckte und ihm ein leicht angesengtes Aussehen verlieh, als sei er aus einem robusteren und verläßlicheren Material geschmiedet als die anderen, die um ihn herumstanden.

Schließlich endete der Vortrag, und es war Zeit, die Leichen freizulegen.

Michael starrte auf das Gebilde direkt vor ihm. Die drei aus seiner Gruppe sahen das Gebilde überhaupt nicht an, sondern blickten konzentriert auf Michael. Unter der Plastikfolie war doch noch Gaze – oder? Zumindest waren doch Kopf und Hände wie bei einer Mumie mit Gazeschutzschichten umwickelt?

Der Dozent wiederholte seine Aufforderung, weil niemand im Saal sich gerührt hatte. Michaels getrübtes Bewußtsein nahm den Alptraum der Tische, der verhüllten Formen, der sich unruhig zusammendrängenden Studenten nur verschwommen wahr und atmete das übelriechende Konservierungsmittel ein, das von nun an täglich ihrer aller Leben begleiten würde. Der Adrenalinstoß war verebbt; er fühlte sich jetzt kraftlos, schutzlos. Aber er mußte aktiv werden, die Führung übernehmen, die anderen sahen ihn erwartungsvoll an, er hatte keine Wahl. Wie schlecht du bist, daß du das getan hast. Und es gibt kein Entkommen.

Anderswo im Saal wurden die Folien ängstlich angehoben. Michael O'Meara hob die Plastikfolie, die den leblosen Körper vor ihm bedeckte – zog sie benommen zur Seite –, einer aus seiner Gruppe murmelte »Oh!«, ein anderer ballte die Faust – und Michael blinzelte und sah vor sich *eine nackte Leiche*. Nur die Hände und Füße waren mit Gaze umwickelt, das übrige lag entblößt da, *nackt*.

Irgendwo in der Ferne ließ sich die beruhigende Stimme des Dozenten vernehmen. Sie sollten ein Skalpell in die Hand nehmen und anfangen, mit einem Bein anfangen, jeweils zwei zu beiden Seiten der Leiche, ja, jetzt anfangen, anfangen, kein Zurück mehr, ihr müßt den ersten Schnitt machen, ihr müßt jede Sekunde der Anatomie-Zeit nutzen, es ist kostbare Zeit, ihr werdet noch sehen, wie kostbar, ihr müßt nämlich während des ganzen Semesters den Zeitplan einhalten, ihr müßt in einem Vierteljahr mit eurer Sektion fertig sein. Im Saal kam es zu zögernden Bewegungen, Skalpelle wurden in die Hand genommen. Auch Michael hielt ein Skalpell in seiner heftig zitternden Hand, aber er nahm es nicht wahr, nahm kaum etwas wahr, abgesehen von der vor ihm ausgestreckten Leiche, einem jungen Mann, einem Weißen, sehr bleich im Tod, die Haut hatte die kränkliche Färbung von weißem Senf, blaubraune Flecke um die geschlossenen Augen, die scheinbar kurz davor waren, sich zu öffnen, einen schmalen Halbmond von bläulichem Weiß unter den Lidern zeigten, eine eingedrückte Nase, als sei sie gebrochen, helles rotbraunes Haar, dicht auf dem Kopf und wie ein Drahtnetz auf der gutentwickelten Brust, dem Bauch, dem Genitalbereich, den Armen und Beinen. Entsetzt starrte Michael O'Meara auf einen Menschen, in dem er einen Vetter, einen Bruder, einen Zwilling sah, übel zugerichtet, entstellt, und noch dazu im Tode verfärbt, kein Zweifel, alles im Anatomiesaal war so angelegt, daß es ihn zu diesem hier führen mußte, zu diesem unbeschreiblichen Grauen, jeder sah verstohlen zu, wie er,

24

Michael, zitternd über seinem Opfer stand, das auch Michael war, der eine noch lebendig mit einer tödlichen Waffe in der Hand, in einem fort blinzelnd, das Gesicht fleckig gerötet und die Haut mit eisigem Schweiß bedeckt, unverkennbare Zeichen der Schuld, hier steht der schuldige Mann, hier steht der schuldige Junge, diesmal sehen wir dich, diesmal kannst du nicht entkommen, und jetzt zog sich der Mund der Leiche mit hochnäsigem höhnischem anklagendem Ausdruck schmallippig von den fleckigen Zähnen zurück, wobei sie Michael unter den Lidern einen Blick zuwarf, *Wie böse, wie schlecht, du, du bist derjenige, dachtest du, du könntest entkommen?*

Irgend jemand sprach. Irgend jemand, vielleicht der Dozent, rief etwas. Michael war einen Schritt zurückgetreten oder ausgeglitten oder gestoßen worden, und der Boden hatte sich hinter ihm geöffnet, eine Grube, ein jäher Sturz in tiefste Schwärze, in die er, jetzt bewußtlos und ganz ohne Gegenwehr, hineinfiel.

Nach diesem Fiasko, dem eine sechsmonatige Erholungspause folgte, ging Michael O'Meara nach Philadelphia, um Jura zu studieren, und machte sich hervorragend. Seine Mutter war ungeheuer erleichtert und sagte ihm das mehrmals. Jura mit dem Spezialgebiet Gesellschaftsrecht war schließlich genau das, was sein Vater für ihn im Sinn gehabt hatte.

Mit siebenundzwanzig verliebte er sich Hals über Kopf, leidenschaftlich, und seine alten Schuldgefühle stiegen wieder hoch wie Blasen in kochendem Teer, denn konnte er einer so reinen, schönen jungen Frau wie Gina würdig sein? Ausgerechnet er? Gina aber schien ihn zu lieben; ihre Eltern, ihre ganze Familie schienen ihn gern zu haben; durch seinen zukünftigen Schwiegervater, einen Banker in Philadelphia, bekam er eine Stelle bei Pearce Pharmaceuticals, Inc., in Newark, New Jersey, dem bedeutendsten Hersteller von Psychopharmaka in den Vereinigten Staaten.

In der aus fünfunddreißig männlichen Kollegen bestehenden Rechtsabteilung bei Pearce hatte Michael nur eine untergeordnete Position inne, aber sie war hochdotiert, mit der Aussicht auf Gehaltssteigerungen und Beförderung für gut geleistete Arbeit.

Am Abend vor seiner Hochzeit mit Gina, der wunderhübschen Gina, Gina, die er weit mehr als sein eigenes Leben liebte und immer lieben würde, überraschte Michael, stets der stärkere, der vernünftigere, der weniger emotionale und weniger impulsive der beiden, die junge Frau durch das Geständnis, daß es da etwas gab bei ihm, das sie nicht wußte, aber wissen sollte: Als Gina aber fragte, was es sei, lachte Michael sonderbar, fuhr sich mit beiden Händen durchs Haar und sagte: »Na ja – ich weiß es nicht. Ich fühle es nur, Gina, aber ich *weiß* es nicht.«

»Aber Michael, Schatz, wenn du's nicht weißt, was *fühlst* du denn dann?«

Er hatte Gina noch nicht sehr ausführlich von seinem Versagen im theologischen Seminar und seinem Versagen beim Medizinstudium erzählt – allerdings kaum, um sie zu täuschen: Gina wurde sichtlich nervös und wechselte das Thema, wenn irgendein unangenehmes Thema zwischen ihnen zur Sprache kam –, und er wußte, daß jetzt, so kurz vor der Hochzeit, nicht der richtige Zeitpunkt dafür war. So erzählte er ihr nur von der Schuld – dem unklaren, quälenden Schuldgefühl, das er manchmal empfand, nicht oft, sicherlich nicht ständig, aber eben manchmal, als ob er etwas Böses, Niederträchtiges begangen hätte, für das er nie bestraft, das nicht einmal entdeckt worden war. Gina hörte mit großen Augen ängstlich zu. Fürchtete sie ein gräßliches, nicht wieder gutzumachendes Geständnis? Fürchtete sie vielleicht, daß ihr Geliebter, ihr Verlobter, obwohl alles dagegen sprach, nicht heterosexuell war, sondern – wie Gina schon das Wort verabscheute – »schwul«? So kam es, daß Gina mit wachsender Erleichterung reagierte, daß das Leuchten in ihre Augen zurückkehrte und ein Lächeln ihre Lippen umspielte, als Michael stockend, in kläglichem Ton sagte, daß es ein Geheimnis für ihn sei, aber doch zu ihm gehöre, daß er gehofft hatte, dem zu entwachsen, was ihm aber bisher nicht gelungen sei, daß er sich trotz allem, was er geleistet habe, und trotz seines Auftretens innerlich unzulänglich, wertlos, wie ein Betrüger vorkäme. Gina war ein Mädchen, das liebend gern andere aufzog und in Hochform geriet, wenn sie andere necken konnte; ihre typische Reaktion war ein helles, entzücktes Lachen, ein mädchenhaftes Kichern wie von zerspringenden Eiszapfen. Als Michael ihr nun ernst von einem Vorfall aus seiner Collegezeit berichtete – er war in Williams zum Senior Class President gewählt worden und wollte in seiner Antrittsrede eingestehen, daß er sie alle irgendwie getäuscht habe; hätten sie gewußt, wer Michael O'Meara wirklich war, hätten sie ihm nicht ihre Stimme gegeben –, biß sich Gina auf die Lippen, um nicht zu lachen, und legte ihrem überraschten Geliebten die duftenden Arme um den Hals, wobei sie ihm ins Ohr flüsterte: »O Michael, Liebling! Genau das gleiche Gefühl habe ich auch oft! *Jeder* hat das!«

Nachdem sie geheiratet hatten und, sehr glücklich verheiratet, in Mount Orion, einem Vorort in New Jersey, wohnten, gestand Michael O'Meara das, was er inzwischen für seine moralische Schwäche hielt, nicht mehr ein; nur selten teilte er Gina seine Stimmungen mit, sie wiederum erkundigte sich nur selten nach seinem Innenleben, als habe er – und das schmeichelte Michael als Mann seltsamerweise – kein Innenleben.

Das Leben, an das er unterdessen glaubte und in das er Vertrauen setzte, spielte sich fast ausschließlich in der Außenwelt ab – einer Welt anderer Menschen, die er, wie Gina, liebte oder für die er, wie für seine Vorgesetzten bei Pearce Pharmaceuticals, arbeitete oder für die, etwa seine Freunde in Mount Orion oder seine Kollegen in den verschiedenen Organisationen, denen er angehörte, er sich einsetzte. Seine juristische Arbeit bei Pearce zum Beispiel (ein Ende der Prozesse gegen Pearce Pharmaceuticals, Inc., war nicht abzusehen!) nahm einen Großteil seiner Zeit in Anspruch – mindestens sechzig

Stunden in der Woche. Dazu kamen seine ehrenamtlichen Tätigkeiten, seine staatsbürgerlichen Pflichten, wie er es nannte – denn seit er erwachsen war, erfüllte ihn seine Identität als amerikanischer Bürger mit Stolz und Befriedigung: Kurz nach dem Umzug nach Mount Orion engagierte er sich für die Kampagne zur Rettung der Bibliothek von Mount Orion, die in einem historisch bedeutenden Gebäude aus dem 18. Jahrhundert untergebracht war; ferner trat er der Bürgervereinigung von Northern New Jersey für eine saubere Umwelt bei, war Mitglied der Demokratischen Partei, nahm aktiv an den Bezirksversammlungen der Gemeinde Mount Orion teil und stellte sich freiwillig als Rechtsberater für die »Reform-Koalition« zur Verfügung – eine große, heterogene, nicht selten uneinige Gruppe von Bürgern, die sich unter anderem mit Problemen der Verletzung der Bürgerrechte und der Todesstrafe befaßte.

Und dann waren da noch die Freundschaften und die Geselligkeiten – kundig orchestriert von Gina, die sich sofort in einen elitären Kreis vorwiegend älterer Ehepaare mit Verbindungen zu so prestigeträchtigen Organisationen wie dem Mount Orion Country Club, dem Mount Orion Tennis Club und den Mount Orion Friends of the Museum (einem historischen, wie die Bibliothek in einem schönen alten georgianischen Herrenhaus untergebrachten Museum, das sich ideal für Cocktailempfänge und Wohltätigkeitsessen zu fünfhundert Dollar pro Person eignete) eingereiht hatte und sich dort ganz in ihrem Element fühlte. Michael mochte seine Freunde und die Freunde der Freunde sehr; er war selber ein umgänglicher Mensch, dem Geselligkeit und Lachen Freude machten und der den Eindruck erweckte, als stünde er in jeder Gesellschaft im oder dicht am Mittelpunkt. Partys ermüdeten ihn freilich, und Wochenenden, die alles andere als friedlich waren, wurden ihm schnell zur Qual, von der sich zu erholen mehr als den halben Montag kosten konnte. Einmal sagte Michael lächelnd und mit einer Liebkosung, um anzudeuten, daß er es nicht ernsthaft als Kritik meinte, zu Gina, daß sie es sei, die hier in Mount Orion für ihrer beider Beliebtheit gesorgt habe, und Gina antwortete mit jener zielsicheren Entschlossenheit, mit der sie in letzter Zeit auf dem Tennisplatz Aufschläge zurückschlug, indem sie ans Netz lief und den Ball mit voller Wucht ins Feld ihres erschrockenen Gegners setzte, scharf: »Ganz und gar nicht, Michael, Liebster. Du bist der Verantwortliche – ich bin nur ›Mrs. O'Meara‹.«

Was, wie Michael wußte, keineswegs stimmte, aber er wollte keinen Streit vom Zaun brechen.

Das alte, bei Tageslicht nicht zugelassene Schuldgefühl tauchte dann und wann in Träumen wieder auf, die keinerlei Ähnlichkeit mit Michaels täglicher Routine hatten. In solchen Fällen wachte er, mehr erstaunt als erschrocken, mitten in der Nacht auf, wie betäubt von etwas, das er gesehen oder erlebt hatte, aber an das er sich nicht mehr erinnern konnte, obgleich es ihm doch nur Sekunden vorher noch gegenwärtig war. Gelegentlich verwandelten sich die Träume in klassische Alpträume, in denen er hilflos in einen Strudel dunkler, saugender Wassermassen geriet; er war er selbst und doch nicht er selbst, kämpfte mit der Wut eines Kindes gegen jemanden oder etwas, das ihn hinunterdrückte, hinunter, *hinunter*. Ein Reifen – waren es Arme, die Arme eines anderen? – zog sich um seinen Brustkorb zusammen, drohte ihn zu ersticken, während er um sich schlug, trat, stieß. Er wollte um Hilfe schreien, aber als er den Mund öffnete, konnte er nicht sprechen, denn jenes dunkle Wasser füllte ja seinen Mund. Er keuchte, schluchzte, verfing sich mit den Füßen in den Betttüchern, sah beim Aufwachen, wie der Traum rasend schnell zerrann, er *sah* ihn vor seinen Augen zerrinnen, wie ein auf die Leinwand projiziertes Bild verschwindet, wenn die Lichter angehen.

Und war da nicht auch ein, allerdings schwacher, Geruch, herb, trocken, beißend … nach dem Konservierungsmittel Phenol?

Im raschen Lauf der Jahre hatte Gina, die liebliche Gina, nach einer etwas schwierigen Anfangsphase von etwa sechs Monaten gelernt, die Alpträume ihres Mannes, von den schlimmsten einmal abgesehen, zu verschlafen. Ihren Freunden gegenüber spielte sie zwar häufig auf ihre Schlafstörungen an; zweifellos war sie hochsensibel, zuweilen sogar extrem empfindlich; doch wenn sie neben dem armen Michael im Bett lag, der im Schlaf gegen das Ertrinken kämpfte, blieb sie, sanft dahintreibend, verschont. Wenn Michael sich schweratmend zuckend zusammenkrümmte, einen Arm von sich schleuderte und die Bettücher wegstieß, sich schließlich aufsetzte, blindlings wild ins Dunkle starrte, hustete und mit erstickter Stimme fast unverständliche Worte flüsterte, die sich wie »Wer? Wo –?« anhörten, drehte sich Gina, eine zarte Gestalt auf der anderen Seite des Riesenbetts, von ihm weg und murmelte schlaftrunken: »Ja, Liebling, ja« oder »Ist ja gut, sprechen wir morgen darüber.«

Was sie natürlich nie taten.

Nächtelang wach im Bett liegend, fragte sich Michael, ob er Kinder in die Welt setzen solle – da er ja nicht wußte, was dies tief in seine Seele Eingeprägte war, das er möglicherweise getan hatte und für das er bestraft werden sollte.

Gina ihrerseits wollte anscheinend ein Kind oder Kinder. Oder glaubte, daß sie es wollte. Oder redete so, als ob sie es wollte. Sie ging auf die Dreißig zu: ein Alter, das schrecklich, unausweichlich vor ihr aufschien. Diese schöne junge Frau, so durch und durch amerikanisch, praktisch bereits seit der Wiege dazu erzogen, ein Mädchen zu sein, und äußerst erfolgreich und glücklich als Mädchen; wenn Mädchenhaftigkeit aufgegeben werden mußte, konnte dann Mutterschaft ein Ersatz sein, um das Gesicht zu wahren?

Mit einem leicht vorwurfsvollen Unterton sagte sie sehnsüchtig: »Weißt du, eigentlich sollten wir. Bald. Wenn überhaupt.«

Und Michael sagte dann immer schnell: »Ja, natürlich. Wann?«

Eine Frage, die weiteren Diskussionen aus dem Wege ging.

Michael erinnerte sich an seinen Vater, der sich so verlegen förmlich, so widerstrebend in der Rolle des Vaters verhielt. An

den peinlich verkniffenen Ausdruck, mit dem er sich herunter-
gebeugt hatte, um Michael mit offensichtlichem Widerwillen
auf den Arm zu nehmen. Wobei er Michaels Mutter zuflü-
sterte: »Aber wenn ich ihn nun fallen lasse?«

Michaels Vater hatte sich in der Regel von früh bis spät in
seinem Laden aufgehalten, inmitten herrlicher und teurer
Pelzmäntel, -jacken und -stolen. *O'Meara – Exclusive Pelz-
mode.* In dem tempelähnlichen Geschäft in der Main Street in
Darien, Connecticut, mit den breiten Schaufenstern, den
kühl erleuchteten, mit üppigen Teppichen ausgelegten Räumen, den zahllosen Spiegeln, dem Luxus, in dem die
O'Meara-Kinder, was zu erwähnen sich fast erübrigt, nicht
gern gesehen wurden. Mr. O'Meara war ein erfolgreicher Geschäftsmann, wenn Erfolg gut verdienen, regelmäßig gut verdienen, bedeutet, aber seiner Familie erschien er ständig ge-
hetzt, zerfahren, ständig ungeduldig und gereizt. Wenn ihn
jemand ansprach, reagierte er mit einem Ausdruck kaum un-
terdrückter Entrüstung, als sei ein dringendes Gespräch in
seinem Schädel brüsk unterbrochen worden. Was von seiner
irischen Herkunft übriggeblieben war – eine gewissermaßen
verquere Kombination von Merkmalen, schmutzig-grüne
Augen, Knollennase, gespaltenes Kinngrübchen, gelblich rotbraunes gelocktes Haar –, war wie sein angestammtes rö-
misch-katholisches Glaubensbekenntnis vererbt, verblaßt.
Er konnte seine Ware bald nicht mehr ausstehen: Die Wörter
Pelz und *Kürschner* klangen in seinem Munde barsch, wie
Kraftausdrücke. Freunde hatte er anscheinend nicht, nur Ge-
schäftsbeziehungen, die ihn stets und ständig im Stich ließen
– daher rührte Mr. O'Mearas konfus-geistreiche Bemerkung:
»Wozu sind Menschen da, wenn nicht, um einen hängenzulassen?« Erst nach Jahren, als Erwachsene, erkannten Michael und Janet, daß es sich bei der Bemerkung nicht um eines
der üblichen Sprichwörter wie »Sparst du in der Zeit, so hast
du in der Not« oder »Ein rollender Stein setzt kein Moos an«
handelte.

*Wozu sind Menschen da, wenn nicht, um einen hängenzu-
lassen?*

Nein, das war eine Weisheit, die Michael O'Meara entschieden zurückwies.

Vor Jerome O'Meara, dem Pelzhändler, kam Michaels Großvater väterlicherseits, ebenfalls Kaufmann, an den sich Michael (er starb, als Michael noch sehr jung war) nur vage als an einen verwirrten, schweigsamen alten Mann erinnern konnte, dessen vorherrschende Eigenschaft als Großvater in seiner mechanischen Gewohnheit bestand, den Enkelkindern bei Geburts- und Feiertagen Fünfdollarnoten zuzustecken. Die Scheine stellten sowohl eine Art Segen als auch eine Form der Entlassung dar. Dankbarkeitsbezeigungen – »Vielen Dank, Großvater« – wurden beiseite gewischt, als würden sie ebenfalls, und vielleicht mit Recht, als mechanisch erkannt.

Vor diesem frostigen alten Herrn kam der einzige berühmte O'Meara – Lucas Quincy O'Meara aus Oxblood, New Hampshire. Erst Anwalt, dann Richter, hatte er sich in der dortigen Gegend den Ruf eines Hin-Richters erworben, und eines Morgens kurz vor Weihnachten 1889 wurde er in seinen Amtsräumen, deren Wände mit seinem Blut und Hirn beschmiert waren, brutal erstochen und erschlagen aufgefunden. Man verhörte zahlreiche Tatverdächtige, denn der Richter hatte viele Feinde, doch der oder die Mörder wurden nie entdeckt. Es kursierte offenbar in der Gegend das Gerücht, auf das die O'Meara-Söhne perverserweise stolz waren oder dem sie jedenfalls trotzig die Stirn boten, daß sie selbst ihren Vater getötet hätten!

Solche Familiengeheimnisse wollte Michael O'Meara Gina natürlich nicht mitteilen.

Ebensowenig hatte er die Absicht, ihr viel von seinem Engagement für die »Koalition« zu erzählen und für den Fall Lee Roy Sears, der vor fünf Jahren in Hartford, Connecticut, des Mordes schuldig befunden, am 12. Mai 1983 nachts auf dem elektrischen Stuhl sterben sollte.

Sears, der Prototyp des amerikanischen Opfers: der zum Opfer gewordene Täter.

Michael O'Meara war kein Sachverständiger im Fall Sears, wie es andere in der Bürgerrechtsvereinigung durch ihre eifrigen, doch vergeblichen Bemühungen, seine Verurteilung durch das oberste Gericht des Staates zu Fall zu bringen, geworden waren; aber alles, was er in Erfahrung gebracht hatte, empörte ihn und widerte ihn an. Wahrscheinlich hatte Sears die Tat, derer er für schuldig befunden worden war, nicht begangen, aber davon abgesehen bestand das Problem der Todesstrafe als solcher. Gab es denn eine gräßlichere Pervertierung der Staatsgewalt – der Gewalt des »Volkes« (in dessen Namen die Staatsanwaltschaft spricht) –, als einen Menschen im Interesse der Gerechtigkeit zu töten? Vor Jahren hatte Michael als idealistischer Student Albert Camus' Essay ›Die Guillotine – Betrachtungen zur Todesstrafe‹ gelesen, der ihn tief beeindruckt und in seinen eigenen, noch unausgereiften Überzeugungen bestärkt hatte. Seit jener Zeit war er zu der Auffassung gelangt, daß es die Kollektivschuld der Gesellschaft ist, die Menschen im Namen der Gerechtigkeit in den Tod schickt. Die »Schuld« des Verurteilten ist nur ein Teilfaktor.

Sears, zuvor nie wegen Mordes oder Totschlags angeklagt, war Ende 1978 der Erschießung eines Mannes aus Hartford, der nachweislich mit Rauschgifthandel zu tun hatte, für schuldig befunden und anschließend zum Tod durch den elektrischen Stuhl verurteilt worden. Das Urteil war offensichtlich ungerecht: In der Verhandlung machten die Zeugen widersprüchliche Aussagen und waren ohnehin unzuverlässig; Sears wurde aufgrund von Indizienbeweisen mit dem Mord in Verbindung gebracht; die Wahrscheinlichkeit sprach dafür, daß ein Komplize von Sears, ein älterer, seit langem in den Drogenhandel verwickelter Mann, geschossen hatte, der seinerseits kurz darauf von der Polizei erschossen wurde, nachdem er in seinem Auto unter Zurücklassung von Sears vom Tatort geflohen war. Sears hatte sich zu Fuß zu einer Frau, die in der Gegend wohnte, abgesetzt – offenbar einer Bekannten, Freundin oder Geliebten – und sie überredet oder möglicherweise gezwungen, mit ihm aus Hartford wegzufahren; am Tag darauf wurde er von der Polizei festgenommen, schwer zusammengeschlagen, weil er sich der Verhaftung »widersetzte«, ins Gefängnis eingeliefert und später des Mordes für schuldig erklärt, obwohl er auf seiner Unschuld beharrte und zweimal einen Lügendetektortest bestanden hatte. (Die Ergebnisse eines solchen Tests sind vor Gericht nicht zugelassen.)

Wie alle Strafsachen war diese komplexer und rätselhafter, als sie in einer kurzen Zusammenfassung erscheinen mag. Zunächst einmal hatten sich anscheinend außer Sears und seinem Komplizen im Lauf der Nacht zahlreiche andere Personen in der Wohnung des Ermordeten aufgehalten; und wie es hieß, hatte Sears diese anderen aus Angst vor Vergeltung oder aus unangebrachter Loyalität geschützt. (Eine Wand in der Wohnung war – welch seltsame Parallele, sie verschlug Michael O'Meara regelrecht den Atem! – mit dem Blut des Ermordeten beschmiert worden, ein verrückter Racheakt, der sich überhaupt nicht mit Sears' – laut Aussage eines Zeugen panischer – Flucht vom Tatort vereinbaren ließ.) Ein weiterer unklarer Aspekt des Falles: Sears wurde anfangs der Entführung, Vergewaltigung und Mißhandlung der Frau, die ihn aus der Stadt herausgebracht hatte, wie auch des Mißbrauchs ihrer zwölfjährigen Tochter beschuldigt, die aus irgendeinem Grund auf die wilde Fahrt mitgenommen worden war.

Diese Anklagepunkte wurden später fallengelassen, weil die Frau ihre Strafanzeige nicht aufrechterhielt, der Vorladung durch die Staatsanwaltschaft nicht folgte und danach mit ihrer Tochter verschwand. Sears behauptete, er und die Frau hätten, wie auch schon mehrmals früher, freiwillig sexuelle Beziehungen unterhalten; erst nach Sears' Verhaftung und nach eingehendem Verhör durch die Polizei hatte die Frau anfangs zugestimmt, Strafantrag zu stellen. Als besonders ungünstig für die Anklage erwies sich die Tatsache, daß die Zeugen sich nicht darauf einigen konnten, was sie zu welcher Zeit gesehen hatten. Es war durchaus möglich, daß Sears mit einem anderen Mann oder anderen Männern verwechselt worden war; daß man ihm absichtlich den Mord angehängt hatte, da einer der Zeugen ein Verwandter des Ermordeten und zugleich ein Bekannter von Sears war, der den Mord sehr wohl selber veranlaßt oder begangen haben konnte; ein weiterer Zeuge war ein bekannter Polizeispitzel, der nach Sears' Festnahme zufällig eine Zelle mit ihm teilte und mit der Polizei clever ausgehandelt hatte, im Gegenzug für seine vorzeitige Entlassung auszusagen, daß Sears mit der Ermordung geprahlt habe. Aus irgendeinem Grund hatte der Sears beigeordnete Pflichtverteidiger diese Zeugen nicht eingehend genug ins Kreuzverhör genommen. Er hatte seinem Mandanten sogar geraten, das strafmildernde Angebot des Staatsanwalts anzunehmen, sich des vorsätzlichen Totschlags schuldig zu bekennen und damit bis zu zwanzig und nicht unter zehn Jahren Freiheitsentzug verurteilt zu werden – obwohl Sears auf seiner Unschuld beharrt hatte.

Als Michael O'Meara den Fall überprüfte, war er, obwohl kein Experte auf dem Gebiet des Strafrechts, bestürzt über die offensichtliche Gleichgültigkeit des den Vorsitz führenden Richters gegenüber der Qualität der Polizeiarbeit und der Anklage; vor allem aber schockierte ihn die schludrige Verteidigung, die Sears durch den ihm beigeordneten Rechtsbeistand zuteil geworden war. Es war, als ob – und das brachte Michael in Wut –, alle, die Justizbeamten und die zwölf Geschworenen, sich im voraus die Meinung gebildet hätten, daß Lee Roy Sears nicht nur schuldig sei, sondern daß auch sein Leben keinen besonderen Wert habe.

Der Prozeß hatte nur drei Tage gedauert, und die Geschworenen waren nur zweieinviertel Stunden draußen gewesen. Schuldig! Schuldig im Sinne der Anklage! Ein ungeheuerliches Urteil, insbesondere im Licht der Vorgeschichte des Angeklagten und der Tatsache, daß er in Vietnam gedient hatte; damals jedoch blieb es in der Presse unerwähnt, weil es zu der Zeit andere, von den Medien hochgespielte Skandale gab, die die Aufmerksamkeit des Publikums fesselten. Hätte Lee Roy Sears wie vorgesehen den Tod gefunden, wäre er seit dem Ersten Weltkrieg der jüngste durch den Staat Connecticut hingerichtete Mann gewesen.

Alles in allem vergingen fünf Jahre mit Berufungen, Vollstreckungsaufschüben, Verhandlungen, Verzögerungen, Vertagungen; und nun diese Verhandlung in letzter Stunde, eine

Berufung an den Begnadigungsausschuß zur Umwandlung von Sears' Todesurteil in lebenslängliche Freiheitsstrafe. Michael O'Meara stand noch vor Tagesanbruch auf und fuhr, zugleich erwartungsvoll und besorgt, fest entschlossen und doch voller Angst vor dem, was passieren könnte, nach Connecticut. Es war sein erstes direktes Engagement für einen der unglücklichen Klienten, die die »Koalition« verteidigte. Lee Roy Sears war der erste zum Tode Verurteilte, den er je persönlich gesehen hatte.

Schaudernd dachte er: Mein Gott – wie wäre dir an seiner Stelle zumute?

Für einen Häftling aus dem Todestrakt wirkte Lee Roy Sears mit seinen einunddreißig Jahren unerwartet jung, wenn auch erschreckend dünn. Er hatte lange, schlaksige Arme und Beine; sein Kopf wirkte zu schmal für die Schultern, als sei er zusammengedrückt worden oder nicht voll ausgebildet. Und er war klein, nicht größer als etwa ein Meter siebzig. Als er den bis auf den letzten Platz gefüllten Verhandlungsraum betrat, hinkend, den Blick geradeaus gerichtet, begleitet von zwei stämmigen Vollzugsbeamten, starrten ihn alle an, und einen Augenblick lang herrschte erschrockene Stille: *Das* ist Lee Roy Sears?

Trotz seines Hinkens trat er mit einer gewissen Würde auf. Den Kopf starr aufgerichtet, die Schultern sehr gerade und ebenfalls starr, humpelte er zu dem für ihn reservierten Stuhl und ließ sich mit übertriebener Umsicht darauf nieder. Ein schwieriges Manöver: Er trug Handschellen. Sofort begann das Gemurmel im Raum von neuem, mit einem Unterton von Verlegenheit. Es schien, als sei gleichzeitig jedem, einschließlich Michael O'Meara, plötzlich aufgegangen, daß hier der einzige Mann saß, für den das Problem »Lee Roy Sears« keine Theorie war. Wenn der Begnadigungsausschuß von Connecticut nicht davon überzeugt werden konnte, das Urteil aufzuheben, würde Sears bis Mitternacht des folgenden Tages tot sein.

In seiner makellosen Khaki-Anstaltskleidung, den leicht ausgebeulten Hosen mit den scharfen Bügelfalten und dem langärmeligen, an den Handgelenken überkorrekt zugeknöpften Hemd, hatte Sears keine Ähnlichkeit mit der unscharfen Fotografie, die Gina in der Nacht zuvor betrachtet hatte. Seine Haut war körnig-blaß, die knochige Stirn auf eigentümliche, beinah reptilienhafte Weise gewölbt. Für indianisches Blut, falls man dies bei ihm vermutete, mochten die lange, dünne Adlernase mit den ausgeprägten Nasenlöchern und das sehr schwarze, strähnig-glatte Haar sprechen. Es war extrem kurz geschnitten und an den Seiten sowie am Hinterkopf ausrasiert, so daß seine wachsbleichen Ohren abstanden, was den Eindruck einer schulbubenhaften Unschuld hervorrief. Wie ein Mörder sah er gewiß nicht aus. Auch nicht wie ein Mann, dessen Existenz eine derart ernste Bedrohung für die Menschheit darstellte, daß er innerhalb von sechsunddreißig Stunden hingerichtet werden müßte.

Als die Verhandlung um zehn Uhr zwanzig schließlich begann, hatte sich die Atmosphäre im Raum mit Spannung und Aggressivität aufgeladen. Mehr als sechzig Leute waren anwesend, überwiegend Männer, die sich in dem niedrigen, grell beleuchteten Raum drängten; ein paar Nachzügler standen hinten und vor den mit Gitterstäben versehenen Fenstern, die keinen Sonnenstrahl hereinließen. Vorn an einem rechteckigen Tisch saß der aus fünf Männern bestehende Begnadigungsausschuß, Sears saß weitab an einer Seite, als sei seine physische Anwesenheit für das Verfahren irrelevant. Die Verhandlung begann mit einführenden Bemerkungen formaler und summarischer Art, die der Ausschußvorsitzende mit gerunzelter Stirn von dem Blatt Papier, das er in der Hand hielt, ablas, als hätte er es noch nie gesehen. Er war ein Mann gegen Ende der mittleren Jahre mit einem dicken, talgigen Körper und glänzender Glatze. Alle Herren des Begnadigungsausschusses waren mittleren Alters und Weiße; zwei Anwälte, ein Strafrechtstheoretiker, ein Psychologe, ein Universitätsprofessor; Männer ohne offenkundige Besonderheit, außer daß das Leben eines anderen Menschen in ihrer Hand lag.

Als nächstes faßte ein junger Vertreter der Staatsanwalt-schaft in aller Eile die Anklagepunkte zusammen. Lee Roy Sears starrte mit steinerner Miene ins Leere, über den verkürz-ten Horizont des Raums hinaus. Vielleicht sah er sich schon als toten Mann. Schließlich hatte er fünf Jahre lang Ähnliches durchgemacht.

Mit einemmal schien Michael O'Meara nichts wichtiger, als Lee Roy Sears' Leben zu retten. Er spürte, wie ihm Adrena-lin in die Adern schoß und seinen Herzschlag beschleunigte.

Seit seiner Inhaftierung in Hunsford Ende 1978 waren Sears drei Vollstreckungsaufschübe gewährt worden; die letzte Beru-fung, die er im März (beim obersten Gericht des Staates) einge-legt hatte, war zurückgewiesen und sein Todesurteil zum vier-ten Mal festgesetzt worden. Seitdem war es seiner Verteidigung gelungen, eine Protestaktion zu organisieren. Es erschienen Ar-tikel; an den Gouverneur des Staates wurden Briefe und Tele-gramme gesandt; Leute von Rang und Namen traten öffentlich für ihn ein. Im ›Boston Globe‹ erschien ein Bericht, in dem Lee Roy Sears zusammen mit anderen in die Kriminalität abge-rutschten Vietnamveteranen genannt wurde, von denen es hieß, daß sie unter »posttraumatischen Belastungsstörungen« und neurophysiologischen Beeinträchtigungen litten, die mit dem hochgiftigen Entlaubungsmittel Agent Orange zusammenhin-gen. In der April-Nummer des ›Atlantic‹ bezeichnete ein be-rühmter Romanschriftsteller in seinem Aufsatz ›Vom Sterben auf dem elektrischen Stuhl‹ Lee Roy Sears und einige andere als »Märtyrer« des korrupten Strafrechtssystems. Diese beiden Ar-tikel hatten eine Menge Kommentare und Kontroversen zur Folge. Schon die Tatsache, daß sich so viele Menschen zum Staatsgefängnis Hunsford in diesem ländlichen Winkel von Connecticut aufgemacht hatten, war ein ermutigendes Zeichen.

Doch hier war sie nun wieder, vom Vertreter der Staatsan-waltschaft erneut vorgetragen, die Anklage gegen Sears. Sein Vorstrafenregister, seine problematische Vergangenheit. Seine unehrenhafte Entlassung aus der Armee. Seine Heroinsucht und seine Verwicklung in den Drogenhandel. Die »außerge-wöhnliche Grausamkeit« des Mordes, dessen man ihn für schuldig befunden hatte – die »mit Blut beschmierte Wand«. Die Entführung einer Frau und ihrer zwölfjährigen Tochter, Vergewaltigung, Mißbrauch, Bedrohung, die ihm zur Last gelegt worden waren ... daß diese letztgenannten Beschuldigungen nie bewiesen werden konnten, fiel beim Aufzählen unter den Tisch.

Unter allgemeinem Gemurmel erhob sich Sears' Anwalt hastig, um zu protestieren. Es strömte etwas durch den Raum, das Michael O'Meara wie ein elektrischer Schock durchfuhr – die instinktive männliche Angst vor weiblicher Beschuldigung; der unausgesprochene Schulterschluß von Männern, denen von Frauen Gefahr droht.

Lee Roy Sears bewegte sich plötzlich krampfartig auf seinem Stuhl. Sein Gesicht legte sich wie das eines Säuglings in winzige Knitterfältchen. Die beiden hinter ihm stehenden stämmigen Vollzugsbeamten schreckten zu komisch wirkender Wachsamkeit auf, traten einen Schritt vor.

Sears murmelte heiser: »Sie hat gelogen! Das sind alles – Lügen!«

Der junge Staatsanwalt beendete seine Darlegung des Falls, indem er die »sentimentale« Behauptung der Verteidigung, Lee Roy Sears sei ein Opfer, in abfälliger Weise in Frage stellte. Es gäbe zum Beispiel keinen Beweis dafür, daß Sears auch nur eine Spur Seneca-Indianerblut habe, da seine Geburtsurkunde verlorengegangen sei und er anscheinend überhaupt keine Verwandten in Watertown, New York, habe – »Sears« sei der Name seiner ersten Pflegeeltern. Es gäbe auch keinen medizinisch eindeutigen Beweis dafür, daß er und zahlreiche andere an »posttraumatischen Belastungen« oder den Nachwirkungen von Agent Orange litten. Das seien lediglich modische Rechtfertigungen, Entschuldigungen für kriminelles Verhalten, die die Geschworenen im Dezember 1978 in Hartford uneingeschränkt verworfen hätten.

Am erschreckendsten, so der Ankläger, sei die Tatsache, daß Sears keinerlei Reue gezeigt habe – »Ein weiterer Beweis dafür, falls es eines solchen bedarf, daß der Mann ein gefährlicher psychopathischer Mörder ist.«

Hier hagelte es Protest. Aus dem Hintergrund des Raums rief ein Mann – ein radikaler Anwalt mit einem aus den Medien bekannten Gesicht, den Michael O'Meara wiedererkannte – spöttisch: »Wie kann er das, verdammt noch mal, wenn er nicht schuldig ist?« Andere pflichteten ihm bei. Der Vorsitzende mußte mit dem Hammer klopfen, um die Ruhe wiederherzustellen. Der junge Staatsanwalt hatte sich inzwischen mit feuchtem, rot angelaufenem Gesicht wieder hingesetzt. Er fühlte, daß die Stimmung im Raum sich gegen ihn wandte, und mochte das Gefühl nicht.

Michael blickte diesen jungen Mann, einen Anwaltskollegen, unverwandt an; ein Karrieremacher. Zum ersten Mal empfand er solche Leute, Funktionäre des Staates, Schreibtischscharfrichter, als Feinde: wie Lee Roy Sears sie empfinden mußte.

Dein Feind ist auch mein Feind. Ich verpflichte mich, dich zu retten.

Jetzt rückte die Verteidigung in den Mittelpunkt der Verhandlung, und Lee Roys Sears wurde in deren Verlauf auf sehr unterschiedliche Weise dargestellt: als das Opfer komplexer sozialer Verhältnisse, als ein Mann, dessen kriminelle Handlungen im Zusammenhang mit seiner Lebensgeschichte gesehen werden müßten. Er wurde, kaum ein Jahr alt, von seiner halbwüchsigen Mutter verlassen und, in eine schmutzige Decke eingewickelt, in einem Plastikmüllbeutel auf der Treppe des Sozialamts in Watertown gefunden. In den folgenden sechzehn Jahren befand er sich in Gewahrsam von Institutionen – Pflegeheimen, Jugendarrestanstalten. Er hatte eine schlechte Schulbildung, ließ sich schwer disziplinieren. Mit fünfzehn aus der Schule geflohen. Im Veteranenlazarett in Hartford, wo er sich wegen einer Knieverwundung behandeln ließ, hatte man eine Legasthenie diagnostiziert, was sicherlich zu seinen Problemen in der Schule beigetragen hatte, aber natürlich hatte niemand gewußt oder sich groß darum gekümmert, was ihm eigentlich fehlte. (Laut Schulunterlagen schnitt Sears bei

IQ-Tests manchmal weit über und manchmal weit unter Durchschnitt ab.) Er war von Anstaltsleitern mißbraucht worden. Die Polizei von Waterford hatte ihn mindestens einmal schwer geschlagen. 1969 trat er mit achtzehn für zweieinhalb Jahre in die Armee ein, diente zwei davon in Vietnam, wo er im Dschungelkampf oberhalb von Ban Pho dem Gift Agent Orange ausgesetzt war. Er wurde verwundet, kam ins Lazarett. Wurde heroinsüchtig. Beendete seine militärische Laufbahn in Arrest, weil er durchdrehte und einen Offizier angriff. 1972 unehrenhaft entlassen. In den Staaten arbeitete er nacheinander in mehreren schlechtbezahlten Jobs – als Tellerwäscher, Hausmeister, Taxifahrer, Bauarbeiter – in Manhattan, Jersey City, Danbury, New Haven, Hartford. Seine erste Verhaftung erfolgte wegen Drogenbesitz 1974 in Hartford; danach wurde er mehrmals wegen verschiedener ihm zur Last gelegter Straftaten festgenommen, zuletzt 1978 wegen des zur Verhandlung stehenden Mordes. Während einer früheren Haftzeit – Sears war zuvor schon zweimal im Gefängnis gewesen – hatten Sachverständige ihn als einen gefühlsgestörten Mann geschildert, der sich in sich selbst zurückzog, wenn man ihn in Ruhe ließ; nicht gerade ein idealer Häftling, aber auch kein Unruhestifter. Andere Sträflinge respektierten ihn und blieben auf Distanz. Er hatte sogar an Leseförder- und Kunsttherapiekursen teilgenommen, die von ehrenamtlichen Lehrkräften eines dortigen Veteranenlazaretts angeboten wurden. Die Kursleiter beschrieben ihn als »lerneifrig« und »außergewöhnlich motiviert« – zumindest anfangs.

Eine Sozialarbeiterin aus Hartford sprach ausführlich über Sears' ungünstige Voraussetzungen. Über die ihm verwehrte »ethnische Identität«, die Wahrscheinlichkeit neurophysiologischer Beschwerden, unter denen, im Gegensatz zu den Behauptungen jener Fachleute, die solche Störungen leugneten, etwa 200 000 Vietnam-Veteranen litten, das heißt zwölf Prozent aller Amerikaner, die im Krieg gewesen waren. Sympathie, allgemeine Empörung breitete sich aus. Die Mitglieder des Begnadigungsausschusses schienen aufmerksam zuzuhören. (Michael musterte ihre Gesichter mit seinem scharfen

Anwaltsauge. Er wußte, daß solche professionellen Gremien anders als die nach einem repräsentativen Querschnitt ausgewählten Geschworenen sich oft aus Personen zusammensetzen, die im voraus wissen, wie sie abstimmen werden.) Es sprachen ein Strafrechtsexperte aus Boston, ein Anwalt von der Bürgerrechtsvereinigung Connecticut, eine Soziologieprofessorin der Wesleyan University. Dann war plötzlich Michael O'Meara an der Reihe.

Michael hatte bis zwei Uhr morgens an einer Erklärung gearbeitet, die sich in gewissenhafter anwaltlicher Art auf formale, mit Sears' Prozeß zusammenhängende Details konzentrierte; doch dieses Schriftstück, das er mit den Fingern umklammerte, vergaß er jetzt. Sobald er aufstand und Dutzende von Augenpaaren auf sich gerichtet fühlte, überkam ihn die Empfindung, als triebe er unter Lebensgefahr im Wasser, plötzlich durchflutet von einer drängenden Kraft und Entschlossenheit. *Er mußte diese Leute aufrütteln. Er mußte Lee Roy Sears' Leben retten.*

Michael O'Meara war kein glatter, geübter, wortgewandter Redner – angesichts seiner Persönlichkeit, seiner physischen Erscheinung hatte er nie eine solche Form des Auftretens anzustreben gewagt –, aber wenn er tiefbewegt, aus dem Herzen sprach, konnte er wunderbar überzeugen. Er gehörte zu jenen arglosen, aus dem Stegreif formulierenden Menschen, die von gewissen Politikern berechnend imitiert werden, welche scheinbar aufrichtig und spontan mit ernster Miene Wahrheiten entdecken und mit anderen teilen. Jetzt also sprach er zu der Versammlung, seinen Kollegen, denen er sich auf unbehagliche, aber unverkennbare Weise verwandt fühlte, daß das, was ihn heute morgen am meisten erschüttere, die einfache, unerbittliche, schreckliche Tatsache sei, daß sie sich, während sie hier das Problem der Umwandlung von Lee Roy Sears' Strafe diskutierten, in Gegenwart eines zum Tode Verurteilten befänden; diese Tatsache müsse absoluten Vorrang haben. »Bedenken Sie bitte: *zum Tode verurteilt*. Und aufgrund derart dürftiger, umstrittener Beweise!«

Michael hielt atemlos inne. Er hatte angefangen, unter seinem Anzug stark zu schwitzen. Zwei oder drei Minuten sprach er stockend weiter, sagte, daß die Verhandlung an diesem Vormittag für die meisten von ihnen ein Forum rein juristischer und moralischer Art darstelle, wohingegen Lee Roy Sears' Leben davon abhinge. »Es liegt eine Ironie darin, etwas Groteskes, ja Tragisches, daß Leute wie wir – bürgerlicher Mittelstand, weiß, gebildet, gehobener Beruf, Leute, die seit ihrer Geburt in privilegierten Verhältnissen gelebt, sie wie Sauerstoff eingeatmet haben – zu Gericht über Lee Roy Sears sitzen, dem Amerika die bürgerlichen Ehrenrechte seit seiner Geburt aberkannt hat. Sein Tod wäre ein sinnloses Opfer – weshalb, wofür, ich weiß es nicht. Es gab eine Zeit in der Geschichte, da die Todesstrafe trotz aller Grausamkeit eine sakrale Bedeutung hatte. Sie gehörte zur religiösen Tradition. Die Seele des Verurteilten sollte durch seinen physischen Tod erlöst werden – im Idealfall. Aber heute, in unserer Zeit, gibt es keine Erlösung. Es gibt nur – den Tod.« Michael unterbrach sich von neuem. Er war sich der absoluten Ruhe im Raum bewußt. Ein Meer verschwommener Gesichter, ernster Mienen, hier und da ein Stirnrunzeln, ein zweifelndes, angedeutetes Lächeln, ein Ausdruck der Verlegenheit – oder war es erschrockenes Mitgefühl? Niemand hatte je so zu ihnen gesprochen, so offen, so von Herzen, und sie wußten nicht, wie sie reagieren sollten.

Auch Lee Roy Sears war aus seiner Trance erwacht und starrte Michael O'Meara an. Seine Haut glühte, als ob ein grelles, gedämpftes Licht sie von innen erleuchtete.

Mit jener Geste, die Gina zur Verzweiflung brachte, fuhr sich Michael mit der Hand besorgt durchs Haar und faßte sein Plädoyer für Sears rasch zusammen, sprach von den ungeheuerlichen verfahrenstechnischen Mängeln im Strafrechtssystem, die eines Tages, vielleicht bald, behoben werden würden und die zu Sears' Verurteilung geführt hätten – »Wir können nur hoffen, daß Lee Roy Sears noch am Leben ist, wenn diese Reformen Gesetzeskraft erlangen.«

Seine Stimme zitterte vor Zorn. Abrupt setzte er sich hin.

Es folgte ein langer Augenblick vollkommener Stille. Die Zuhörer schwiegen, als erwarteten sie, daß er fortfahren würde; dann klatschten einige, die sich vornehmlich im Hintergrund des Raums und an der Wand zusammendrängten, spontan und unerwartet Beifall.

»Ruhe bitte!« Der Vorsitzende räusperte sich, klopfte verhalten, und die Verhandlung nahm ihren Fortgang.

Aber der Ton hatte sich merklich verändert. Von nun an konnte man eine Atmosphäre der Hoffnung, der Erneuerung, ja des Triumphs im Zimmer spüren: das Gefühl, daß etwas Tödliches erkannt, überwunden, vergangen war.

Zum Schluß wurde Lee Roy Sears aufgefordert, zu sprechen, wenn er es wünschte. Alle beugten sich erwartungsvoll vor.

Eine peinliche, lange Minute saß Sears steif und starr auf seinem Stuhl, als könne er nichts hören; dann stand er wie ein trotziges Kind langsam mit einem Ausdruck leicht verletzter Würde auf.

Seit Michael O'Meara gesprochen hatte, schien Lee Roy Sears seine Haltung stoischer Ruhe und Gleichgültigkeit aufgegeben zu haben; er hatte die Anwesenden, besonders Michael, unter seinen dichten dunklen Augenbrauen hervor angestarrt, wie um die Verbindung zwischen ihnen zu ergründen. Die Arme preßte er mit sonderbar an die Hüften gelegten Ellbogen fest an den Körper, die mit Handschellen verkoppelten Handgelenke in Taillenhöhe; ohne zu wissen, was er tat, zerrte er zerstreut an den Manschetten seines Khakihemds und zog die Ärmel herunter, so daß die Manschetten seine Hände zum Teil bedeckten. Sein linkes Augenlid zuckte in einem fort, so daß es aussah, als zwinkerte er, was überaus unpassend wirkte.

Und wie unerwartet rauh, fast unhörbar, zugleich schüchtern und rücksichtslos seine Stimme klang, als ob die Worte jäh aus ihm herausstürzten: »Ich weiß nich, ob mein Leben wert ist, gerettet zu werden, ob es sich lohnt, mein Leben zu retten! – Also, das hab ich nie gewußt – schon als Kind nich –

die sagen einem ja, du bist Scheiße, wie soll man das denn wissen? – man weiß ja nix, außer was einem gesagt wird, und Gott schweigt ja meistens, also – also weiß ich's nich!« Er lächelte, wobei er verfärbte Zahnstummel sehen ließ; seine Augen schwammen in Tränen. Seine Stimme schlug wie bei einem Halbwüchsigen in eine schrillere Tonlage um. Zur höchsten Überraschung seiner Zuhörer fuhr er fort, wobei sein Augenlid wie im Takt zu seinen Worten zuckte. »Das Schlimmste, was ich gemacht hab, das wirklich Böse, was ich bereue, hab ich im Krieg gemacht – das hab ich getan, weil man mir das gesagt hat – ich kann das nich genau erinnern, weil ich krank wurde, aber ich weiß, daß ich das getan hab oder jemand ganz in meiner Nähe, wer denn sonst, nich? – *Ich* hatte ja die Uniform an – und da kommst du nich raus, da mußt du einfach weiter bis zum Schluß – bis du auch tot bist und sie dich nach Hause schicken. So wie jetzt, die Verhandlung, ich danke recht herzlich für Ihre Worte und dafür, daß Sie sich Sorgen um mich machen, daß ich für Sie nicht nur Scheiße bin, aber ich muß sagen, ich weiß eigentlich nich – wenn Gott neue Pläne für mich hat – ich hab keine Schuld am Tod eines anderen, außer in Uniform – aber – ich weiß nich, wie Gott mich haben will – wie ich sein soll – na ja, egal wie, das hängt wohl von Gott ab? – und wohl von Ihnen –«

Sears hörte abrupt zu sprechen auf, obgleich sein Mund noch ein paar Sekunden lang zuckte. Dann setzte er sich. Er bewegte sich krampfhaft, ruckartig. Inzwischen rannen ihm Tränen über die Wangen, aber er schien es nicht zu merken, seine Lippen verzogen sich zu einem kleinen, starren Lächeln.

Michael O'Meara warf einen letzten Blick auf Lee Roy Sears – Michael war überzeugt, daß es sein letzter Blick auf ihn war – und sah, wie der Gefangene zwischen den ihn überragenden Wärtern zurück in den Todestrakt geführt wurde.

Die Fahrt von Hunsford, Connecticut, zurück nach Mount Orion, New Jersey, dauerte vier Stunden. Als Michael

O'Meara, erschöpft von der Fahrt und der seelischen Belastung des Tages, ins Haus trat, war er überrascht, daß Gina ihn so überschwenglich begrüßte. Sie stürzte auf ihn zu, schlang ihm die duftenden Arme um den Hals, küßte ihn auf den Mund und teilte ihm mit, daß er sofort eine bestimmte Nummer anrufen solle – die Nachricht läge auf seinem Schreibtisch.

Michael starrte in Ginas belebtes Gesicht. Dies hier war eine Frau, die sich über einen Erfolg freute. »Ist es – Sears?« fragte er aufgeregt.

Gina legte Michael den Zeigefinger auf die Lippen und lächelte.

»Ruf an, Liebling. Und wart ab.«

Die Nachricht stammte von einem der Leute, die im Auftrag der Bürgerrechtsvereinigung Sears' Verteidigung organisiert hatten, und als Michael anrief, erfuhr er, daß der Begnadigungsausschuß sich fünfundvierzig Minuten nach Beendigung der Verhandlung einstimmig dafür ausgesprochen hatte, das Todesurteil in eine lebenslängliche Freiheitsstrafe umzuwandeln.

Schon als er den Hörer auflegte, hatte Michael angefangen zu weinen – zu lachen und zu weinen. So glücklich! – so verdammt erleichtert! – und ungeheuer dankbar! –, als ob man ihm oder eher noch einem Menschen, den er mehr liebte als sich selbst, das Leben gerettet hätte.

Gina, die reizende Gina, die sich so über Michaels zeitraubende ehrenamtliche Arbeit geärgert hatte, bestand darauf, zu feiern: Bevor Michael etwas entgegnen konnte, teilte sie ihm mit, daß sie schon ihre engsten Freunde in Mount Orion angerufen hätte, ein anderes Ehepaar, das sie regelmäßig sahen; sie hätte bereits einen Tisch im Le Plumet Royal, dem elegantesten französischen Restaurant in Mount Orion, bestellt. »Es kommt schließlich nicht jeden Tag vor, daß mein Mann jemandem das Leben rettet!« sagte sie.

Michael protestierte lachend, daß sicherlich nicht er Sears das Leben gerettet habe: Darum hätten sich Dutzende von Leuten jahrelang gemeinsam bemüht.

Seine Wange streichelnd, sagte Gina unbekümmert: »*Ich glaube das nicht. Ich* kenne dich.«

Als sie sich an diesem Abend zum Ausgehen umzogen, trat Gina zögernd auf Michael zu und sagte, wobei ihr Blick den seinen im Kommodenspiegel festhielt, mit untypischer Schüchternheit: »Michael, wirst du diesen Mann jetzt vergessen? Und wieder – zu anderen Dingen übergehen?«

Michael, der sich gerade eine Krawatte umband, starrte Gina im Spiegel an. Ihr aschblondes Haar war mit raffiniertem Schwung aus dem Gesicht gekämmt, die Augen blickten groß und ernst, die kleinen hohen Brüste, eingefaßt vom kunstvollen Spitzengewebe ihres schwarzen Seidenunterrocks, hoben sich beim Atmen in zitternder Besorgnis. Michael schlug das Herz bis zum Hals.

Er flüsterte: »Ja doch. Mein Liebling.«

Während der folgenden Tage dachte er hin und wieder (bis er schließlich doch anfing, den armen Sears, das arme Schwein, zu vergessen) ein gerettetes Leben, aber nur, um es hinter Gittern weiterzuleben, hinter jenen besonders trostlosen, häßlichen, verschimmelt aussehenden Betonmauern des Staatsgefängnisses von Hunsford.

TEIL II

1

Fest zusammengerollt, öligschwarz und goldgeschuppt: Schlangenauge schlief. Tief versteckt im Dschungel. Versteckt vor der grellen Tropensonne.

Sog Schlangenauge ihr starkes Gift aus den Tiefen der Erde? überlegte Lee Roy Sears.

Davor hatte Lee Roy Sears manchmal Angst. Nicht immer, aber doch manchmal.

Er war unschuldig, jetzt, wo er eine Lebensaufgabe hatte.

Jetzt, wo er eine Lebensaufgabe hatte, freute er sich öfters. Gott vergibt einem lächelnden dankbaren Gesicht, und so auch der Mensch.

Bleck die Zähne so, wie sich's gehört, und es kommt ein Lächeln dabei raus.

Denn Lee Roy Sears war verschont worden. Aus Gerechtigkeit und Gnade und Mitleid und amerikanischer Großmütigkeit. Er hatte sich dem Tod ergeben, als er in einer Traumvision sah, wie sein nackter Körper wie Scheiße wieder zurück in den Müllsack gesteckt wurde; dann hatte man ihn zu seiner Überraschung verschont.

Es gibt Visionen, die vergißt du nie.

Es gibt Leute, die sich für dich einsetzen, die vergißt du nie.

Deine Feinde, die gelobst du zu vergessen.

Du gelobst, deine Feinde diese Arschlöcher die gehofft hatten dich zu zertreten wie sie eine Küchenschabe zertreten und mit dem Absatz plattmachen die Arschlöcher die es nicht verdienen am Leben zu bleiben die es verdienen zusammengeschlagen zu werden und es voll in die Fresse zu kriegen diese deine Feinde gelobst du zu vergessen.

Denn jetzt war Lee Roy Sears, verschont und begnadigt, ein neuer Mensch, und er fing ein neues Leben an, und er war entschlossen, gut zu sein.

Er hatte eine Aufgabe. Er war beflügelt von seiner Aufgabe. Licht ins Dunkel zu bringen. Licht dorthin zu bringen, wo nie Licht geleuchtet hatte. Anderen Menschen zu helfen, Vietnam-Opfern wie er selber. Ihnen zu zeigen, wie man mit seinen Alpträumen und schlimmen Erinnerungen fertig wird, durch Kunst. Um sein, Lee Roy Sears' eigenes, von Gott gegebenes Talent als Künstler zu verwirklichen.

Der Mann war aufrichtig, ja sicher war er aufrichtig, seine Stimme bebte vor Leidenschaft. Seht ihm doch in die Augen. Die feuchten, leicht blutunterlaufenen, dunklen Augen mit den schweren Lidern.

Wie er dem Gefängnisgeistlichen erzählte: Wenn man nie zum Tod auf dem elektrischen Stuhl verurteilt worden ist und dann durch die Gnade Gottes und des Menschen errettet wird, kann man vielleicht nicht wissen, was es bedeutet: SICH FREUEN.

Anfangs, wochenlang, mißtraute der Geistliche Lee Roy Sears – es gibt eine Aura, deutlich wie ein übler Geruch, die einem der Todeszelle Entronnenen anhaftet –, dann glaubte er ihm schließlich. Glaubte schließlich, daß Lee Roy Sears ein reinerer Christ war als er selber – war das nun wahr, oder war es ein glücklicher Irrtum?

2

O Daddy –!«
»– Daddy!«
Sogleich hob er erschrocken den Kopf.

Die Stimmen, glockenhell, klar, in schwachem dünnem Sopran, klangen wie eine einzige Stimme und ihr sofortiges Echo, so ähnlich waren sie sich: identisch. Und in ihrer kindlichen Dringlichkeit, ihrem aufgeregten, fast ängstlichen Unterton auch unerwartet. Michael O'Meara war so vertieft in seine die Muskeln strapazierende Arbeit, daß er in eine seiner typischen *Fugues,* Momente der Weltvergessenheit, abgedriftet war und für den Bruchteil einer Sekunde – diese seltsamen Löcher im Gedächtnis kamen, selbst nach sieben Jahren, immer noch vor – tatsächlich vergessen hatte, daß er Vater war und jederzeit den Ruf *Daddy!* und sein Echo hören könnte.

Denn hier kamen sie gelaufen. Seine Söhne.

Sein Herz wurde überflutet von der Liebe zu ihnen: Joel und Kenny.

Kenny und Joel: die O'Meara-Zwillinge.

»Daddy, hier ist was –«
»– was für dich –«

Michael, der in hüfthohen Gummistiefeln, die er sich von einem Freund ausgeliehen hatte, stundenlang Ablagerungen aus dem Teich hinterm Haus geschaufelt und auf überwucherte Rohrkolben und Binsen eingehackt hatte, winkte den Jungen zu und watete ans Ufer. Er bemühte sich stets, seine sensiblen Söhne nicht zu enttäuschen und auf ihre Stimmungen einzugehen: Joel und Kenny waren noch in einem Alter, wo so vieles aufregend, ja entscheidend ist, besonders wenn es ihnen das Recht gab, mit ihrem Leben in das ihrer Eltern einzugreifen. Durch das Überbringen wichtiger Nachrichten erleben sich Kinder selber als wichtig: Michael O'Meara konnte sich erinnern, wie er Jahre früher die Aufmerksamkeit seines zerstreuten Vaters erregt oder zu erregen versucht hatte.

»Daddy –!«

»Daddy –!«

Michael hatte etwa neun Meter vom Ufer entfernt bis zu den Hüften in strudelndem, schlammigen Wasser gestanden. Es war schwer, in den verdammt klobigen Gummistiefeln, die anscheinend auch noch undicht waren, die Balance zu halten und entschlossen vorwärts zu gehen. Weicher schwarzer Morast saugte anzüglich an seinen Füßen; an gefährlichen Stellen sank er bis zu den Fußknöcheln ein. Es war ein vorzeitig warmer Apriltag, im Gesicht hatte er einen schmerzhaften Sonnenbrand. Seine Hände in den Handschuhen pochten vor Schmerz, wie er erst jetzt merkte, und zwischen den Schulterblättern spürte er die Ankündigung eines heftigen Stechens. Hatte er, ein erst vierzigjähriger Mann, der, wenn auch in Maßen, stolz auf seine körperliche Verfassung war, eine so schlechte Kondition? Er hatte die Arbeit sicher unterschätzt, die darin bestand, einen Teil der Ablagerungen, die sich im Teich angesammelt hatten, zu beseitigen und die zu üppig gewordenen Rohrkolben und Binsen, die ihn an einer Seite verstopften, auszuhacken. Scheinbar klein, pflegeleicht und trügerisch flach, wenn man ihn vom Haus oben betrachtete, hatte der Teich in Wirklichkeit einen Umfang von über hundert Metern und reichte, obwohl seicht am Ufer, in der Mitte einem Mann über den Kopf. Überhangen von den Zweigen der Trauerweiden, umrandet von wilden Azaleen, Wasseriris und Rohrkolben war der Teich trotz seiner leichten Verwahrlosung wunderschön, und Michael hatte schon seit Jahren die Absicht, ihn zu reinigen. Ungeachtet seiner gutgemeinten Bemühungen und seiner Hartnäckigkeit war die Arbeit im Grunde jedoch zuviel für einen ungeübten Mann; er hätte einen Fachmann hinzuziehen müssen, wie Gina schon mehrmals vorgeschlagen hatte. Selbst Joel und Kenny, die ihm vorher noch geholfen hatten, glücklich über die seltene Gelegenheit, mit ihrem Vater im Freien zusammenzusein, hatten sich, ohne ihren Rückzug ausdrücklich anzukündigen, unruhig und gelangweilt von der eintönigen Arbeit hinauf ins Haus getrollt. Um zu lesen oder zu schreiben (die Jungen verfaßten gemeinsam ein Comic-Epos, das bisher weder Michael noch Gina zu Gesicht bekommen hatten) oder fernzusehen: Sie hatten keine gleichaltrigen Freunde in dieser halb ländlichen Vorortgegend, mehrere Kilometer vom Zentrum von Mount Orion entfernt, wo geräumige Häuser auf zwölftausend Quadratmeter großen bewaldeten Grundstücken standen und es keine Fußgängerwege gab; und Glenway Circle war keine Durchgangsstraße, sondern eine geschotterte, idyllisch gewundene Sackgasse.

Michael warf den Spaten auf die Uferböschung und schleppte sich mit seinen triefenden Hüftstiefeln ächzend an Land. »Okay Kinder, was gibt's?« rief er. Die Jungen rannten etwas leichtsinniger, als ihm lieb war, bergab, gaben vor ihrem Daddy an; Joel schwenkte mit wichtiger Miene einen Umschlag – oder war es Kenny? –, die Zwillinge ähnelten einander so sehr, daß man sie, besonders wenn sie aufgeregt und atemlos waren, kaum unterscheiden konnte.

Es war ein Eilbrief für Michael O'Meara, Gina hatte die Empfangsbestätigung oben im Haus unterschrieben. Ein dickes Päckchen, eine Sendung, die amtlich aussah, vom Staatlichen Ausschuß zur Gewährung der bedingten Strafaussetzung in Hartford, Connecticut.

Michael stand wie vom Donner gerührt da und starrte eine Weile auf den Umschlag, bevor er Anstalten machte, ihn zu öffnen. Selbst dann noch waren seine gefühllosen Finger fast steif.

»Daddy, was ist los?« fragte Joel ängstlich.

Und Kenny sofort: »– was ist *los*?«

Michael sagte lächelnd: »Ach, gar nichts.« Er öffnete den Umschlag, überflog den an ihn adressierten Brief, warf nur einen Blick auf die fotokopierten Unterlagen und sagte, nun nachdrücklich lächelnd: »Gute Neuigkeiten, Jungs. Ihr habt mir gute Neuigkeiten gebracht. Also, *danke*, Kinder. *Vielen Dank.*«

Michael O'Mearas Umgangston mit den Zwillingen war fast immer herzlich, fröhlich, aufgekratzt, forsch.

Mußte man es nicht so machen?

Stets würde er diesen Augenblick, diese Stunde im Gedächtnis behalten: diesen Tag: Sonnabend, den 13. April, den Tag nach dem siebten Geburtstag seiner Söhne.

Nicht, daß es eine Verbindung zwischen den beiden Daten, den beiden Ereignissen gegeben hätte. Nicht einmal eine zufällige.

Er würde auch Ginas Reaktion, mit einem stechenden Gefühl von Schuld und Trotz zugleich, lange im Gedächtnis behalten.

»Du hast also hinter meinem Rücken schon Vorkehrungen für diesen Mann, diesen Sears getroffen, diesen« – ihre Augen blitzten ungläubig – »Mörder? Du hast ihm zur Entlassung auf Bewährung verholfen, du hast ihm geholfen, einen Job zu kriegen, und – jetzt kommt er *hierher?* Nach Mount Orion?«

Gina sprach schnell, eher verblüfft als wütend: Sie wußte, daß Michael sie über alles liebte, daß er nie etwas tun würde, was ihren Interessen zuwiderlief; also lag auch alles Blödsinnige, Großzügige, Menschenfreundliche, was er tat, in ihrem Interesse, irgendwie. Aber wie?

Michael sagte: »Gina, nein. Liebling, ich hab nie etwas hinter deinem Rücken gemacht, glaub mir! Ich hab dich nur nicht belästigt, wie ich dich mit unendlich vielen Dingen, die unwichtig sind, nicht belästige. Lee Roy Sears hat mir seit 1983, seit der Umwandlung seines Urteils, ein paarmal geschrieben, merkwürdige, sehr kurze Briefe – eigentlich nur ein paar Zeilen; Dankesworte, daß ich geholfen habe, ihm das Leben zu retten. Er hat meine Rolle dabei übertrieben, und ich habe versucht, ihm das zu sagen.«

»Du hast mit dem Mann korrespondiert? Das hast du mir nicht gesagt.«

»Vor etwa achtzehn Monaten rief mich dann der Leiter des Rehabilitationsprogramms in Hunsford an, um mir von Sears' Arbeit zu berichten. Er hat auf eigene Faust ein Kunsttherapie-Programm eingerichtet, hauptsächlich mit den Vietnam-Veteranen, und das war außerordentlich erfolgreich. Der Leiter schickte mir Dias von Sears' eigenen Werken, Ölbilder und Tonfiguren, und wenn ich auch keins davon sehr talentiert fand, hat mich doch seine Sensibilität beeindruckt – wenn man seine Vorgeschichte bedenkt. Der Mann hat schließlich nichts, keine Vorteile, keine Ausbildung –«

»Und –?«

»Was und?«

»Und was hast du dann getan? Wie hast du geantwortet?«

»Damals hab ich überhaupt nicht geantwortet. Außer vielleicht, ja, daß Sears anscheinend tatsächlich eine Aufgabe hat und daß das Gefängnis ihm glücklicherweise erlaubte, sie zu erfüllen.« Michael runzelte die Stirn und fuhr sich mit beiden Händen durchs Haar. »Ich muß zugeben, Schatz, ich bin erstaunt, daß der Ausschuß ihn so früh auf Bewährung entlassen hat. Aber –«

»Erstaunt?« Ginas Stimme wurde schrill. »Das hast du schon lange gewußt! Hier –« sie klopfte ihm mit dem Brief auf die Brust – »der Ausschuß dankt dir für deine Hilfe!«

»Gina, bitte. Versteh doch. Natürlich hab ich wegen Sears an den Ausschuß geschrieben, so positiv ich konnte, dabei aber betont, daß ich ihn nicht persönlich kenne. Ich war sicher nicht der einzige, an den sie sich gewandt haben – es müssen eine ganze Menge Leute gewesen sein. Jedenfalls habe ich angenommen, daß das nur eine Formsache war, daß der Ausschuß sein Gesuch als verfrüht ablehnen würde.«

»Ja, wieso kommt er denn nach acht Jahren raus? Er ist doch zu lebenslänglicher Freiheitsstrafe verurteilt worden, oder?«

»›Lebenslänglich‹ ist lediglich die Höchststrafe. Der Ausschuß zur Gewährung der bedingten Strafaussetzung setzt die eigentliche Strafe fest. Wenn ein Häftling sich tadellos aufführt, wie Sears es offensichtlich getan hat, werden ihm für jeweils dreißig verbüßte Tage zehn als ›Guthaben‹ angerechnet. Das beläuft sich auf ein Drittel der Höchststrafe.« Michael sprach schnell, denn wie so oft, wenn er sich erlaubte, Gina über etwas zu informieren, sah er, daß ihre Augen glasig wurden. »Und es gibt noch andere Faktoren, die damit zusammenhängen – das Kunsttherapie-Programm, das den Ausschuß tief beeindruckte, und Sears' Teilnahme an religiösen Veranstaltungen und Leseförderkursen im Gefängnis und seine Interviews mit Gefängnispsychologen, Sozialarbeitern –«

»Aber – acht Jahre! Habt ihr in der ›Koalition‹ erwartet, daß er so bald auf Bewährung entlassen werden würde?«

»Darum ging es nicht.«

»Darum ging es nicht?« Gina lachte ungläubig. »Seid ihr nicht alle Anwälte, müßt ihr eigentlich nicht das Gesetz kennen?«

Michael zuckte zusammen, er wollte sagen, daß er kein Strafverteidiger war, wie Gina sehr wohl wußte; er hätte eine Karriere im Strafrecht nicht durchstehen können. Statt dessen sagte er abblockend: »Wir haben gegen das Todesurteil protestiert. Wir haben gegen die barbarische Todesstrafe protestiert. Uns ging es um das Prinzip der Gerechtigkeit.«

Gina kniff die Augen schlau zusammen, als habe sie ihn bei einer Lüge ertappt, und ließ nicht locker: »Aber du bist noch weitergegangen, Michael. Du hast Lee Roy Sears eine Stelle im Dumont Center beschafft, direkt hier, in Mount Orion – oder nicht? Wie kannst du dann behaupten, du seist erstaunt, daß er auf Bewährung entlassen wurde? Das widerspricht sich doch.«

Michael sagte in bemüht ruhigem Ton: »Man hat mich gefragt, ob ich irgendwelche öffentlichen Einrichtungen kenne, wo Sears mit seinem Interesse für Kunsttherapie wenigstens halbtags arbeiten könnte, also habe ich ihnen natürlich

Clydes Namen genannt. Ja, natürlich, ich habe vorher mit Clyde gesprochen.« Michael unterbrach sich. Clyde Somerset, ein Freund der O'Mearas, war Leiter des Dumont Center und ein prominenter Bürger, der sich für kommunale Belange aktiv einsetzte; er und seine attraktive Frau Susanne waren ein für Mount Orions Elite sehr wichtiges älteres Ehepaar, an dessen Meinung Gina viel lag. Michael erkannte, obwohl er viel zu taktvoll war, das anzudeuten, daß Ginas übertriebene Besorgnis im Hinblick auf Lee Roy Sears in erster Linie gesellschaftliche Gründe hatte – was für sie allerdings nicht weniger entscheidend war. Er mußte ihre Bedenken ernst nehmen, und er mußte sie mit der Rücksichtnahme eines Geliebten und dem Anstandsgefühl eines Ehemannes vor der Erkenntnis ihrer eigenen nicht gerade noblen Beweggründe schützen. Weil Gina ihn immer noch zweifelnd ansah, sagte er, um sie zu besänftigen: »Ich habe Sears den Job im Dumont Center nicht verschafft, er hat ihn sich selber durch seine Empfehlungsschreiben verschafft. Du kennst Clyde – Clyde ist nicht sentimental, und er ist kein Dummkopf. Jedenfalls hat Sears noch einen anderen Job in einem Parkhaus in Putnam, der ihm den größten Teil seiner Einkünfte sichert. Und er wird in Putnam wohnen, in einem Heim für bedingt Entlassene. Er muß seinem Bewährungshelfer jede Woche Bericht erstatten. Er wird nicht in Mount Orion leben.«

Putnam war eine Arbeiterstadt, ein Vorort von Newark, eine halbe Stunde Fahrt auf der verkehrsreichen New-Jersey-Autobahn vom grünen Mount Orion entfernt. Gina sagte jedoch: »In Mount Orion hast du die Verantwortung für ihn, Michael, jedenfalls werden die Leute das so sehen. Und das bedeutet, daß auch ich die Verantwortung habe.«

Gina sprach in einem so schroffen Ton, mit solcher Entrüstung, daß Michaels sonnengebräuntes Gesicht glühte. Er hatte sich flüchtig im Spiegel angeblickt und war vor Schreck über seine rote Clownsnase zusammengezuckt. Jedes Jahr eine vorzeitige Portion Sonne, jedes Jahr dasselbe! Normalerweise lachte Gina über ihn und küßte ihn und rieb seine feuerrote Haut mit Noxema ein. Heute freilich, angesichts dieser unerwarteten Neuigkeit, die zwischen ihnen stand, hatte sie keinen Kuß für ihn, nicht einmal ein paar zärtliche Worte des Mitgefühls. Ja, sie starrte ihn an, als sei er mit seinem festen, stämmigen Körper, dem molligen Fleischwulst um die Taille, dem zerzausten, leicht ergrauenden roten Haar und der schlammbespritzten Kleidung ein Fremder, ein ungehobelter Eindringling in ihrem reizvoll eingerichteten Schlafzimmer.

Aber wie schön sie trotz ihrer kratzbürstigen Feindseligkeit war!

Sie wollten am Abend ausgehen, und Gina hatte sich das glänzende blonde Haar gewaschen; sie trug einen leuchtendgrünen Kimono-Morgenrock, den Michael ihr auf einer kurz zuvor unternommenen Geschäftsreise nach Tokio gekauft hatte, die breite Schärpe hatte sie fest umgebunden, wie um ihre elegante Magerkeit zu betonen. Ihre kameenhafte Schönheit kam ihm wie eine Zurechtweisung seiner Person und des plumpen erotischen Verlangens vor, das er in solchen Momenten empfand.

Michael sprach eindringlich, aber sanft. Er hoffte, dieser Frau, die ihm einen so unnachgiebigen Widerstand entgegensetzte, ein kleines Lächeln zu entlocken.

Nach ihrer Hand greifend, sagte er: »Gina, tut dir Lee Roy Sears nicht leid? Nur ein bißchen? Da ist nun dieser neununddreißigjährige Mann, ohne Frau, ohne Familie, ohne richtige Erziehung, mit einer erst in Vietnam, in einem schmutzigen, sinnlosen Krieg vergeudeten Jugend, dann im Gefängnis – nicht acht Jahre, wie du gesagt hast, sondern dreizehn, denn er hat ja vor der Umwandlung seiner Strafe fünf Jahre im Gefängnis verbracht. Überleg mal, Gina – fünf Jahre in der Todeszelle! Wenn er Montag morgen aus Hunsford rauskommt, hat er wahrscheinlich nicht mal hundert Dollar in der Tasche und keinen, zu dem er gehen kann, außer –« Michael stockte, nahe daran, sich im Wort zu vergreifen und zu sagen: »zu uns« – »nach Putnam, New Jersey, in dieses Wohnheim. Und du, Gina, die nie eine Stunde lang Not oder Entbehrung erfahren hat – du möchtest dem Mann dies kleine bißchen verwehren?«

Plötzlich lachte Gina. Jenes helle, klirrende Lachen wie zersplitternde Eiszapfen, das Michaels Begehren so erregte.

»Ja! Oh, um Himmels willen, *nein!* Ach, laß mich in Ruhe!«

Michael zuckte bei ihrem schroffen Ton zusammen. Er hatte Sorge, die höhnische Stimme könnte im Haus zu hören sein, obwohl sie hinter geschlossener Tür oben im Schlafzimmer waren und Joel und Kenny weit weg unten im Wohnzimmer fernsahen. Da Gina in den meisten Angelegenheiten eine engere Verbindung zu den Jungen hatte als Michael, gab sie auch auffallend weniger darauf acht, ihnen Dinge fernzuhalten, die sie verstören konnten; sie hielt sie nicht für annähernd so sensibel, wie es Michael tat. Dennoch schienen die Jungen manchmal auf geheimnisvolle und für Michael beunruhigende Weise Vorgänge wahrzunehmen, die ihnen weder ihr Vater noch ihre Mutter erzählten.

Wovor Michael O'Meara seine Söhne vor allem schützen wollte, war verfrühtes Wissen: zu schnell erwachsen zu werden.

Gina war wütend und den Tränen nahe, und Michael ging einfach zu ihr, obwohl er dabei einen Schlag ins Gesicht oder ein Trommelfeuer ihrer kleinen zarten Fäuste riskierte, und umarmte sie. Er sagte: »Das meinst du nicht. Du bist viel zu nett, um so etwas zu meinen.«

»Ach, bin ich das!«

Gina stand sehr still in Michaels Umarmung, weder leistete sie Widerstand, noch gab sie nach. Ihre seltenen Auseinandersetzungen endeten häufig auf diese Weise. Michael vergrub das glühende Gesicht in Ginas feinem kühlen Haar und liebkoste sie sanft, fast scheu, andächtig. Ihr zart gerundetes Hinterteil, das so straff war, ihre schmale Taille, ihren Brustkorb, die kleinen hohen Brüste ... er hielt sie wie einen seltenen Siegespreis, im Gefühl seiner Unwürdigkeit und doch im Triumph des Besitzes als ihr Ehemann und Vater ihrer Kinder.

Ein paar Sekunden lang schwiegen sie. Über ihnen zog ein Düsenflugzeug vorbei.

Gina sagte: »Ich weiß ja, daß du recht hast. Natürlich hast

du recht. Du beschämst mich. Ich bin so egoistisch und dumm. Du hättest jemand anders heiraten sollen, Michael. Jemand, der deiner würdig ist.«

Bedeutete das: *Ich hätte jemand anders heiraten sollen ...?*

Michael protestierte, ohne nachzudenken: »Aber Gina, ich liebe dich doch!«

Als Michael gerade die Nachttischlampe zwischen den Betten der Jungen ausschalten wollte, fragte Joel ängstlich: »Daddy, kommt jemand zum Wohnen zu uns?«

Und Kenny sofort atemlos, als wären die Worte minutenlang eingesperrt gewesen: »Daddy, ist es ein *böser Mann?*«

Michael, der bemerkt hatte, daß seine Söhne ungewöhnlich artig waren, als er sie ins Bett gesteckt, eine Weile mit ihnen geschwatzt, ihnen einen Gutenachtkuß gegeben hatte, war überrascht und sagte nach nur einem Augenblick des Zögerns: »Nein, wieso. Natürlich nicht. Wer in aller Welt hat euch das erzählt?«

Er stand groß und fürsorglich über sie gebeugt, lächelte nicht beklommen, wie er hoffte, lächelte angestrengt, etwas verdutzt, überlegend und dann die Überlegung verwerfend, ob Gina aus einer seltsamen Laune heraus vorgeprescht sei und den Zwillingen von Lee Roy erzählt hatte. Aber natürlich hatte sie nicht. Sie wußten es eben einfach.

Mit liebevoller Besorgnis blickte Michael Joel in seinem Bett, Kenny in dem anderen an, wobei er ein Gesicht machte wie ein Fernseh-Daddy, um ehrliche Verblüffung auszudrücken und ihnen das Alberne ihrer Befürchtungen zu demonstrieren. Er fragte sie wieder, wer ihnen davon erzählt habe, aber die Jungen verzogen den Mund und sagten nichts, starrten ihn nur an, jeder mit einem winzigen Schaudern, obwohl es warm war im Zimmer und sie die Bettdecken bis ans Kinn hochgezogen hatten. Joel in seinem Bett links, Kenny in seinem Bett rechts. Gewiß, die Betten waren identisch, es waren Zwillingsbetten, aber Joel hatte eine marineblaue Bettdecke mit einem nautischen Muster, und Kenny eine jagdgrüne mit einem Muster aus Hoftieren. Joels Pyjama war aus leichtem blau-weiß-gestreiftem Flanell, Kennys Pyjama aus leichtem beige-weiß-gestreiftem Flanell. Joels neue Turnschuhe waren aquamarinblau und weiß, Kennys rot und grau. Die neuesten guten Hosen von Joel waren dunkelbraun, Kennys dunkelblau. Über Joels Schreibtisch auf seiner Zimmerseite hing ein Hochglanzposter von E. T., und über Kennys Schreibtisch auf seiner Zimmerseite hing ein Hochglanzposter jener vier Schildkröten, deren Metamorphose von den ursprünglichen TV-Zeichentrickfiguren zu Hollywood-Filmgestalten Michael sehr beunruhigt hatte, als er mit seinen Söhnen ins Kino gegangen war.

Von einem Jungen zum anderen blickend, sagte Michael: »Es gibt keinen ›bösen Mann‹, der uns besuchen kommt, aber es gibt einen Mann, den wir noch nicht kennen und den ihr vielleicht nächste Woche kennenlernen werdet. Er wird aber nicht bei uns wohnen. Er wird überhaupt nicht viel hier sein. Nicht öfter als« – Michael dachte nach und suchte nach dem idealen Gegenstück, das ihm nicht einfiel »– als der Heizölmann.«

Das aber klang lahm und nicht überzeugend. Joel und Kenny starrten, weit entfernt davon zu schlafen, ihren Vater immer noch großäugig an. Wieso schnürt sich einem das Herz zusammen, wenn sich die glatte Stirn eines Kindes angstvoll in Falten legt? Michael versuchte etwas fröhlicher zu lächeln. »War das nicht lustig gestern, euer Geburtstag – eure Geburtstage?«

Gina hatte am Spätnachmittag, nach der Schule, eine Geburtstagsfeier mit acht Klassenkameraden für die Jungen arrangiert. Michael, der normalerweise bis acht Uhr im Büro blieb, war nicht rechtzeitig zur Party erschienen, aber die erschöpfte Gina hatte ihm erzählt, daß es ein großer Erfolg gewesen sei. Und aufgrund ihrer diskreten Anregungen hatten die anderen Mütter, mit zwei oder drei von ihnen war sie befreundet, dafür gesorgt, daß keine »Zwillings«-Geschenke – gleiche Spielsachen, Kleidungsstücke, Spiele, Bücher, Videos – mitgebracht wurden.

Denn obwohl Joel und Kenny ersichtlich eineiige Zwillinge waren, also identische Chromosomen hatten, hieß das nicht – und darauf bestand Michael beharrlich –, daß eins der Kinder sich in seiner Persönlichkeit nach dem anderen oder der im Grunde zufälligen Tatsache des *Zwillingseins* richten sollte.

Die Jungen nickten und lächelten matt, ja, die Party war lustig gewesen, ja, die Geschenke waren okay, aber ihre Beklommenheit ließ sich nicht so leicht vertreiben. Joel sagte schüchtern: »In dem Brief, da stand sicher was Schlimmes drin, Daddy?«, und Kenny sagte mit kindlicher Heftigkeit: »Mommy wollte, daß wir ihn dir bringen, Daddy – *wir* nicht.« Joel schloß sich heftig nickend an: »*Wir* nicht.« Die Knie der beiden Jungen wippten und zuckten unter der Bettdecke.

Michael sagte: »O nein, Kinder – ganz und gar nicht. In dem Brief stand was Gutes, wirklich. Was sehr Gutes. Für Mommy war es vielleicht überraschend.« Er zögerte, wollte nichts über Mommy sagen, was selbst in einem verspielten Mann-zu-Mann-Ton kritisch klingen konnte. Wenn Gina von den Kindern genervt war, bemühte sie sich nicht, ihre Gefühle zu verbergen; Michael jedoch achtete darauf, in Hörweite der Söhne nie ein kritisches Wort über sie fallenzulassen. (Wie sehr er sich wünschte, daß Gina, die impulsive, leicht aufbrausende Gina das auch für ihn tun würde – aber das war eine andere Geschichte.) Er sagte: »Aber jetzt ist alles in Ordnung, Jungs. Mommy und ich gehen aus, aber wir sind um Mitternacht zu Hause. Marita ist hier – ihr mögt doch Marita?« Die Jungen nickten unschlüssig. Marita war die letzte einer Reihe weiblicher von Gina eingestellter Hilfskräfte, deren Aufgabe darin bestand, sich um Joel und Kenny zu kümmern, wenn die Eltern etwas vorhatten. Michael kannte sie selbst kaum.

Michael sagte lächelnd: »Morgen ist Sonntag. Wenn das Wetter gut ist, fahren wir vielleicht zu den Islands. Vielleicht nur wir drei. Okay?« Die Islands waren ein Wildschutzgebiet mit Wanderpfaden, Fußgängerbrücken, die kleine Inseln verbanden, und Kanus. Normalerweise bekamen die Jungen große Augen vor Aufregung, wenn sich die seltene Aussicht eröffnete, von ihrem vielbeschäftigten Vater zu einem Ausflug dorthin mitgenommen zu werden, doch jetzt wirkte ihre Begeisterung nur höflich. Kenny klemmte sich den Daumen in den Mundwinkel und sagte: »Daddy, ist Mommy sauer auf uns?« Joel quengelte erschauernd: »Daddy, wir waren es nicht, es war nicht unsere Schuld.«

»Natürlich nicht, nichts war eure Schuld, und Mommy ist auf niemanden sauer, seid nicht albern. Ich mache jetzt euer Licht aus und –« Michael beugte sich zu der Lampe herunter, aber die Jungen traten mit gellendem Protest gegen die Bettdecken.

»Nein, Daddy!«

»Nein, Daddy, *nicht*!«

»Daddy, geh nicht weg! *Daddy* –«

»– *geh noch nicht weg*!«

Michael lachte erschrocken. »Psst, Kinder. Joel, Kenny – seid brav! Psst!«

Er packte die zappelnden Beine der Jungen und hielt sie fest. Wie gefangene Tiere hörten die Jungen sofort auf zu strampeln. Aber sie keuchten, und ihre Augen, zart bewimpert wie die Ginas und von derselben auffallend meergrünen Farbe, flackerten in angstvollem Trotz. Joel fragte: »Wer ist es? Wer kommt nächste Woche zu Besuch?« Kenny rief dazwischen: »Daddy, *wer!* Sag doch, *wer!*«

Michael zögerte. Er hatte nie überzeugend lügen können; eigentlich log er so gut wie nie. Es war ein Prinzip bei ihm, aber wäre es kein Prinzip gewesen, so doch eine Notwendigkeit. Wie ein Stotterer lernt, die Silben zu vermeiden, die sein Stottern verschlimmern, hatte Michael im Lauf der Jahre gelernt, Gelegenheiten auszuweichen, die ihn zum Lügen zwangen. Jetzt aber, da seine beiden Söhne ihn begierig anstarrten, fehlten ihm die Worte.

Um die Diskussion zu beenden, sagte er schließlich: »Lee Roy Sears ist eben – ein Mensch. Ein Mann wie ich. Und nun ist Schlafenszeit.«

»›Lee Roy –‹«

»– ›Sears‹?«

»Ist er ein böser Mann?«

»Ist er das, Daddy?«

Michael lachte frustriert. »Kinder, ich habe euch doch gesagt, *nein*. Er ist *kein* böser Mann. Daddy würde mit einem bösen Mann nichts zu tun haben wollen, das wißt ihr doch. Wie kommt ihr bloß auf eine so absonderliche Idee?«

Die Jungen kicherten und wechselten dabei einen raschen Blick, wie sie es in solch kindischer Stimmung häufig taten. Als ob sie sich wortlos, aus dem Bauch, miteinander verständigten. Als ob ein einziger sprunghafter Gedanke sie beide elektrisierte.

Kenny, den Daumen noch tiefer in den Mundwinkel geklemmt, platzte los: »Weil er im *Gefängnis* gewesen ist.«

Joel sagte mit gewagtem Kichern: »Weil er jemand totgemacht hat, wetten!«

Kenny als Echo: »Wetten, wetten!«

Das brachte sie auf Touren – sie kicherten, quietschten, wanden sich, strampelten das Bettzeug weg. Ihr Vater mußte seine ganze Geduld aufbringen, um sie zu beruhigen. »Kommt, Joel, Kenny! Seid brav. Hört auf damit! Ihr wollt euch doch nicht wie alberne kleine Babys benehmen, oder? Wo ihr sieben Jahre alt seid?« Michaels sonnenverbranntes Gesicht glühte vor Gereiztheit; die Jungen brachten ihn zur Verzweiflung; ihre Ungezogenheit hatte freilich etwas von ihrer Mutter, etwas Koboldhaftes, fast Kokettes. Und es waren so schöne kleine Jungen, mit dem blonden, feinen, gewellten Haar, den großen Augen, der vollkommenen Haut. In den sieben Jahren hatte Michael, selbst wenn sie noch so flegelhaft herumtobten, es nicht ein einziges Mal fertiggebracht, sie nachhaltiger als mit Worten zu strafen.

Wovor Michael seine Söhne vor allem schützen wollte, war physische Verletzung: durch seine eigene Wut oder die eines anderen.

In der Meinung, daß sie für den Abend weit genug gegangen waren und daß Daddy, den sie über alles liebten und auf dessen Liebe sie großen Wert legten, ihretwegen ernstlich verstimmt und in seiner komplizierten erwachsenen Art vielleicht auch verletzt war, beschlossen die Zwillinge gleichzeitig, mit den Frechheiten aufzuhören; sich hinzulegen und artig zu sein, Daddy zuzuhören und ihm zu glauben, als er sagte, daß der Mann, der nächste Woche zu Besuch kommen sollte, *kein* böser Mann war und bestimmt kein Mörder, sondern jemand, den sie vielleicht sogar gernhaben würden – »Jedenfalls solltet ihr ihm eine Chance geben. Es ist doch nur fair, Joel, Kenny, Lee Roy Sears eine Chance zu geben?«

Joel und Kenny nuschelten: »Ja, Daddy.«

»Ihr seid brave Jungs«, sagte Michael plötzlich so inständig, daß Joel und Kenny verlegen wurden; genauso erging es ihnen, wenn ihre Mutter in ihrer Gegenwart fluchte oder in Tränen ausbrach. »Ihr seid lieb und freundlich, und ihr seid großzügig, und es ist doch nur fair, nicht wahr, Lee Roy Sears eine Chance zu geben? Einem Mann, der es in eurem Alter nicht so gut hatte wie ihr?«

Wieder murmelten sie wie mit einer Stimme: »Ja, Daddy.«

Michael zog resolut ihre Kissen und zerwühlten Bettücher zurecht, deckte sie wieder zu, beugte sich über sie und gab ihnen nacheinander einen Gutenachtkuß. Er knipste die Nachttischlampe aus, saß aber noch im Halbdunkel bei ihnen (die Schlafzimmertür war nur angelehnt, in der Halle brannte Licht), bis sie einschliefen. Seit der Zeit, als die Jungen noch Babys waren, hatte er die von Gina nicht geschätzte Angewohnheit angenommen, sie zu trösten, wenn sie offenkundig aufgeregt oder beunruhigt oder nach schlechten Träumen aufgewacht waren. Sanft sagte er: »Es ist alles okay. Daddy bewacht euch.«

Ob sein Leben wohl anders verlaufen wäre, überlegte er, wenn sein Vater sich vor vielen Jahren die Zeit genommen hätte, so bei ihm zu sitzen?

Michael hatte solche Skrupel, was die Gefühle seiner Söhne betraf, er war so darauf bedacht, keinen je durch die geringste Geste zu bevorzugen, daß er sich nicht auf die Kante eines ihrer Betten setzte, sondern auf einen Stuhl, den er sich herangezogen hatte. Er meinte, daß Joel und Kenny solche Dinge intensiver als gewöhnliche Geschwister wahrnahmen.

Allmählich atmeten die Jungen rhythmisch, regelmäßig,

tiefer. Michael betrachtete ihre Gesichter, als sie in Schlaf sanken: die geschlossenen Augen, die leicht geöffneten Lippen, die vollkommen geschnittenen kleinen Nasen ... Er empfand eine so brennende Liebe, daß er kaum an sich halten konnte.

Doch in solchen Zeiten schwappte das alte Schuldgefühl wie abgestandenes Wasser in ihm hoch. Denn er glaubte, daß er diese wunderbaren Söhne nicht verdiente, wie er auch seine wunderbare Frau nicht verdiente. Selbst sein Glück, seine Identität als Michael O'Meara – er verdiente sie nicht.

Und warum? Er war ihrer nicht wert. Ihrer Liebe und ihres Vertrauens. Und warum war er ihrer nicht wert, warum ihrer Liebe und ihres Vertrauens nicht wert? Weil sie ihn nicht kannten. Sie wußten nichts von ihm. Wenn sie wüßten, würden sie ihn nicht lieben. Erst recht nicht ihm vertrauen.

Michaels Schuldgefühl war, was seine Söhne betraf, unklar, aber was Gina betraf, deutlich erkennbar – sie hatte eine schwierige Schwangerschaft gehabt, und ihre Ehe war auf eine harte Probe gestellt worden. Obwohl er wußte, daß diese Auffassung primitiv war, konnte er sich des Gefühls nicht erwehren, daß er seiner arglosen Frau eine gefährliche Schwangerschaft zugemutet hatte.

In der ersten Zeit ihrer Schwangerschaft, im Sommer 1983, war Gina überglücklich gewesen. Sie hatte Michael dutzende Male am Tag umarmt und geküßt; ihr Sarkasmus und ihre Unbeherrschtheit verschwanden schlagartig; in kindlicher Schwärmerei rief sie ihn im Büro an, nur um ihm zuzuflüstern: »Ich liebe dich so.« Sie war mit ihrer engsten Freundin Tracey Deardon aus Mount Orion nach New York gefahren, um bei Bloomingdale's Umstandskleider zu kaufen. Sie hatte mit ihrer Mutter, ihren verheirateten Schwestern, ehemaligen Zimmergenossinnen aus dem College stundenlang am Telefon geredet und gelacht, während Michael verwundert, aber glücklich über ihr Glück auf das Abendessen wartete oder auch allein aß, bedrängt von dem Gedanken – der das Gewicht einer tiefsinnigen Einsicht hatte –, daß sich Gina bisher benachteiligt gefühlt haben mußte, ausgeschlossen aus der Gemeinschaft von Frauen, die wirklich *Frauen* waren.

Anfangs auch strotzte Gina vor Gesundheit. Ihre Haut verlor die porzellanhafte Blässe und nahm einen warmen, rosigen Schimmer an. Ihre Augen verloren die Schläue, das sarkastische Glitzern, und leuchteten. Sie bekam schwerere Hüften und Brüste und betrachtete sich selbst voller Staunen. Eifrig richtete sie das Kinderzimmer ein. Eifrig führte sie Vorstellungsgespräche mit potentiellen Haushaltshilfen. (Die Babybetreuung wollte Gina selbst übernehmen, das stand außer Frage.) Sie vertiefte sich in Babybücher, Ernährungsbücher, populärpsychologische Bücher. (Eines trug den amüsanten Titel ›Die Pflege und Fütterung des werdenden Vaters‹.) Anfangs besuchte sie zusammen mit Michael Kurse über natürliche Geburt im Frauenzentrum von Mount Orion. (Michael war von den Kursen begeistert, doch Gina verlor schnell das Interesse – wenn die Geburt natürlich vor sich gehen sollte, warum machte sie dann solche Arbeit? Gina wollte wie die meisten ihrer Freundinnen durch Kaiserschnitt entbinden.)

Als Gina jedoch erfuhr, daß sie mit Zwillingen schwanger war, änderte sich alles. Ihr Gesundheitszustand. Ihre Einstellung zu Michael. Sie begann unter der klassischen Schwangerschaftsübelkeit mit Erbrechen zu leiden. Sie schlief schlecht. Sie weinte beim geringsten Anlaß oder überhaupt ohne Anlaß. Wie Michael hatte sie große Freude über die Neuigkeit bekundet – das junge Paar erklärte, es sei »doppelt so glücklich« –, aber wie Michael war sie wie gelähmt. *Zwillinge. Eineiige Zwillinge. Wo doch nur ein Kind erwartet worden war.* Wenn wohlmeinende Verwandte den O'Mearas gratulierten, biß sich Gina wortlos auf die Lippen.

Wenn Michael sich ihr näherte, um sie zu umarmen, stieß sie ihn sanft, doch entschieden weg. Sie konnte keine Berührung ertragen. Von niemandem.

Sie zog eine Abtreibung in Erwägung oder erschreckte Michael, weil sie den Anschein erweckte, eine Abtreibung in Erwägung zu ziehen.

Michael nahm in dieser elenden Phase ironischerweise zum ersten Mal wahr, was man in Mount Orion von ihm hielt. Bis dahin hatte er kaum einen Gedanken darauf verschwendet –

er war nicht der Mensch, der über seine Beliebtheit, sein Ansehen bei anderen nachdachte. Sobald jedoch die Nachricht von der Schwangerschaft die Runde machte, gratulierten ihm Freunde, Bekannte, Kollegen; als man erfuhr, daß Zwillinge unterwegs waren, bemerkten die Leute lachend: »Typisch für Michael O'Meara, daß er Vater von *Zwillingen* wird!«

Michael war verwundert, verwirrt. Hielten ihn die Leute für ein Muster an Männlichkeit? Einen Quell unerschöpflicher Kraft?

Gina floh aus Mont Orion und dem weißen Kolonialhaus am Glenway Circle und blieb drei schreckliche Wochen, in denen Michael nichts übrigblieb, als sein vielbeschäftigtes Leben nach außen hin weiterzuführen, als sei alles in Ordnung, bei ihren Eltern in Philadelphia. Ihr Körper wurde auf groteske Weise unförmig, ihre Schönheit versank in geschwollenem, teigigem Fleisch. Sie behauptete beharrlich, daß Michael sie unmöglich lieben könne, da sie abstoßend sei, widerlich; an seiner Stelle könne auch sie sich unmöglich lieben. Wie hatten sie sich bloß ein solches Elend aufladen können! »Natürlich liebe ich dich, Gina«, hielt ihr Michael am Telefon flehentlich entgegen. »Ich würde mein Leben für dich hingeben.« Hilflos weinend sagte Gina: »*Ich* gebe mein Leben hin – für *dies* hier!« Schließlich ließ Gina es schicksalsergeben zu, daß Michael nach Philadelphia kam, um sie nach Hause zu holen.

Michael hatte sich bei seiner Mutter erkundigt, ob Zwillinge in der Familie lägen – ihrer Familie oder der seines Vaters? Mrs. O'Meara, die gerade in Palm Beach überwinterte, klang weit weg wie am Äquator; in ihrem normalerweise kurz angebundenen Ton, der am Telefon noch unpersönlicher wirkte, sagte sie: »Schwangerschaft ist immer schwierig für Frauen, Michael, du mußt viel Verständnis für Gina haben.« Und Michael sagte: »O ja, Mutter, ich glaube, das habe ich, ich versuche es, ich liebe sie wahnsinnig, und ich will unter diesen Umständen der bestmögliche Ehemann und der bestmögliche Vater sein« – und Mrs. O'Meara sprach über seine Stimme hinweg: »Für eine Frau ist Kinderkriegen wie die Antwort auf ein Rätsel, aber in Wirklichkeit erweist es sich als

Teil eines Rätsels«, und Michael sagte lauter, weil es in der Leitung inzwischen wegen atmosphärischer Störungen knackte: »Ja, Mutter, aber was ist mit Zwillingen? Gab es schon mal Zwillinge in der Familie?« und Mrs. O'Meara sagte mit nun ferner Stimme: »Von Zwillingen weiß ich nichts. Ich weiß nichts.« Gleich darauf brach die Verbindung ab.

Die Geburt in ihrer blutigen Körperlichkeit verlief nicht so beschwerlich wie die vorangegangenen Monate. Ginas Wehen begannen, dauerten annähernd sieben Stunden und endeten dann. Es war einfach himmlisch, sagte Gina. Sie meinte, frei zu sein: *entbunden* zu sein. Oder sie empfand es so, euphorisch von Betäubungsmitteln und vor Entzücken über zwei vollkommene kleine Buben, die ihr präsentiert wurden, der eine wog fünf Pfund und 337 Gramm, der andere fünf Pfund und 252 Gramm. Wie glücklich sie war, und wie glücklich und erleichtert Michael war! Noch Wochen danach lächelte Gina in einem fort, ein neues strahlendweißes, liebliches Lächeln, als ob sie benommen sei, besiegt, doch beseligt. Sie konnte Joel und Kenny nicht stillen und überließ sie fröhlich der Säuglingsnahrung. Sie konnte mit ihrem Geschrei nicht fertigwerden und überließ sie fröhlich ihrem Vater oder Rita, der Haushaltshilfe, die bei ihnen wohnte. Sie machte viel Getue um sie, wenn Besuch kam, küßte sie und nahm sie auf den Arm, ließ sich mit ihnen fotografieren, hatte sichtlich große Freude an ihnen, dem hübschen kleinen Joel und dem hübschen kleinen Kenny, doch wenn sie nicht im Haus war, schien sie sie fast zu vergessen: Es waren andere, die sie ihr ins Gedächtnis riefen. Wie fühlt es sich an, wurde Gina O'Meara wiederholt gefragt, Mutter von eineiigen Zwillingen zu sein?

Gina zeigte lächelnd ihre hübschen weißen Zähne und sagte: »Es fühlt sich einfach himmlisch an!«

Seit dieser Zeit erlebte Gina, während die Knaben heranwuchsen, Phasen intensiver Zufriedenheit mit ihrem Muttersein und ihrem Platz im Leben – denn mochte sie in ihrer elementaren Identität auch noch so instabil sein, jetzt *war* sie Mutter, das ließ sich nicht leugnen. Sie konnte sich sachverständig über die Privatschulen der Gegend, über Kinderärzte, Kinderkleidung, Spielsachen und Fernsehsendungen äußern, und sie konnte sich bei den älteren Müttern ihres Mount-Orion-Kreises respektvoll Rat holen. Sie hatte ihre Eltern zu stolzen, die Enkelkinder abgöttisch liebenden Großeltern gemacht. Sie konnte sich in der vorbehaltlosen Liebe ihres Mannes sonnen (in Mount Orion erregte Michael O'Mearas Ergebenheit seiner Frau gegenüber den Neid anderer Ehefrauen), ohne die geringsten Gewissensbisse zu empfinden, wenn sie sie manchmal – beinahe – verriet.

Denn Gina war wie viele schöne Amerikanerinnen hochromantisch: was genaugenommen nicht untreu heißen soll. Im Verlauf ihrer vielen Ehejahre hatte Gina keine ehebrecherische Affäre gehabt, aber sie hatte, und gedachte es auch in Zukunft so zu halten, romantische Freundschaften gehabt.

Ihre glückseligen Perioden wurden durch andere abgelöst, die nicht so deutlich hervortraten, aber doch unverkennbar waren. Soweit Michael es beurteilen konnte, fühlte sich die arme Gina durch drei männliche Wesen in der Familie einfach in die Ecke gedrängt, erdrückt – folglich neigte sie zu Gereiztheit, Sarkasmus, Gekränktheit, zu Tränen, zum Verstummen. Michael rief sich jene schrecklichen Wochen in Erinnerung (die weder er noch Gina je erwähnten), als Gina ihn verlassen hatte, um in Philadelphia zu leben, und war darauf bedacht, die Dinge nicht noch schwieriger für sie zu machen: Er ging bereitwillig und meist fröhlich auf ihre Wünsche ein; er willigte in die Teilnahme an einer Reihe gesellschaftlicher Ereignisse ein, einer endlosen, sich unablässig fortsetzenden Reihe, die ihm zuweilen den Atem nahm; er erfüllte ihr gewisse kostspielige Luxusbedürfnisse (die Mitgliedschaft im renommierten Tennis Club von Mount Orion und Tennisstunden beim dort ansässigen Profi), als stünde ihr das als Mrs. O'Meara fraglos zu, was es vielleicht ja auch tat. Zeitweilig mochte er ihre emotionale Abhängigkeit von romantischen Freundschaften gespürt haben, doch er wußte nichts Konkretes davon und fragte auch nie. Er war kein eifersüchtiger Ehemann. Er war bis in die letzten Fasern seines Wesens ein Gentleman.

Er wußte auch, daß Gina keine im physischen Sinn leidenschaftliche Frau war; daher war es unwahrscheinlich, daß sie ihn je auf diese Weise betrügen würde.

Einer der Zwillinge regte sich im Schlaf – Joel, er lag in Joels Bett. Michael blickte zu Kenny und sah zu seiner Erleichterung, daß Kenny tief schlief, ohne seinen Zwillingsbruder und seinen Vater wahrzunehmen, der nahe bei ihm saß. Im schwachen Licht, das aus der Halle kam, sahen die Gesichter der Jungen engelhaft aus und völlig gleich. Michael wußte, daß Joel ein oder zwei Pfund mehr wog als Kenny, daß Joel fast unmerklich schneller, ungeduldiger war als Kenny, daß Joels Haar auf dem Scheitel in einem leichten Wirbel nach links wuchs, während Kennys Haar in einem leichten Wirbel nach rechts wuchs. Sie waren »spiegelbildliche« Zwillinge – eine Bezeichnung, die ihr Vater nicht mochte und nie gebrauchte. Es bedeutete, daß sie, obwohl auf den ersten Blick identisch, sich doch durch feine Asymmetrien, besonders im Gesicht, unterschieden, so daß sie, wenn sie nebeneinander standen und sich etwas von der Seite ansahen, den – je nach Geschmack unheimlichen oder reizvollen – Eindruck erweckten, ein einziges Kind zu sein, das sein Spiegelbild betrachtete.

Jetzt bewegte sich Kenny, seufzte, führte den schon feuchten Daumen an den Mund und ächzte leise. Michael hätte den Daumen gern sacht weggeschoben – sieben Jahre, das war viel zu alt fürs Daumenlutschen –, aber er wollte den Jungen nicht stören.

Es war doch Kenny? Der kleine Junge, der in Kennys Bett schlief.

(Hin und wieder, wenn auch nicht oft, weil Daddy es gar nicht gern hatte, tauschten sie die Plätze – die Identitäten. Nur um andere zu verwirren. Einen Lehrer, ein paar ihrer kleinen Freunde. Manchmal auch Mommy. *Sie* fand es komisch und nannte sie kleine Teufel. Wenn Daddy zu Hause war, wurde der Streich riskanter. Spielten sie ihn dann, mußten sie ihn richtig spielen und ihre vertauschten Identitäten so lange durchhalten, wie Daddy in der Nähe war. Wenn er ihnen auf die Schliche kam, lachte und schimpfte er nicht wie Mommy, sondern blickte sie an, als ob sie ihn betrogen hätten, und war verletzt, und weil sie ihn liebten, wollten sie ihn nicht verletzen, ihren Daddy. Aber trotzdem, manchmal war es zu komisch.)

Seit der Geburt der Zwillinge war für Michael das Wichtigste in seiner Ehe, daß Gina mit ihm übereinstimmte, sie so aufzuziehen, als seien sie nicht Zwillinge, sondern bloß Brüder. Michael, der an den einzigartigen Wert und die Würde der menschlichen Seele glaubte (obwohl er mit seinen vierzig Jahren weder wußte noch sich viel darum kümmerte, ob Gott diesen Glauben durch seine Existenz sanktionierte), fand, daß schon in der Vorstellung vom *Zwillingsein* – der Verdoppelung der eigenen Chromosomen in einem anderen – etwas untergründig Erniedrigendes lag. Etwas untergründig Störendes im *Spiegel-Ich*. (Michael O'Meara war als Quarterback seiner Footballmannschaft in der High School nicht so leistungsfähig gewesen, wie er hätte sein sollen, weil er, beunruhigt von seiner Aggression beim Anblick seines Gegenspielers in der gegnerischen Mannschaft, irgendwie aus dem Konzept geriet.) Gina hatte es zwar nicht ganz verstanden, aber auch keine Einwände gegen Michaels Erziehungsprinzip erhoben, weil sie erkannte, daß er in diesem Fall unnachgiebig war, und sich freute, ihm in Angelegenheiten, die sie für unbedeutend hielt, entgegenkommen zu können. Aus diesem Grund zog sie Joel und Kenny schon als Säuglinge unterschiedlich an: bloß keine niedliche Zwillingskleidung, danke bestens! Freunde und Verwandte wurden strikt angewiesen, den Jungen keine Zwillingssachen zu schenken oder ihnen etwa mit »Zwillingsgeschwätz« zu kommen. Lehrer wurden strikt angewiesen, die Jungen individuell zu behandeln und sie weit auseinander zu setzen, wenn sie im selben Klassenzimmer Unterricht hatten. Wie die meisten normalen Kinder richteten sich die O'Meara-Jungen nach den Reaktionen anderer auf sie, und soweit Michael O'Meara es in der Hand hatte, reagierte man auf sie als Brüder und nicht als Zwillinge. Jedenfalls wenn Michael O'Meara dabei war.

Freilich konnte Daddy Joel und Kenny nicht immer auseinanderhalten – das mußte er zugeben. Wenn die verspielten Knaben ihn hinters Licht führen wollten, blieb Daddy nicht viel anderes übrig, als auf das Spiel einzugehen und nicht gekränkt oder wütend zu sein. Gina, die das alles nicht so ernst nahm, war schwerer zu täuschen: Sie brauchte sich nur lachend auf die Zwillinge zu stürzen, jeden fest an der Schulter zu packen und zu schreien: »Joel, benimm dich! Du auch, Kenny! Ich weiß, wer von euch wer ist!«

Es stimmt wohl, dachte Michael, den Blick auf die schlafenden Jungen geheftet, daß eine Mutter den Kindern näher ist als der Vater. Näher als selbst der liebevollste und fürsorglichste Vater.

Joel rührte sich, seufzte, seine Lider flatterten, ohne daß er die Augen öffnete. Mit einer unbestimmt tastenden Bewegung klemmte er sich den Daumen in den Mundwinkel.

Michael war fast fertig angekleidet für die bevorstehende Abendgesellschaft, er brauchte nur noch schnell eine Krawatte umzubinden und seine Jacke anzuziehen, aber er schien die Zeit vergessen zu haben, so versunken war er in die Betrachtung seiner Söhne. Es war schon unheimlich, wie sehr sie einander ähnelten. Warum war ihm unbehaglich dabei zumute? Wenn es sie nicht störte, warum sollte es dann ihn stören? Michael versuchte, etwas Vorteilhaftes im Zwillingsein zu sehen: Man war, sowohl in einem sehr buchstäblichen als auch in einem poetischeren Sinne, wenigstens nicht als einzelner, sondern zu zweit auf der Welt. Das eigene Dasein kam doppelt vor. Auf diese Weise konnte man nicht so leicht ausgelöscht werden.

(Zwillinge! Als Michael seiner Schwester Janet von der sonderbaren Reaktion ihrer Mutter auf die Zwillinge erzählte – sowohl auf die Nachricht, daß Gina Zwillinge erwartete, als auch auf die Geburt selbst: Mrs. O'Meara war erst hergeflogen, als sie vier Monate alt waren –, hatte Janet zögernd gesagt: »Ja, es gibt da irgendein Geheimnis, in unserer Kindheit oder bei Mutter und Vater, aber du kannst sie nicht danach fragen, du kannst dich nicht mal an die Frage herantasten, ich hab's versucht.« Michael hatte diese beiläufige Enthüllung überrascht, aber skeptisch aufgenommen. Er hatte gelacht und gesagt: »Ein Geheimnis? Meinst du das ernst? Bei *uns*?«)

Er dachte aus einem ihm unerklärlichen Grund an Kierkegaard; an Kierkegaards berühmten Essay ›Furcht und Beben‹, den er vor zwanzig Jahren gelesen hatte. Die Geschichte vom biblischen Abraham. Eine alptraumhafte Parabel aus der Genesis, als der Mensch noch so neu und unsicher in seinem Menschsein war, daß man von ihm fordern konnte, seine eigenen Kinder dem gefräßigen Vulkangott Jahwe zu opfern.

Abraham hatte sich auf Gottes Geheiß in das Land Morija aufgemacht, um auf einem Berg seine Zwillingssöhne (es *waren* doch Zwillingssöhne?) zu opfern, ohne bis zu seiner Ankunft zu wissen, daß es sich um eine Prüfung seines Glaubens handelte und daß – glücklicherweise! – ein Widder bereitstand, den Gott als Opfer ausersehen hatte. Abraham, der Patriarch, und sein geliebter Sohn Isaak und ... Wie hieß der andere Sohn? So sehr Michael sich auch anstrengte, er konnte sich nicht erinnern.

Michael erinnerte sich jedoch ganz deutlich daran, wie er Kierkegaards Aufsatz in der Seminarbibliothek ekstatisch in einem Zuge durchgelesen hatte und daß er tief bewegt gewesen war. Ah ja! Kierkegaard hatte voller Leidenschaft die »unendliche Resignation« beschrieben, die dem wahren Glauben vorausgehen müsse: den Sprung des Absurden, den Sprung über den Abgrund.

Mit zweiundzwanzig Jahren hatte Michael O'Meara solchen Ideen mutig sein Herz geöffnet. Bis zu einem gewissen Grade *hatte* er geglaubt. Aber er hatte sich durch religiöse Gewißheit nicht fortreißen lassen. Tief im Inneren war er derselbe Mensch geblieben, unverwechselbar.

Aber wer dieser Mensch war – das wußte er eigentlich nicht.

Ironisch dachte er: Man kann guten Glaubens springen und *in* den Abgrund fallen.

Das kommt in der Geschichte des Menschen doch wohl häufiger vor?

»Michael –?«

Gina war hinter ihn getreten und legte ihm vorsichtig die Hand auf die Schulter.

Michael erwachte aus seinen Träumereien und sah, daß Gina, auf hohen Hacken und in einem ihm unbekannten Kleid aus blassem Seidenstoff, sich mit ärgerlichem Ausdruck über ihn beugte. Ein kühler, lieblicher Narzissenduft umwehte sie.

Sie zog ihn in die Halle und flüsterte: »Ich habe dich schon gesucht, es ist spät.«

An der Tür warf Michael einen letzten sehnsüchtigen Blick auf seine Söhne. Sie schliefen ungestört weiter. Joel in seinem Bett, Kenny in dem seinen. Wieder empfand Michael jene beklemmende starke hilflose Liebe.

Er schlang den Arm um Ginas erstarrten Körper. »Tut mir leid, Schatz! Ich habe gewartet, bis sie einschliefen, und dabei habe ich wohl vergessen, wie spät es ist.«

Gina betrachtete ihn nachdenklich. »Ja. Das scheint sehr oft der Fall zu sein.«

»Sprich heute abend nicht über deinen – Schützling, diesen Exhäftling. Bitte.«

»Das hatte ich auch nicht vor.«

»Es spricht sich in Mount Orion sowieso schnell genug herum.«

»Gina, Schatz, findest du nicht, daß du übertreibst?«

Sie waren auf dem Weg zu den Trimmers und bereits zwanzig Minuten zu spät. Michael fuhr das neuere ihrer beiden Autos, einen schnittigen weißen Mazda mit Schiebedach, und Gina, die neben ihm saß, warf ihm einen ihrer grimmigen Blicke aus den Augenwinkeln zu. »Findest du nicht, daß *du* das tust?« fragte sie.

Kaum hatten Michael und Gina in Begleitung von Mrs. Trimmer das riesige Trimmersche Wohnzimmer betreten, rief

Clyde Somerset, einer der Gäste, mit seiner dröhnenden Stimme: »Hey! Michael! Ist es nicht toll, daß dieser Lee Roy Sears – « er sprach den Namen so deutlich aus, als handelte es sich um einen Ausdruck aus einer fremden Sprache – »hierherkommt?«

Michael warf Gina einen raschen Blick zu; sie zögerte nur den Bruchteil eines Augenblicks und lächelte Clyde Somerset dann fröhlich an.

Natürlich wollte jeder in Hörweite unbedingt wissen, wer Lee Roy Sears war und was er mit Michael O'Meara und Clyde Somerset und dem Dumont Center zu tun hatte: So kam die Geschichte in Clydes hochtrabender Redeweise Stück für Stück ziemlich abgekürzt zum Vorschein. Lee Roy Sears trat als ein ungerecht inhaftierter junger Mann indianischer Herkunft in Erscheinung, den Michael O'Meara und ein paar andere wachsame Bürger durch ihre Aktionen vor dem elektrischen Stuhl bewahrt hatten; er war Veteran des Vietnamkrieges, der an »posttraumatischen Belastungen« und den Nachwirkungen von Agent Orange litt; für Clyde als Leiter des Dumont Center war die Hauptsache, daß er ein begabter Künstler, ein kühner innovativer Bildhauer war, dessen Anregungen zu einem Kunsttherapieprogramm für gleichfalls »körperlich verwundete« Vietnam-Veteranen bereits beträchtliche Aufmerksamkeit erregten.

Clyde Somerset, ein untersetzter, auf derbe Weise gutaussehender Mittfünfziger mit gesunder Gesichtsfarbe, war ein überaus liebenswürdiger, kommunalpolitisch engagierter Mann, der unermüdlich die Werbetrommel rührte. Er und seine Frau Susanne hatten sich den O'Mearas gegenüber sehr freundlich verhalten, doch Michael, der aus dem Klang seiner Worte das Eigenlob heraushörte, schoß vor Verlegenheit das Blut ins Gesicht. Was würde Lee Roy Sears denken, wenn er das erfuhr! Das Schlimmste war, daß Clyde sich direkt an ihn wandte, als ob sie beide einen Dialog in aller Öffentlichkeit führten. »Natürlich ist es riskant«, sagte Clyde enthusiastisch, »sich einen Mann wie ihn, mit *der* Vorgeschichte, aufzuladen. Es ist im wahrsten Sinn des Wortes ein Experiment.

Aber das Dumont Center war mit seinen Programmen bisher übermäßig konservativ, und wie ich dem Vorstand neulich erklärte, haben wir jetzt die Chance, etwas grundsätzlich Anderes zu machen.« Er hob sein Glas wie zur Begrüßung. »Danke, Michael O'Meara.«

Fast die ganze halbe Stunde vor dem Essen wurde Michael mit Fragen zu Lee Roy Sears bestürmt. Gina sah, das Glas in der Hand, zu, ohne sich einzumischen. Falls sie verstimmt war, ließ sie sich nicht das geringste anmerken: Dafür war sie gesellschaftlich viel zu beherrscht und zu eitel. Und wieder erkannte sie, wohl nicht zum ersten Mal, was für eine attraktive Figur ihr Mann in der Öffentlichkeit war: arglos, voller Idealismus, ein großer Junge mit leuchtenden Augen und gerötetem, sonnenverbranntem Gesicht. Sein Lachen war spontan und großmütig, sein Lächeln ein Lächeln, das Stimmen gewinnen wollte. (Tatsächlich war Michael vor kurzem in den Gemeinderat gewählt worden, und Gina malte sich schon fröhlich aus, daß er bald für das Bürgermeisteramt, dann für einen Sitz im Repräsentantenhaus – und warum nicht im Senat? – kandidieren würde.) Zur Zeit war er im relativ jungen Alter von vierzig Jahren Leiter der Rechtsabteilung bei Pierce Pharmaceuticals, Inc., mit zahlreichen Mitarbeitern und einem beträchtlichen Jahreseinkommen; seine früher irritierende Bescheidenheit wirkte jetzt bezaubernd: Michael O'Meara war ein Mann, zu dem sich Gina, wäre sie nicht schon seine Frau und daher immun gegen seinen Charme gewesen, womöglich unwiderstehlich hingezogen gefühlt hätte.

Susanne Somerset raunte Gina ins Ohr: »Dein Mann ist ein Schatz, Gina! Clyde und ich haben ihn beide so gern.«

Gina lächelte besänftigt. Flüsternd gab sie zur Antwort: »O ja, vielen Dank!«

Michaels Kandidatur für das Bürgermeisteramt war gar nicht so abwegig. Genau dies nämlich hatte erst neulich Dwight Schatten, einer der demokratischen Kommunalpolitiker, bei einem romantischen Mittagessen mit Gina im Far Hills Inn angedeutet.

Erst als alle bei Tisch saßen und andere, zusammenhanglosere Gesprächsthemen aufkamen, konnte Michael sich entspannen, seinen Wein trinken, einen sehr guten Rotwein, und die Augen über die Gesellschaft schweifen lassen. Es war ein langer, kunstvoll gedeckter Tisch, denn Pamela und Jack Trimmer waren sehr wohlhabend und nahmen Einladungen ernst, genau wie Gina. (Nichts machte Gina so glücklich, wie von gesellschaftlich wichtigen Leuten eingeladen zu werden – es sei denn, selbst gesellschaftlich wichtige Leute einzuladen). Bei Tisch saßen vierzehn Männer und Frauen, alles Freunde von den O'Mearas oder doch gut bekannt mit ihnen. (Mit der peinlichen Ausnahme von Marvin Bruns, einem prominenten Grundstücksspekulanten, den Michael offenkundig nicht mochte und der, wie er wußte, auch ihn nicht mochte.) Sie sonnten sich im Glanz gegenseitiger Achtung und Beachtung wie an einem gemeinsamen Kaminfeuer, und ihre Gesichter wurden von diesem Feuer angenehm belebt. Wie glücklich Michael O'Meara sich unter ihnen fühlte, wie beseligt, als sei er einer von ihnen!

Trotzdem hatte er auch leise Schuldgefühle. Arme Gina! Vielleicht war er ihr gegenüber nicht ganz aufrichtig gewesen, was seine jüngsten Bemühungen um Lee Roy Sears betraf. Dennoch wußte er, daß er das Richtige getan hatte, und bereute es nicht.

(Ginas Annahme traf zu, daß Michael sich seit der Geburt der Zwillinge relativ wenig in der »Koalition« betätigt hatte. Dafür fehlte ihm die Zeit. Er gab Geld, unterschrieb Gesuche, das war ungefähr schon alles. Sears hatte er so gut wie vergessen, wie wir nach dem ersten Taumel des Triumphs gern vergessen, warum uns der Sieg so viel bedeutete. Und dann hatte Sears geschrieben, ein paar kurze, unbeholfene Zeilen, mit denen er ihm für seine Worte in der Verhandlung dankte. Und Michael hatte geantwortet – auch sehr kurz. Und nach etwa einem Jahr hatte Sears wieder geschrieben, noch einmal ein paar simple, doch rätselhafte Zeilen: *Dies soll Ihnen nur sagen, wie ich Ihre Worte im Herzen trage & wenn Lee Roy Sears es auch nicht verdient hofft er doch Ihnen eines Tages in brüderlicher Liebe die Hand zu schütteln.* Insgesamt waren im Lauf von acht Jahren sieben Briefe gekommen. Michael hatte sie alle zu Hause in seinem Schreibtisch in einem Aktenordner verwahrt.

Da saß Gina, von schlichter Schönheit im Kerzenlicht, an den Ohren Büschel winziger Perlen, die Nägel rosa lackiert. Sie liebte solche Anlässe, war erst dann richtig sie selbst: in angeregter Unterhaltung mit Jack Trimmer und Clyde Somerset, mit dabei Marvin Bruns, der zusah. War sich Gina bewußt, wie intensiv Bruns sie anstarrte? Wie oft – das kam Michael plötzlich in den Sinn – der Mann das tat? (Letzten Sonntag beim Brunch bei den Rathskills. In der Woche davor bei einem Cocktailempfang im Dumont Center.) Michael war kein eifersüchtiger Ehemann, aber es mißfiel ihm, daß ein anderer Mann seine Frau auf diese Weise betrachtete: dieser Blick verschlagener Bewunderung oder mehr als Bewunderung, gezügelt von Bruns' sardonischem Kräusellächeln. Bruns war dunkel, hatte einen glatten Seehundskopf, eine fahle und zugleich gerötete Gesichtshaut, spöttisch-belustigte Augen. Er war stets sehr teuer angezogen und hatte ein stolzes Gehabe. Und dieses aufreizende Lächeln, mit dem er Michael vor ein paar Wochen höhnisch angeblitzt hatte, als Michael ihn nach einer turbulenten Sitzung des Gemeinderats von Mount Orion privat beschuldigt hatte, Stimmen zu manipulieren, um zum eigenen und zum Vorteil seiner Immobilienpartner eine Flächenaufteilungsvorschrift zu verletzen. Bruns hatte anfangs geleugnet, dann plötzlich Michael O'Meara ins Gesicht gelacht und gesagt: »Und? Wir sind hier nicht bei den Pfadfindern, Freundchen.«

Danach wahrten die Männer, wenn sie einander begegneten, die Formen der Höflichkeit – so gerade. Niemand wußte von ihrer gegenseitigen Abneigung. Michael hatte beschlossen, Gina nichts davon zu sagen, weil er wußte, es könnte sie kränken oder, schlimmer noch, nicht sehr kränken.

Michael aß den vorzüglich zubereiteten Lammbraten, trank gemächlich den herben Rotwein und sprach und lachte und hatte seinen Spaß wie immer bei solchen Gelegenheiten, aber er dachte, daß sein einzig wirklich bleibender Mittelpunkt seine Liebe zu Gina und seinen Söhnen war, neben der alles andere – seine Arbeit bei Pearce Pharmaceuticals, seine berufliche »Identität« – verblaßte, sich verflüchtigte. Solange er sie hatte, hatte er alles.

Freilich wußte er nicht wirklich, und das beunruhigte ihn, bis zu welchem Grad seine Familie *ihn* liebte. Ja, ob sie ihn *überhaupt* liebte.

Daddy wußte ja nicht einmal mit absoluter Sicherheit, ob Joel Joel war oder Kenny Kenny!

Seine Zuneigung zu Gina war leidenschaftlich, erotisch – nie hatte Michael O'Meara, bevor er sie kennenlernte und sich in sie verliebte, so tiefe Gefühle empfunden. Er wußte, er würde sie nie wieder empfinden. Sollten sich jedoch die Umstände ihres gemeinsamen Lebens ändern, würde sich Gina von ihm scheiden lassen und ihre Söhne mitnehmen – es wäre schmerzlich für sie, es wäre verheerend, es wäre tragisch, und doch –

Was Joel und Kenny betraf, die Daddy liebten, nun ja, er, Michael (*hieß* er Michael?), war auch einmal Sohn gewesen. Deshalb wußte er sehr wohl, daß solche Blutsbande, scheinbar so tief, so dauerhaft, in Liebe zusammengeschmiedet, zerrissen, überwunden werden können. Und nur Erleichterung zurückbleibt.

Schuld. Warum, verdammt noch mal, hatte er Schuldgefühle?

Er würde wetten, daß Marvin Bruns, der doppelzüngig, wenn nicht geradezu verlogen, der unmoralisch, wenn nicht geradezu kriminell war und seine Frau bekanntlich betrogen hatte, sich niemals auch nur einen Moment lang schuldig gefühlt hatte. Der Sauhund.

Jetzt sprach Bruns mit Gina, und Gina lachte, dieses hohe kühle köstliche Lachen, das immer ein bißchen spöttisch klang. Worüber sie auch redeten, Michael konnte es nicht hören.

Michael selber hatte sich in eine lebhafte Unterhaltung an seiner Seite des Tisches verwickelt. Pamela Trimmer hatte sich bei ihm nach Pearce Pharmaceuticals erkundigt, wo Trimmers

Aktien hatten – offensichtlich war der Absatz im vergangenen Jahr um erstaunliche 30 Prozent gestiegen? Michael lachte trocken und sagte, ja, aber die Prozesse auch. »Aber für dich ist das doch gut, Michael?« fragte Susanne Somerset. Michael sagte: »Ich glaube nicht, daß meine Vorgesetzten das so sehen.« Dies führte zu einer Diskussion über Neurophysiologie, ein Forschungsgebiet, auf dem Pearce, Inc., als eine der weltweit führenden Firmen galt. Es war dem Unternehmen nämlich gelungen, gewisse hochkomplexe Hirnsubstanzen zu isolieren und sie künstlich nachzubauen beziehungsweise Präparate zu entwickeln, die mit diesen Substanzen im Hirn Verbindungen eingingen. Da neurophysiologische Vorgänge chemisch bedingt seien, könnten auch nur chemische Präparate die normalen Funktionen des erkrankten Hirns wiederherstellen: Es gäbe hervorragende neue Medikamente gegen Angstzustände, Medikamente gegen Depressionen und Medikamente gegen zwanghafte Verhaltensweisen. »Natürlich«, meinte Michael ironisch, als er merkte, daß alle am Tisch zuhörten, »manchmal tauchen schon Probleme auf.«

Dies wiederum führte zu einer minutenlangen hitzigen Diskussion über medizinische Technologie, über Schadenersatzklagen, über das ethische Problem des »Eingriffs« in menschliches Leben; über die Frage, ob Unternehmen wie Pearce, Inc., Patienten halfen oder sie ausnutzten oder ob, von einem gewissermaßen objektiven Standpunkt aus, Helfen und Ausnutzen sich gegenseitig bedingten. Trimmer verkündete, daß er nie ein Medikament nehmen würde, das sein Gehirn beeinflussen könne, und Valeria Darrell, eine geschiedene Frau Mitte Vierzig, die an diesem Abend ziemlich stark geschminkt und ein bißchen angesäuselt war, unterbrach ihn mit den Worten, sie würde und hätte schon – »Wer nicht unter Depressionen gelitten hat, soll sich unterstehen, etwas gegen diese Medikamente zu sagen. Ich weiß, wovon ich rede.« Einen Augenblick lang herrschte Schweigen, weil niemand Lust hatte, Valeria zu widersprechen, und noch weniger, sie zu weiteren Enthüllungen (die sowieso schon alle gehört hatten) zu provozieren; dann fragte Clyde Somerset mit gespielter Entrüstung, wieso sie alle Michaels lapidare Behauptung hinnähmen, daß neurophysiologische Vorgänge lediglich chemisch bedingt seien, und dies hatte zur Folge, daß Michael seine Bemerkung milde verteidigte – er habe den Standpunkt von Pearce, Inc., umschrieben und nicht seine eigene Meinung ausgedrückt, er selber glaube, daß der Mensch weit mehr sei als ein bloß biochemischer Mechanismus. Dann rief Tracey Deardon, die Michael O'Meara sehr gern mochte und ihm bei solchen Gelegenheiten oft solche Fragen stellte, über den Tisch, was denn ein Zwangscharakter sei – sie sei sicher, sagte sie, sie sei auch einer. Als alle lachten, hielt Michael mit leisem Unbehagen inne, denn war es nicht unangebracht, sich über die Krankheiten anderer lustig zu machen, lag nicht etwas Makabres, sowohl Voyeuristisches als auch Masochistisches, darin, sich für medizinische Fallgeschichten zu interessieren? Redselig geworden vom Wein, konnte er freilich der Versuchung nicht widerstehen, seinen Freunden von einem Fall zu erzählen, über den er neulich eine Untersuchung gelesen hatte, einem ansonsten normalen Mann – »die meisten zwanghaften Menschen werden als ›ansonsten normal‹ dargestellt« –, der alles, was er sagte, wiederholen mußte, zuerst in normaler Lautstärke, dann mit leiser Stimme. Ein anderer ansonsten normaler Mann teilte alle Dinge in Siebener-Gruppen auf; wieder einer konnte niemandem in die Augen sehen; eine Frau mußte sich x-mal am Tag die Zähne putzen und hatte sich dadurch das Zahnfleisch ruiniert. Dann war da eine Frau, die sich fast das ganze Haar ausgerissen hatte, mit Wimpern und Augenbrauen. Ein Mann, der unter dem Zwang stand, jeden Raum, den er betreten wollte, nach »Spinnen und Dreck« abzusuchen. Wieder einer stand unter dem Zwang, fortwährend seine Genitalien zu berühren, ein anderer wiederum konnte es nicht über sich bringen, sie zu berühren. Es gab einen Eßzwang, der zum Tode führen konnte, und Zwänge, die den Schlaf beeinflussen, und es gab Zwänge, die Gewalttätigkeit zur Folge hatten. Im Grunde, so Michael, gab es jeden nur denkbaren Zwang, war er auch noch so grotesk, der für den betreffenden Menschen das Zentrum seines Lebens bildete – »Als ob Gott etwas schiefgegangen sei.«

Michael unterbrach sich, als hätte er etwas Niederträchtiges gesagt, aber niemand achtete darauf, denn nun ergoß sich eine Flut hauptsächlich komischer Anekdoten, die sich um die Zwangshandlungen seiner Freunde drehten. Obwohl Michael mit den anderen lachte, war ihm die Schamröte ins Gesicht gestiegen; er schämte sich wirklich. Er hatte seinen Söhnen beigebracht, nie über die Schwächen anderer zu lachen, und schon gar nicht über ihre Gebrechen, und nun tat er es selber.

Er hoffte auch, daß niemand in dieser lebhaften Gesellschaft die bissige Frage aufwerfen würde, wie er, ein vermeintlich integrer Mann, seinen Lebensunterhalt mit der Verteidigung eines milliardenschweren Arzneimittelherstellers gegen die Anklagen unglücklicher Männer und Frauen verdienen könne – denn darauf hatte er keine Antwort parat.

Dann meldete sich Marvin Bruns mit lauter Stimme zu Wort, um die anderen zu übertönen. Er sprach mit einer Ernsthaftigkeit, die Michael, soweit er sich erinnern konnte, noch nie bei ihm gehört hatte. »Ein Zwangscharakter ist ein tiefunglücklicher Mensch«, sagte er. »Ich spreche aus persönlicher Erfahrung, weil mein Vater einer war. Nein, ich will nicht auf Einzelheiten eingehen, es ist immer noch zu schmerzlich und peinlich, und es hat ihn schließlich umgebracht. Die Franzosen haben einen treffenden Ausdruck dafür – *la main étrangère*. Es bezieht sich auf das spezifische Verhaltensproblem meines Vaters, wobei es darum geht, daß jemand wiederholt etwas tut, ohne zu ›wissen‹, daß er es tut, und dabei doch sehr wohl weiß, daß er es tut. Die *main étrangère* hat zum Beispiel einen Kleptomanen im Griff, aber das war nicht das Problem meines Vaters – seins war schlimmer! Und wenn es ein Medikament gegeben hätte, das ihm hätte helfen können, hätte er es liebend gern genommen – wie ich es täte, wenn ich an seiner Stelle wäre und wüßte, was ich tue.« Bruns blickte über den Tisch zu Michael, als wolle er sich, völlig unerwartet, mit ihm zusammentun. »Pearce, Inc., leistet hervorragende Arbeit, das ist meine Meinung. Sicher, manchmal geht es schief, bei Medikamenten oder ärztlicher Behandlung können immer Nebenwirkungen auftreten, aber ohne das ist nun mal kein Fortschritt zu haben.«

Michael O'Meara stürzte verwirrt einen großen Schluck Wein hinunter. Schuldbewußt fragte er sich, ob er Marvin Bruns in all den Monaten vielleicht falsch beurteilt hatte?

Und Gina: Hatte er auch sie falsch verstanden?

Nach der Party, auf dem Nachhauseweg, lehnte sie den Kopf an seine Schulter wie seit Jahren nicht mehr und schwatzte munter drauflos, was für wunderbare Freunde sie in Mount Orion hätten, was für ein Glück sie hätten, solche Freunde zu haben; wie gut Michael in seinem neuen Frühlingsanzug mit der von ihr ausgesuchten Pierre-Cardin-Krawatte ausgesehen hätte – »Und du hast fabelhaft gesprochen: Ich war fasziniert.«

Und als sie sich zum Schlafengehen auszogen, überraschte Gina ihn noch mehr, indem sie ihm die geröteten Wangen, Nase und Stirn so zärtlich wie noch nie mit Noxema einrieb; auf Zehenspitzen stehend, küßte sie ihn auf den Mund, blickte träge mit vom Wein geweiteten Augen, müde und zugleich erotisch lockend in die seinen. »Mein Gott, Gina!« sagte Michael. Heftig erregt, hob er sie hoch und trug sie zum Bett.

Wo sich Gina, nach dem Liebesakt, fest an ihn drückte und ihm schläfrig ins Ohr murmelte: »Liebling, versprichst du mir etwas?« und Michael sich auf eine verspätete Bemerkung über Lee Roy Sears gefaßt machte, aber nein, Gina überraschte ihn noch einmal, wobei sie ihm mit dem Kopf einen zarten Stups gab: »Du rufst doch einen Fachmann, um den Teich zu reinigen, und versuchst es nicht selber?«

TEIL III

1

Es war der erste Morgen seines neuen Lebens. Vergiß nicht die Medikamente an diesem besonderen Tag! – Nein, bestimmt nicht.

Er war ein Mann mit einer Aufgabe, die grell wie ein Laserstrahl in ihm glühte; ihn behindern, frustrieren, verleugnen oder herausfordern – das läßt man lieber bleiben.

Aber er lächelte. Lieb.

Zog den Kopf ein, ruckte mit den knochigen Schultern in seinem neuen billigen weißen Dacronhemd. Dazu schwarze Gabardinehosen, aber keinen Gürtel. Morgen würde er sich einen Gürtel kaufen. Ein schmutziggrüner Schlips, den ihm der Geistliche gegeben hatte. Und seine eigenen braunen Schuhe mit den Rissen und Wasserflecken von vor fünfzehn Jahren oder so.

Du weißt, wie du aussiehst, Lee Roy, ha ha! – einer von diesen, wieheißendienoch, Mormonenblödmännern, die von Tür zu Tür gehen und ihre Scheißbibeln an den Mann bringen woll'n haha!

Aber in die Quere kommt man ihm lieber nicht.

Ja, er tut alles, ja, er macht alles. Zwei Tabletten täglich, zu den Mahlzeiten: große weiße Chlonopramanetabletten. Ein scheißmehliger Überzug und innen bitter, brennt beim Schlukken. Zum Würgen.

Er hat die Papiere zum Beweis. Haftentlassungsschein, Ausweispapiere, Briefe vom Bewährungsamt, von Mr. Sigman (in Putnam, New Jersey), von Mr. Somerset (vom Dumont Center für Kunst und Öffentlichkeitsarbeit, Mount Orion,

New Jersey), von Mr. O'Meara (17 Glenway Circle, Mount Orion, New Jersey).

Niemand stellt Fragen. Die Leute fragen nicht. Im Innern des Lächelns wühlt die Zunge, rosa und feucht, schlangenschnell. Und die Augen.

Lee Roy Sears brachte die Männer zum Lachen, seine bebend leise Stimme – ich stehe außerhalb der weißen Rasse.

Ihr Arschlöcher, daß ihr ja nich über mich lacht. Ich reiß euch mit den Zähnen die Gurgel raus. *Aber nein, er sagte kein einziges Wort,* das war Lee Roy Sears' Prinzip.

Er war ein Mann mit einer Aufgabe. Der Begnadigungsausschuß paßte auf.

Und danach weinte er. Auf den Knien o Herrgott der Mann weinte als wär er wieder fünf Jahre und sein Stiefvater Name jetzt vergessen hörte auf ihn mit dem dicken Brennholz zu verdreschen das ihm in den Händen in Stücke ging und fragte, ob es ihm leid tat? Tat es ihm leid? Tat es ihm leid, daß er geboren wurde?

Nein. Weil er ein Mann mit einer Aufgabe war, der Licht dorthin brachte, wo kein Licht leuchtete.

Er schämte sich nicht für seine Stärke, das nicht, er schämte sich für Schwäche. Aber manchmal sind Tränen Stärke.

Acht Uhr, Montagmorgen. Im rüttelnden Gefangenentransportwagen, auf dem STRAFVOLLZUGSANSTALT CONN. stand. Neunzig Dollar in der Brieftasche. Trug seinen alten Koffer, einen Kleidersack, den ihm ein Typ geschenkt hatte, und einen mit Bindfaden verschnürten Pappkarton. Sie hatten ihn an der Bushaltestelle abgesetzt, das war Taktik bei denen.

Im Pappkarton: sorgfältig aufgerollte Leinwand und Acryl-Poster, sorgfältig in Zeitungspapier eingepackte Tonfiguren, haufenweise Skizzen von noch auszuführenden Kunstwerken.

Der Himmel war sehr groß – so groß hatte er ihn nicht in Erinnerung.

Da wollte er nicht hinsehen.

In solcher Größe konnte man verlorengehen. Draußen.

Der Kopf fällt nach hinten, und der Mund bleibt einem offen – Herrgott so *groß*!

Abgesehen davon: zwei Tabletten Chlonopramane täglich, und er hatte ein Rezept für noch dreimal. Denk dran, Lee Roy, daß du die Tabletten nur zu den Mahlzeiten nimmst, sonst lösen die sich in der Magensäure auf und gehen zu schnell durch die Magenschleimhaut, denkst du dran? – Ja, macht er.

Die Veteranenorganisation zahlt. Jedenfalls zahlen die Arschlöcher.

Sein schlimmes Knie, dafür zahlen die nicht, die sagen, das war keine rechtmäßige Kriegsverletzung.

Die haben ihn beäugt, wie er reinkam. Ein Augengewimmel wie'n tödlicher Bienenschwarm.

O Gott, Mann, guck dir den da an: Ehemaliger steht dem überallhin geschrieben, haha!

So ein geduckter Gang und das Haar hinten und an den Seiten hochrasiert und die Haut rauh und blaß wie Kotze, und was er anhat, haha! – und seine Augen, die wie beim Hund rumflitzen, wie'n Hund der drauf wartet, daß er einen Fußtritt kriegt, das kann man denen immer ansehen.

Die Frau am Fahrkartenschalter war nett. Die war sehr nett.

Ein Fahrschein nach Hartford, und in Hartford kauft er sich eine Karte nach New York City, damit kommt er bis Port Authority, und da kauft er sich dann ein Ticket nach Putnam, New Jersey. Er fummelte mit den Scheinen und dem Kleingeld rum, aber die Frau war geduldig. Die wußte Bescheid.

Ein Hund, der drauf wartet, daß er einen Fußtritt kriegt, der wartet, daß er einen Fußtritt kriegt, damit er zubeißen kann. Dafür sind Zähne da.

Er war nicht nervös, das Chlonopramane strömte friedlich durch seine Adern. Trotzdem, er schloß die Augen vor dem großen weißen Himmel.

Er schloß die Augen, lehnte den Kopf, das fettige Haar, das indianerschwarze fettige Haar, gegen das Busfenster. Saß allein. Hinten. Wo er den Rücken frei hatte.

Aber er lächelte ja so lieb. Die junge Frau mit der Brille, vom Bewährungsamt, starrte ihn an, die mochte ihn. Und die junge Frau, die Mr. Somersets Assistentin war, obwohl man sehen konnte, daß sie Angst hatte da im Besucherzimmer, war ja noch nie im Gefängnis gewesen, und starrte immer nur und schluckte, und LEE ROY SEARS war der Gentleman, der alles tat, um *ihr* das Gefühl von Sicherheit zu geben.

Einmal, wie viele Jahre ist das her, noch vorm Militär, in der Klinik da in Springfield, Mass., war er in das Dienstzimmer vom Arzt eingebrochen, hatte schnell die Kartei durchgesehen SEARS, LEE ROY gefunden und das Krankenblatt rausgezogen und gelesen *paranoid-schizoide Funktionsstörung/ benötigt Medikamente/spricht gut auf Therapie an.*

Durch Ashford, Conn., durch Manchester, durch Hartford (wo er gekrümmt und kurz vorm Kotzen in einen anderen Bus umstieg, *so viele Leute*), durch Waterbury, durch Bridgeport, über die I-95 nach Manhattan rein bis Port Authority (wo er richtig kotzte, auf seine eigenen Schuhe – *die Leute gafften/lächelten/lachten/hielten sich die Nase zu*) da wollte er in einen anderen Bus rein und ein grauhaariger jungalter Mann rempelte ihn an stieß gegen seinen Koffer und der fiel auf das dreckige Pflaster und der jungalte Mann grinste breit und sagte, Uuhps! – 'schuldigung! und als Lee Roy Sears glotzte ging der jungalte Mann mit seinem Koffer weg ganz schnell wie im Kino und Lee Roy Sears blieb wie angewurzelt stehen brachte es nicht mal fertig um Hilfe zu rufen!

Die Bullen in Port Authority musterten ihn höhnisch grinsend. Die kann man immer erkennen, man braucht sich bloß die Klamotten des armen Schweins anzusehen. Seinen offenstehenden Mund.

Der ist kein Weißer, guck dir dem sein Haar an, guck dir dem seine Hakennase an, guck dir seine Augen an.

Stinkt nach Kotze, wischt sich die mit feuchten Papiertüchern ab, als ob das was nützt. Der Gestank nach Todeszelle, der nie weggeht.

Von Manhattan nach Putnam, New Jersey. Guck dir an, wie dem die Hände zittern!

Ein Schwarzer verkauft hier die Tickets, und der ist nicht freundlich.

Reiß ihm doch die Gurgel mit den Zähnen raus. Den Giftzähnen.

In Sicherheit, ganz hinten im Bus, knöpfte Lee Roy Sears seine Manschette auf, schob den Hemdsärmel hoch – ja, Schlangenauge schlief.

Ein Auge offen, kann sein. Das goldstarrende Auge.

Schlangenauge zuckte im Schlaf. Fühlte sich an wie Jucken auf Lee Roy Sears' linkem Unterarm.

Er war unschuldig, Augen geschlossen, um Putnam, New Jersey, nicht zu sehen. Sein neues Leben nicht zu sehen.

Sie wollten ihm seine Identität verweigern weil er angeblich kein Seneca-Indianerblut hat keine Familie im Reservat ihn anerkennen würde wollten ihn unschädlich machen ihn wie eine Küchenschabe auf dem Pflaster zertreten.

Es ist keine Tätowierung. Na ja, eigentlich schon, aber es ist mehr als eine Tätowierung.

Ausgerechnet der große Himmel und ausgerechnet diese Leute die ihn beobachten wie der Busfahrer wie der Typ da in der Ecke gegenüber vom Rücksitz ausgerechnet der Bus mit seinem Gerüttel und Gestank nach Auspuffgasen ausgerechnet der unerwartete Lärm und Geruch die ganz anders waren als die an die er sich in dreizehn Jahren gewöhnt hatte aber – *er war frei.*

Er war frei und das machte ihm Angst weil Scheiße man hört von Typen die drehen durch hauen ab nach Florida hauen ab nach Alaska statt sich bei ihrem Bewährungshelfer zu melden die werden gleich gefaßt und kommen wieder in den Knast. Da gibt's Typen, die machen noch Schlimmeres.

Er war frei und das sollten die Arschlöcher sich lieber hinter die Ohren schreiben, er hatte noch alte Rechnungen zu begleichen, Schlangenauge hatte noch Rechnungen zu begleichen, aber vielleicht lieber nicht. O Mann nein, Lee Roy Sears war ein Mann mit einer Aufgabe, und ob.

Er war ein Künstler, die Flamme brannte in ihm drin.

Er hatte noch seinen Kleidersack, und er hatte den Pappkarton mit Kunstwerken, wie man die nannte. Sein guter Ruf beruhte auf diesen Kunstwerken. Schon jetzt sprachen Männer und Frauen mit ehrfürchtigen Worten von ihnen.

Er war frei aber *Er war gerissen* und *Er hatte Pläne* und *Diesmal machte er keine Fehler* und *Dem kommt man am besten nicht in die Quere* aber *Mit Medikamenten zweimal täglich bestand keine Gefahr* und *Keine Gefahr solange Schlangenauge schlief.*

Der Bus hielt an der Seite der Straße, Route One. Ein Bulle ging durch den Gang und kontrollierte die Typen, ein anderer Bulle vorn, sie griffen sich nur bestimmte Personen raus, man konnte ganz deutlich sehen, gegen wen sie voreingenommen waren, von den vielen Fahrgästen im Bus griffen die sich nur fünf oder sechs raus, alles einzelne Männer in den Dreißigern oder Vierzigern, der Bulle sah Lee Roy Sears scharf an, schnüffelte, als ob er was Schlechtes riechen würde. Okay, Freundchen, laß mal deinen Ausweis sehen.

Jawohl, Officer.

Ihm zittern die Hände vor Angst, aber er lächelt. Das eingeübte Lächeln, wobei man die Lippen in die Breite zieht, um die Zähne, grünlich, schief und krumm, vor hämischen Augen zu verbergen.

Sein langärmeliges Hemd ist bis zu den Manschetten zugeknöpft.

Ein weißes Hemd und schwarze frisch gewaschene Hosen und der schmutziggrüne Schlips um den Hals. Ein Schlips macht in Amerika garantiert immer einen guten Eindruck.

Stolz drauf, dem Arschloch zu zeigen: Er ist Lee Roy Sears, der Leute hat, wo er hinkann, wo er erwartet wird, und wo er eine einträgliche Stelle findet. Und wo man ihn als Mensch respektiert. Als Künstler.

Folgende Unterlagen: Haftentlassungsschein aus Hunsford, Ausweispapiere (einschließlich Entlassungsschein der U.S. Army, Bescheinigung von der Veteranenvereinigung), Briefe von Mr. Harold Sigman, Bewährungshelfer in Putnam, New Jersey, und Mr. Clyde Somerset vom Dumont Center für Kunst und Kommunale Dienstleistungen, Mount Orion, New

Jersey, und Lee Roy Sears' Freund Michael O'Meara, 17 Glenway Circle, Mount Orion, New Jersey.

Mit gerunzelter Stirn kontrollierte der Bulle Lee Roy Sears' Papiere. Hielt sich des längeren bei der Entlassung aus dem Staatsgefängnis von Hunsford auf. Sah Lee Roy Sears an, als wäre Lee Roy Sears Scheiße. Sagte: He, Lee Roy, ist das dein erster Tag draußen?

Lee Roy Sears saß ganz ruhig da, umklammerte die Knie mit den knochigen Händen, hielt die Augen leicht gesenkt, wachsam, ein schmallippiges Lächeln über den klobigen Zähnen.

Seine Stimme klang höher, als ihm lieb war, wie bei einem Mädchen oder einem verängstigten Kind. Er sagte: Jawohl, Officer. Genau.

2

Michael O'Meara kam lächelnd auf Lee Roy Sears zu, die Hand zu einem forschen, freundschaftlichen Händedruck ausgestreckt. »Hallo! Wie geht's Ihnen! Schön, Sie endlich kennenzulernen, Lee Roy!« Auf der Treppe zum Untergeschoß des Dumont Centers hatte sich Michael zur Vorbereitung auf die Begegnung mit Sears auf geselligen Umgangston, sonniges Lächeln, leuchtende Augen, warme Stimme verlegt, ein Verhalten, das er seit langem bei Pearce, Inc., praktizierte, um Juniorpartnern die Befangenheit zu nehmen und sich seine Nervosität nicht anmerken zu lassen. Der arme Lee Roy Sears, winziger, als Michael ihn in Erinnerung hatte, blinzelte ihn an, als ob er von grellem Licht geblendet würde, und reichte Michael linkisch, denn er hielt etwas, das wie ein Hügel aus Ton aussah, (es war Ton, er hatte gerade eine kleine menschenähnliche Figur modelliert), die Hand, eine schüchterne, vorsichtige Hand. Seine Finger waren trocken vom Ton, doch auffallend kalt und anscheinend kraftlos. Wie ein furchtsames Kind murmelte er: »H-Hallo, Mr. O'Meara.« Er lächelte schmallippig, und im Glitzern seiner tiefdunklen, verhangenen Augen lag etwas Wildes, Ungezähmtes.

Es war Mittwoch, der 17. August, 17 Uhr 20. Niemand hätte aus Michaels liebenswürdigem Auftreten schließen können, mit welcher Aufregung, welcher bangen Erwartung, welcher inständigen Hoffnung er der Begegnung mit Lee Roy Sears in dessen Studio im Dumont Center entgegensah.

Inzwischen war Lee Roy erst zweieinhalb Tage auf freiem Fuß. Er hatte sich in dem Heim in Putnam einquartiert, in dem er sechs Monate wohnen mußte, und er hatte die erste Besprechung mit seinem Bewährungshelfer hinter sich, und er hatte mit seiner Arbeit (die Nachtschicht: von 23 bis 5 Uhr) im Parkhaus in Putnam angefangen; er hatte sich im Dumont Center angemeldet, wo er unter der gemeinsamen Schirmherrschaft der Dumont Stiftung, des New Jersey Council of Arts und der Veteranenvereinigung als »Stipendiat« und »Hilfsdozent« tätig sein sollte. Und nun war sein Freund und Wohltäter Michael O'Meara gekommen, um ihn mit nach Hause zu nehmen, damit er dessen Familie kennenlernte und mit ihnen zu Abend aß.

Die Männer blickten einander starr an, wobei Michael unausgesetzt lächelte, so daß seine Wangen vor Anstrengung Grübchen bekamen. Liebenswürdig sagte er: »Nennen Sie mich doch bitte ›Michael‹, Lee Roy, ja?«

Heiser murmelnd antwortete Lee Roy Sears: »– Michael.« Es klang nicht überzeugend.

Clyde Somersets Assistentin Jody, die Michael ein Stück die Treppe hinunter begleitet hatte, verabschiedete sich nun und lief rasch wieder hinauf, und Michael blieb allein mit Lee Roy Sears und überlegte krampfhaft, was er sagen sollte. Er wußte noch, daß er in der Nacht zuvor von dem Mann geträumt hatte – höchstwahrscheinlich hatte er schon ziemlich oft von ihm geträumt –, und seit der Nachricht von Sears' Entlassung auf Bewährung hatte er sich in Gedanken viel mit ihm beschäftigt –, aber merkwürdig, der leibhaftige Sears schien nicht ganz der Mann zu sein, den er erwartet hatte.

Um seine Verwirrung zu überspielen, gab sich Michael weiterhin herzlich, zuvorkommend, leutselig, nur seine Stimme war etwas zu laut: »Und wie geht es Ihnen, Lee Roy? – Sie sehen gut aus.«

Lee Roy Sears rieb sich Tonkrümel von den Fingern und starrte Michael an, als sei das eine groteske Frage. Erkundigten sich die Wärter im Staatsgefängnis Hunsford nach dem Befinden der Sträflinge? Erkundigten sich die Sträflinge untereinander danach?

Sears nuschelte mit seiner leisen, heiseren, gehetzten

Stimme: »Geht mir echt gut, Mr. O'Meara.« Er hielt inne. Sein rechtes Augenlid fing an zu zucken. Ein dumpfig durchmischter Geruch nach Haarwasser, Ton, Terpentin ging von ihm aus. Wieder lächelte er flüchtig. Setzte hinzu: »Mir geht's prima.« Hielt inne. Mit plötzlich schrillem Kichern kam noch: »›Michael‹.«

Wieder herrschte Schweigen. Irgendwo im Haus sprachen Leute, ein Telefon klingelte. Von draußen drang Verkehrslärm herein. Michael kam der Gedanke, daß er zwar keinen Fehler gemacht hatte, Lee Roy Sears' Entlassung auf Bewährung zu unterstützen, daß es aber ein Fehler war, Gina gegenüber darauf zu bestehen, den Mann zum Abendessen nach Hause einzuladen.

Michael hatte Clyde Somerset und andere im Center darauf hingewiesen, nicht zu vergessen, daß Lee Roy Sears dreizehn Jahre eingesperrt gewesen war, davon fünf im Todestrakt. Sein Eintritt in die Außenwelt konnte nicht problemlos vor sich gehen. Sie sollten daran denken – und Michael würde sich das gleichfalls oft in Erinnerung rufen müssen –, daß Sears kaum ein typischer Mitarbeiter oder auch nur ein typischer Gast sein würde.

Ein bekannter Architekt japanisch-amerikanischer Herkunft hatte das Dumont Center entworfen. Der Stil, bernsteinfarbenes Glas, geschwungene Flächen aus Beton und Aluminium und warmem rosa Granit, war postmodern; aus der Nähe sah es wie ein dreistöckiger Hochzeitskuchen aus. Die Räume in den oberen Stockwerken mit ihren hohen Decken waren lichtdurchflutet, und bislang hatte Michael O'Meara das Untergeschoß, wo die Raumverhältnisse ganz anders waren – funktional, glanzlos, mit summendem Neonlicht und einem eigentümlichen Geruch nach feuchter Erde und Desinfektionsmitteln – noch nie betreten. Lee Roy Sears freilich war von seinem Studio, das er Michael mit kindlichem Stolz und Überschwang zeigte, begeistert. In Hunsford hatten ihm nur einfachste Materialien zur Verfügung gestanden; hier besaß er schon einen kleinen Schatz: Skizzenblöcke, Kohle und Pastellstifte, Acrylfarben, ein halbes Dutzend Pinsel, Ton zum Modellieren, ungerahmte Leinwand, eine Staffelei, eine Werkbank – »Das ist, wie wenn ich *träume,* ich bin im Dschungel, verbrenne vor Fieber und träum *das hier!*«

Sears hatte eine Einfachheit und Unmittelbarkeit, die Michael ans Herz griff. Tatsächlich fühlte sich Michael an seine Söhne erinnert, als sie Daddy neulich aufgeregt plappernd ihre Geburtstagsgeschenke zeigten.

Als Sears Michael sein »neuestes Werk« vorführte – Blätter mit verwischten Kohleskizzen, ein paar kleine, unbeholfen ausgeführte Tonfiguren –, beobachtete Michael ihn aus den Augenwinkeln. Lee Roy Sears! – war dies der Mann, dem das Leben zu retten er geholfen hatte? Der Mann, mit dem er hin und wieder korrespondiert hatte? In der Phantasie hatte Michael sich ihn als eine Art Bruder vorgestellt, na ja, das war ein bißchen weit hergeholt, aber doch als eine Art – benachteiligter Vetter; einen entfernten Verwandten etwa seines Alters, der Pech gehabt hatte, so wie er, Michael, Glück gehabt hatte. (Es liegt in der Natur des »Glücks«, des Prinzips Glück, daß es unverdient ist. Dies glaubte Michael inbrünstig, auch wenn er noch inbrünstiger an die Fähigkeit glaubte, sich selbst neu zu erschaffen; nach dem Prinzip des freien Willens.) Doch obgleich Lee Roy Sears neununddreißig Jahre alt war, nur ein Jahr jünger als Michael, sah er viel jünger aus; mit seiner fahlen, etwas unreinen Haut, den dunklen feuchtschimmernden Augen, den schmalen Schultern und Hüften und der gekünstelten Aufgedrehtheit hätte er ein frühreifer Teenager, ein Straßenjunge, geschunden aber hoffnungsvoll, sein können.

Kein Zweifel, Sears war häßlich. Die wachsbleiche knochig-flache Stirn, die etwas Reptilienhaftes hatte; die lange dünne Nase mit den übergroßen Nasenlöchern; die Zähne, ebenfalls übergroß, als seien es zu viele für den schmalen Kiefer, mit deutlich bituminöser Verfärbung – er war häßlich, und doch in gewisser Weise merkwürdig gewinnend, sogar attraktiv. Vielleicht war es seine Energie – sein drahtiger, straffer Körper, anscheinend zartgliedrig, doch mit harten, festen, kompakten kleinen Muskeln. Selbst sein leichtes Hinken – Sears schonte das linke, im Krieg verletzte Knie – verlieh ihm einen verwegenen, aus dem Gleichgewicht geratenen Charme.

Für die Begegnung mit den O'Mearas hatte sich Sears fein gemacht und sein strähniges, glanzloses Haar mit einem durchdringend riechenden Öl gebürstet; er hatte sich mit unsicherer Hand rasiert und dabei die Haut unterm Kinn an mehreren Stellen aufgeschürft. Er trug ein weißes Hemd, das eine Wäsche gebraucht hätte, und eine kürbisgelb-braun karierte Dacronjacke; einen ungeschickt geknoteten Schlips aus einem glitschiggrünen Material; undefinierbare braungraue Hosen, die sich an Gesäß, Knien und Fußknöcheln sackartig beulten. Seine rissigen braunen Schuhe waren jahrelang nicht geputzt worden und hatten Wasserflecke. Seine Fingernägel hatten eine Kruste von Schmutz und Ton, aber er trug einen Siegelring an der linken Hand, Onyx oder eine Onyximitation aus Plastik. In Gedanken an Gina wand sich Michael innerlich. Sie neigte dazu, Menschen vom ersten Augenblick an grausam und unwiderruflich abzulehnen, wenn es sich nicht um die richtige Sorte Menschen handelte.

»Dieser hier, der wird echt stark, das fühl ich genau, aber er ist noch nicht richtig geboren«, sagte Lee Roy Sears ernsthaft, wobei er Michael eine der unförmigen Figuren, die womöglich einen Mann – oder einen verwundeten, qualvoll verzerrten Soldaten? – darstellen sollte, beifallheischend hinhielt. »Wenn er zu früh geboren wird, wird er nicht alt.«

Michael starrte die Tonfigur bewundernd an, ohne recht zu wissen, was von ihm erwartet wurde. Wie bei seinen Söhnen, die Daddy häufig ihre Zeichnungen, Schularbeiten, originellen kleinen Erfingungen zeigten, drückte Michael uneingeschränkte Begeisterung aus; bei Sears jedoch fielen ihm keine Fragen ein. Er dachte an den bevorstehenden Abend.

Sears lachte rauh, wobei er die Zähne sehen ließ, und wiederholte in einem Ton, der fast warnend klang: »Jaa. Wenn er nämlich zu früh geboren wird, wird er nicht alt. Wird keiner, Mr. O'Meara.«

Wieder legte er eine Pause ein, und wieder kam das jähe schrille Kichern: »– Ich mein, ›Michael‹.«

»*Mußt* du unbedingt diesen ›Sears‹ mitbringen, Michael?« hatte Gina gefragt und dabei den Namen wie eine seltene Krankheit ausgesprochen; und Michael hatte geantwortet: »Nur dies eine Mal, Gina, das verspreche ich dir.« Und Gina hatte mit ihrer üblichen scharfen, aber auch törichten Logik gesagt: »Aber warum eigentlich – wenn es ›nur dies eine Mal‹ ist, kann es dem Mann doch wohl einerlei sein, oder?«

Michael hatte gesagt: »Ich möchte Lee Roy Sears das Gefühl geben, daß jemand sich um ihn kümmert, daß er nicht völlig allein ist.«

»Er hat doch seinen Bewährungshelfer, oder nicht?«

»Also Gina!«

»– und Clyde und die Mitarbeiter im Center?«

»Clyde hat keine Zeit für ihn, das weißt du doch. Er wird ein paarmal mit ihm reden und sich wegen der Publicity mit ihm fotografieren lassen, aber – du kennst doch Clyde.«

»Ich weiß, daß er viel zu tun hat. Das haben wir alle – viel zu tun.«

Gina stieß Michael spielerisch, wenn auch ein bißchen grob in das weiche Fleisch um die Taille. »Besonders du.«

»Nicht so viel, daß ich nicht Zeit für entscheidende Dinge hätte.«

»Wenn du mit Lee Roy Sears irgendwann zum Essen in ein Restaurant in Putnam gingst – nicht in Mount Orion, das wäre ihm, glaube ich, peinlich, aber in Putnam –, wäre das nicht genausogut?«

»Gina, Schätzchen. Ich möchte, daß Lee Roy Sears dich und die Jungen kennenlernt – meine Familie.« Michael überlegte. Es widerstrebte ihm aus Angst, lächerlich eitel oder sentimental zu erscheinen, Gina zu sagen, daß er Lee Roy Sears ermöglichen wollte, eine normale, glückliche amerikanische Familie zu erleben, daß er Sears die Erkenntnis vermitteln

96

wollte, daß solche Normalität und solches Glück für ihn durchaus erreichbar seien.

Als könnte sie die Gedanken ihres Mannes lesen und spränge wie auf dem Tennisplatz in schlauer Voraussicht ans Netz, sagte Gina: »Demnächst wirst du wohl Lee Roy Sears mit einem netten Mädchen bekannt machen wollen. Und von mir verlangen, daß ich das arrangiere.«

Beim Anblick von Michaels Gesichtsausdruck seufzte Gina lachend, ein bezauberndes Zeichen der Kapitulation bei ihr, und sagte, als sei es die ganze Zeit nur darum gegangen: »Also, Mittwoch habe ich keine Zeit zum Kochen, mittags habe ich eine Verabredung zum Essen, danach Tennisstunde. Wenn es dir und deinem Gast nichts ausmacht, hole ich was bei –« sie nannte den Namen eines erstklassigen Delikatessengeschäfts in Mount Orion, wo sie sowieso mindestens einmal die Woche einkaufte.

Michael dankte ihr und küßte sie. Er hatte gewußt, sie würde einlenken: Das tat sie immer.

Die erste Absonderlichkeit: Als Michael O'Meara und Lee Roy Sears vom Souterrain kommend die Treppe zur Tür hinaufstiegen, blieb Lee Roy Sears urplötzlich stehen und wartete darauf, daß Michael die Tür öffnen würde; zu spät erkannte Michael, daß Sears vergessen hatte, daß er nicht mehr im Gefängnis war und warten mußte, bis Michael, sein Wärter, die Tür aufschloß!

Ein peinlicher Augenblick, aber Sears merkte anscheinend nichts.

Das Dumont Center hatte eine luftige und geräumige Empfangshalle mit bernsteinfarbenen Glasscheiben und beweglichen weißen Wänden, an denen Aufnahmen eines ortsansässigen Fotografen hingen; ein halbes Dutzend Leute standen herum und sahen sich die Ausstellung an. Als Sears die Halle mit Michael durchquerte, wurde sein Hinken stärker, er schien zusammenzuschrumpfen, zog den Kopf ein, krümmte die Schultern und hielt sich die Hand vors Gesicht, als wollte er es vor den neugierigen Blicken Fremder schützen – die, hätte er sich nicht so sonderbar benommen, keine Notiz von ihm genommen hätten.

Zwei oder drei Besucher waren Bekannte, mit denen Michael fröhliche Begrüßungsworte wechselte, ohne seinen Schritt zu verlangsamen, vielmehr gab er sich Mühe, nicht zu einem Gespräch stehenzubleiben, um Sears nicht in Verlegenheit zu bringen. Er spürte, daß Sears unbedingt wegwollte.

Draußen aber, im warmen, schwindenden Tageslicht, zuckte Sears zurück; blinzelte in einem fort; die Augen mit den schweren Lidern flitzten umher wie die eines plötzlich ins Licht geworfenen Nachttiers. Er fingerte in seinen Taschen und zog eine stahlgefaßte Sonnenbrille hervor, die er nervös aufsetzte. Auf dem Parkplatz schreckte er zusammen, als neben ihnen der Motor eines Autos aufheulte; in Michaels weißem Mazda bekam er Angst, als sich beim Drehen des Schlüssels in der Zündung plötzlich der Schultergurt in Bewegung setzte und auf ihn zukam – »Herrgott! Verdammt noch mal!«

Michael sagte schnell: »Alles in Ordnung, Lee Roy. Ist nur der Sicherheitsgurt – bundesstaatliche Vorschrift.«

Sears rückte seine durch den Gurt verrutschte Sonnenbrille zurecht. Hochrot im Gesicht witzelte er lahm: »Huh! – ich hab gedacht, das war 'ne *Schlange*.«

Während der kurzen Fahrt zum Glenway Drive kam es mehrmals vor, daß Lee Roy Sears auf seinem Sitz zuckte oder zusammenfuhr, obwohl Michael, stets ein vorsichtiger Fahrer, an diesem Abend extrem vorsichtig fuhr und ein Unfall gar nicht passieren konnte. Seine Reaktionen erinnerten Michael an die bei einem Kleinkind normalen »Schreckreflexe«, und er versuchte sich nicht zu ärgern. Er verstand Sears' Beschwerden, die sowohl neurologische wie psychische Ursachen hatten: Nach so vielen Jahren in einer eingeschränkten und kontrollierten Umgebung wehrte sich Sears' Hirn gegen das Sperrfeuer der Reize aus der normalen Außenwelt. Pearce Pharmaceuticals stellten Medikamente zum Schutz gegen Reizüberflutung her, um so die von solchen Reizen ausgehenden Ängste zu verringern, doch war es weit besser, ihnen auf natürliche Weise zu begegnen, wie es Sears vermutlich tat.

Als sie in den Glenway Circle einbogen und Michael jetzt sein Tempo auf dreißig Stundenkilometer verlangsamte, versuchte Sears angestrengt, sich zu entspannen, und murmelte verlegen: »Schätze, ich hab schon lange nicht mehr in einem Auto gesessen.«

Michael darauf mit einer Überschwenglichkeit, die ihn selbst überraschte: »Sie werden sich daran gewöhnen – Sie werden sich an alles gewöhnen. In ein paar Monaten fahren Sie vielleicht schon wieder selber.«

Sears grunzte nur, eine undeutliche skeptische Zustimmung.

Dann schüchterte Lee Roy Sears das Viertel ein, in dem Michael O'Meara wohnte: die herrliche halbländliche Vorortgegend mit den luxuriösen Häusern auf großen, bewaldeten Hanggrundstücken, die von der Schotterstraße aus nur teilweise sichtbar waren und trotz der stark gesunkenen Preise auf dem Immobilienmarkt im Frühjahr 1991 noch über fünfhunderttausend Dollar kosteten. Michael wohnte schon so lange am Glenway Drive und war meistens so in Gedanken versunken, wenn er die vertraute Strecke fuhr, daß er schon lange aufgehört hatte, sein Viertel überhaupt wahrzunehmen, geschweige es mit bewundernden, erstaunten Augen zu betrachten: Warum auch, er lebte ja hier! Er, Michael O'Meara, ein Mann ohne außergewöhnliche Intelligenz und Begabung, zumindest in seiner strengen Selbsteinschätzung, ein Mann, der eine solche Belohnung bestimmt nicht verdiente – er lebte eben hier! O'Mearas schönes weißes Kolonialhaus stand am Ende der reizvoll gewundenen Sackgasse, umgeben von einem wahren Wald immergrüner Büsche und hoher Laubbäume, die gerade ausschlugen; den Himmel überzog ein tiefes, klares Blau wie auf einem Renaissancegemälde. *Wie schön! Wie war es nur möglich!* Während Lee Roy Sears starr vor Staunen dastand, als hätte es ihm die Sprache verschlagen, den Kopf tief zwischen den Schultern wie eine Schildkröte, die sich in ihren Panzer zu verkriechen sucht, schien Michael seinen Besitz mit den ehrfürchtigen Augen des anderen zu sehen. Ein Schauer der Erregung ergriff ihn: Freude, Triumph, Schuldgefühl.

Während er die Einfahrt hinauffuhr, murmelte er entschuldigend: »Es ist ein bißchen groß für eine Familie von nur vier Personen.«

Und dann war Gina da.

»Na so was, hallo!« – als sei sie, ihr strahlendweißes Lächeln zeigend, die herrlichen Augen zur Begrüßung weit geöffnet, ehrlich überrascht, *ihn* zu treffen: die schmeichelhafte Haltung einer Gastgeberin, die bei Gina wie bei den meisten Frauen ihres Gesellschaftskreises so verfeinert war, daß sie auf Instinkt und nicht auf Heuchelei beruhte.

Michael stellte Lee Roy Sears Gina vor, sehr erleichtert, daß Gina sich zum Nettsein entschlossen hatte, und übersah im Durcheinander der ersten Begrüßungsworte taktvoll Sears gaffende Blicke – auf Gina, auf das schöne Wohnzimmer, auf die Aussicht durch die Glasfront im Hintergrund, auf Gina.

Es war ein regelrechtes Gaffen, zugleich komisch und rührend: Sears' Unterkiefer hing herunter.

Gina meisterte die Situation jedoch hervorragend, indem sie Lee Roy Sears mit sich zog, ihn fragte, ob er sich setzen wolle (auf das geschwungene austernfarbene Sofa gegenüber dem Fenster mit dem Blick auf Bäume, Büsche, den Teich unten), ob er einen Drink wolle? – vielleicht Wein?

Sears blinzelte Gina sekundenlang an, als versuche er ihre Worte zu interpretieren. Er setzte die stahlgefaßte Sonnenbrille ab und steckte sie nach längerem Herumtasten in die Tasche. »Danke, Mrs. O'Meara, aber ich« – und hier senkte er verschämt die Stimme – »ich kann nichts trinken. Ich meine, ich darf nicht.« Er hielt inne, wobei er die Lippen zu einem jammervollen Lächeln verzog. »Ich meine, solange ich auf Bewährung bin.«

»Tatsächlich!« rief Gina, als ob sie so etwas noch nie gehört hätte und Lee Roy Sears' Unbehagen teilte. »Man kann

Ihnen vorschreiben, ob Sie trinken dürfen oder nicht? Selbst wenn Sie privat bei jemandem sind?«

Sears nickte bedrückt. Er zog die schmalen Schultern in der knalligen kürbisgelb-braun karierten Jacke hoch. »Klar können die das. Das ist eine Bedingung für meine Entlassung auf Bewährung.«

Gina sah Michael aufgebracht an. »Ist das wirklich Gesetz, Michael?«

Michael sagte: »Ich denke schon, wenn der« – er hielt feinfühlig inne – »auf Bewährung Entlassene eine Vorgeschichte hat, im Alkoholmißbrauch oder im Mißbrauch von gewissen Mitteln, etwa so was. Kann ich Ihnen sonst etwas bringen, Lee Roy? Ginger Ale? Sodawasser?«

Lee Roy Sears nuschelte: »Jaa, das ist in Ordnung. Das geht alles. Vielen Dank.«

Sears hinkte zum Sofa und setzte sich mit übertriebener Umständlichkeit. Seine Haut war fleckig wie bei einem Nesselausschlag. Wie die O'Mearas die erste Phase dieses entsetzlich peinlichen Besuchs umschifften, daran konnten sie sich hinterher beide nicht erinnern: Es schien in erster Linie an Ginas beherzter Bemühung gelegen zu haben, die dann Michael inspirierte, wie auf der Bühne ein Schauspieler oder eine Schauspielerin von überragender Fähigkeit die übrigen inspirieren kann, wenn etwas schiefgeht, und der Auftritt ist gerettet.

Gina also plauderte drauflos, und Michael machte mit. Lee Roy Sears gab auf ihre freundlichen Fragen einsilbige Antworten, wobei er hin und wieder den Blick hilflos schweifen ließ und »– echt nett von Ihnen, echt nett –« murmelte.

Und: »– hab noch nie meinen Fuß in *so* ein Haus gesetzt –«

Und: »– bin echt dankbar für Ihre Freundlichkeit, Mr. O'Meara – äh! ich meine ›Michael‹!«

Wobei Gina ihr berühmtes strahlendes Lächeln aufsetzte und eindringlich erklärte: »Ja, Lee Roy, aber wissen Sie, Sie müssen mich Gina nennen. ›Mrs. O'Meara‹ ist meine Schwiegermutter, die in Palm Beach wohnt.«

Diese charmante Bemerkung überstieg die Fassungskraft des armen Lee Roy Sears.

Gina verschwand, um die Zwillinge zu holen, und brachte sie mit elegantem Schwung ins Zimmer: Selten sah sie betörender aus, als wenn sie ihre schönen kleinen Söhne Gästen vorstellte. »Lee Roy, dies ist Joel – ist es Joel, hmmh? – Joel, sag Lee Roy Sears guten Tag. Und dies ist Kenny – los, Kenny, sag Lee Roy Sears guten Tag.« Die Jungen stolperten widerwillig mit großen Augen vorwärts, ohne zu lächeln. Gina wies sie sanft zurecht: »Joel, Kenny, das ist Daddys Freund Lee Roy Sears, könnt ihr nicht bitte guten Tag sagen?«

Lee Roy Sears starrte die Jungen jedoch ebenso schweigsam an wie sie ihn. Hatte ihn Ginas Schönheit anscheinend überwältigt, so schienen ihn Joel und Kenny geradezu in Angst und Schrecken zu versetzen. Seine Hand, die das Glas Ginger Ale hielt, zitterte sichtlich.

Plötzlich kam Michael wie aus dem Bewußtsein des anderen Mannes der Gedanke: *Er hat Kinder dieses Alters getötet, ja – in Vietnam!*

Ein absurder Gedanke, den Michael sogleich verwarf. Er schob die Jungen unter gutem Zureden vor sich her, damit sie Mr. Sears die Hand gaben, und das taten sie, schüchtern, aber lieb; und der peinliche Augenblick ging, wie es schien, vorüber. Die Jungen taten ihr Bestes, Daddys seltsam aussehenden Freund anzulächeln, der so anders war als Daddys und Mommys andere Freunde, und auch Lee Roy Sears gab sich Mühe, sein Unbehagen zu überwinden. Er verzog die blassen Lippen zu einem gespenstischen Lächeln, beugte sich gekrümmt vor und sagte: »Ihr seid – äh – Zwillinge? – das macht wohl Spaß – was? – in der Schule die Lehrer zur Weißglut bringen, hääh?«

Joel kicherte plötzlich. Kenny, dessen Daumen in den Mundwinkel gekrochen war, kicherte ebenfalls.

Gina schalt: »Seid nicht albern, Jungs.«

Michael sagte: »Sie sehen sich eigentlich nicht als Zwillinge, nur als Brüder. Das ist die Hauptsache.«

»Sie sind erst letzte Woche sieben geworden«, sagte Gina stolz. »Stimmt's ihr beiden?«

Lee Roy Sears blickte von einem Kind zum anderen. Joel

links, Kenny rechts. Joel trug ein blaues Hemd, Kenny ein grünkariertes Hemd. Joels Haarwirbel wuchs im Uhrzeigersinn, Kennys gegen den Uhrzeigersinn – oder war es genau umgekehrt?

»Wenn ich'n Zwilling wär, dann würd ich aber die Sau rauslassen!« sagte Lee Roy Sears plump. Er warf Gina und dann Michael einen kurzen Blick zu und merkte, daß er sich im Ton vergriffen hatte. Schnell verbesserte er sich: »Ich meine, wenn ich ein Kind wär. Nicht *jetzt.*«

Als ob es ihr erst jetzt eingefallen wäre, rief Gina mit kindlicher Stimme: »Oh, ich weiß was: Wir gehen alle nach draußen, solange es noch hell ist. Das Essen ist erst in ein paar Minuten fertig. Wetten, daß Lee Roy sich gern unseren Teich ansehen würde? Wie ist es, Lee Roy?«

»Ja, gern!« sagte Lee Roy Sears sichtlich erleichtert.

Michael schloß die Schiebetür zur Terrasse auf, und alle strebten nach draußen, Lee Roy Sears hinkend, die Zwillinge im Galopp vorneweg, die Eltern O'Meara Hand in Hand. Michael hatte schnell ein Glas Wein getrunken und war in heiterer Stimmung. »Es kommt mir merkwürdig vor, an einem Wochentag schon so früh zu Hause zu sein«, sagte er, und Gina antwortete rasch, damit auch Lee Roy Sears mitanhören konnte, was Michael hören sollte: »Ja, es ist eine Schande – du kommst nie vor sieben nach Haus. *Dies* ist endlich mal eine Gelegenheit.«

Es war ein klarer, frischer, angenehmer Tag, mit dem vom Boden aufsteigenden Duft des Laubes vom letzten Jahr, einem Geruch nach durchnäßter Erde, wohltuend für die Nase. Lee Roy Sears hinkte schwungvoll durchs Gelände, besah sich blinzelnd die hohen Bäume, die vielen Sträucher, die Blumenbeete, ein schmiedeeisernes weißes Stuhlpaar, das malerisch oberhalb des Teichs aufgestellt war, und den Teich selbst, randhoch nach den letzten Regenfällen, dunkelschimmernd, die Oberfläche nun fast frei von Blättern und anderen Rückständen. Sears blieb stehen, um tief erschauernd Luft zu holen. Er murmelte vor sich hin: »Echt gut!«

Die Jungen liefen ziemlich ausgelassen voraus, sie kicherten und versetzten sich gegenseitig kleine Püffe. Michael behielt sie genau im Auge, er betrachtete sie, mit väterlichem Stolz, durch das Prisma der Augen Lee Roy Sears': seine Söhne.

Seine und Ginas.

Und da war Gina, die schöne Gina, gertenschlank in ihrem aquamarinblauen Laura-Ashley-Kattunkleid, eine Bernsteinkette um den Hals, das helle Haar seidig glänzend. Sie trug hochhackige Alligatorpumps, mit denen sie in den aufgeweichten Boden einsank, so daß sie sich auf Michaels Arm stützen mußte; sie blickte mit einem verschmitzten unergründlichen Lächeln zu ihm auf, das nicht für die Augen des Gastes bestimmt war. Am Nachmittag hatte sie zum ersten Mal in dieser Saison draußen Tennis gespielt, gemischtes Doppel mit einem Freund (Dwight Schatten? – Michael konnte sich nicht erinnern, wen sie erwähnt hatte) und anderen.

Manchmal, nach einem zähen Kampf auf dem Tennisplatz, war Gina durcheinander und gereizt; heute war sie in bester Laune. Die Spiele mußten also gut gelaufen sein.

Lee Roy Sears sagte, wieder mit einem Beben tief einatmend: »Die Luft hier ist echt gut.«

»Wirklich!« rief Gina.

Sears warf ihr von der Seite einen wehmütigen Blick zu, der Michael nicht entgehen konnte.

Als sie den Abhang hinabstiegen, breitete sich der See waagerecht vor ihnen aus und wirkte auf geheimnisvolle Weise beträchtlich größer als vom Haus aus. Der Boden wurde zunehmend moorig. Sumpfhordenvögel flogen aus ihrer Deckung auf. Nicht weit entfernt krächzten Eichelhäher. Joel und Kenny erkundeten die andere Seite des Teichs, spähten ins Wasser, griffen nach umgebrochenen Rohrkolben und Schilf. Die Jungen hatten etwas seltsam Wildes an sich, das Michael schon früher als nicht sehr angenehm aufgefallen war: als ob der bloße Geruch des Teichs, jene trübe, brackige, süßsaure Ausdünstung sie aufstachelte. »Joel, Kenny – seid vorsichtig!«, rief Michael. »Macht euch die Füße nicht naß.«

Wie mit einer Stimme murmelten die Jungen: »Okay, Daddy.«

Lee Roy Sears bestaunte den Teich mit so einfachen Worten – »echt gut« – »echt hübsch« –, daß er etwas einfältig wirkte.

War der Mann einfältig? Hatten Rauschgift oder Alkohol oder seine traumatische Vergangenheit ihren Tribut gefordert?

Michael stand am Ufer des Teichs, seines Teichs, und ließ den Blick über seinen Besitz schweifen, zurück zum Haus, *seinem* Haus – und wieder bedrängte ihn jenes starke Gefühl von teils Dankbarkeit, teils Schuld. Denn warum war gerade *er* hierher gelangt und nicht, beispielsweise, Lee Roy Sears, der von seiner Mutter als Säugling verlassen wurde und nie eine Familie gehabt hatte?

Es war früher Abend, und der Himmel verblaßte zusehends. Die Teichoberfläche hatte sich in einen Spiegel verwandelt, dunkel und opak; man konnte nicht hindurchsehen. Vor Jahren hatte Michael den Teich mit Zierkarpfen, gold, goldgesprenkelt, schwarz, blaßorange, besetzt, aber vermehrt hatten sich vor allem die schwarzen: Nur ein paar Exemplare der helleren Farben waren übriggeblieben, die man inmitten eines dahinschießenden Schwarms blattförmiger dunkler Fische nur bei intensivstem Sonnenlicht erkennen konnte. Im Augenblick gab es nicht das kleinste Anzeichen von Leben unter der Wasseroberfläche. Der unkrautbewachsene Boden hätte Zentimeter oder Meter darunter liegen können.

Michael stand neben einem Weidenbaum, hielt sich an einem Zweig fest und beugte sich, nachdenklich sein Spiegelbild betrachtend, über das Wasser. Er trug seine Wochentagskleidung: Anzug, Krawatte, ein gutes Hemd. Sein Kopf wirkte im Wasser rund und töricht, sein Gesicht rot wie ein Kürbis. Das Wasser kräuselte sich zitternd, sein Spiegelbild schien sich auflösen zu wollen. Lee Roy Sears hinkte zu ihm herüber, stellte sich neben ihn, und plötzlich tauchte auch sein Spiegelbild schaukelnd neben ihm auf. Sears' Kopf war nicht so rund wie Michaels und sein Gesicht nicht so rot, sondern wachsweiß, totenbleich, die Augen schwarz wie Löcher. Aber er lächelte, grinste: »Wie tief ist es, Mr. O'Meara? Schwimmt ihr da alle drin?«

Michael sagte: »Zum Schwimmen ist der Teich nicht geeignet, zu flach am Ufer und zuviel Unkraut. Sehen Sie die Rohrkolben da?«

Daraufhin erzählte Gina die Geschichte (die bereits zu einer komischen, auf Partys in Mount Orion gern wiedergegebenen Anekdote geworden war), wie der arme Michael versucht hatte, selber den Teich zu reinigen und sich dabei fast das Kreuz gebrochen hätte. »Können Sie sich das vorstellen!« Gina lachte und streichelte Michaels Arm. Ihr Verhalten stellte eine Aufforderung an Lee Roy Sears dar, in ihr Lachen einzustimmen, aber Sears blickte nur verwirrt von Gina zu Michael. Es rührte Michael tief, als er naiv sagte: »Soll ich Ihnen beim Ausbaggern helfen, Mr. O'Meara? Sie brauchen nur sagen, wann.«

Michael antwortete: »Das ist sehr großzügig, Lee Roy, aber –«

»Nee, das is gar nix«, sagte Lee Roy heftig, »im Vergleich mit dem, was Sie für mich getan haben.«

»– ich habe schon ein paar Leute bestellt, die das berufsmäßig machen, nächste Woche.«

Als hätte er es nicht gehört oder in seiner Bedeutung nicht erfaßt, verkündete Lee Roy Sears wichtigtuerisch, damit auch Gina mitbekam, was für Michaels Ohren bestimmt war: »Ja klar, ich kann ganz schön zupacken, bei so Arbeiten wie der hier. Vielleicht seh ich ja nich so aus, jetzt seh ich ja wohl ziemlich mickrig aus – aber ich kann das!«

Vom Rest dieses ersten Besuchs, den Lee Roy Sears seinem Haus abstattete, behielt Michael O'Meara nur einzelne Augenblicke im Gedächtnis.

Zum Beispiel: Die Zwillinge sollten unter der Aufsicht Maritas ihr Abendessen in der Küche einnehmen, und kurz bevor sie die Gesellschaft der Erwachsenen verließen, nahm Gina sie in den Arm und redete ihnen gut zu: »Okay, Herrschaften, sagt Mr. Sears gute Nacht«, und die Jungen murmelten fast einstimmig, schüchtern: »Nacht, Mr. Sears«, wobei beide unter ihren Wimpern hervor Sears anguckten und Sears mit schiefem Lächeln sagte: »Jaah, Nacht, war prima, euch kennenzulernen!« Damit hätte es sein Bewenden gehabt, wenn sich nicht Joel – oder Kenny, Michael war sich da nicht sicher – plötzlich schrill zu Wort gemeldet hätte: »Mr. Sears, wieso bist du im *Gefängnis* gewesen?« worauf sein Zwillingsbruder in wildes Kichern ausbrach und Gina rief: »Joel! Kenny! Jungs! Ihr solltet euch *schämen!*«

Marita erschien auf der Bildfläche und nahm die Jungen mit. Gina und Michael entschuldigten sich, beide in tödlicher Verlegenheit, doch Lee Roy Sears zuckte die Achseln und sagte: »Verdammt, das is 'ne gute Frage, die Antwort darauf wüßt ich auch gern.«

Dann, als Gina die letzten Vorbereitungen für das Essen traf und Michael und Lee Roy mit frischen Drinks im Wohnzimmer auf und ab wanderten, richtete sich Lee Roys Aufmerksamkeit sprunghaft auf Kunstobjekte, die er vorher nicht bemerkt hatte: mehrere Ölgemälde, einige Pastellzeichnungen, ein halbes Dutzend Lithos, zwei kleine, aber auffallende Bronzeköpfe auf dem Kaminsims. Lee Roy löcherte Michael mit zugleich naiven und pfiffigen Fragen: Um welche Künstler es sich handelte? Ob sie berühmt waren? Ob sie noch lebten oder schon gestorben waren? Wieviel die Werke kosteten? Michael wunderte sich über die verbissene Intensität seines Besuchers und antwortete nach bestem Wissen.

»Die meisten dieser Arbeiten hat Gina erworben«, sagte er. »Sie kennt Leute aus der Kunstszene – in Manhattan und Philadelphia. Ich verlasse mich auf ihr Urteil. Ich weiß nur, was ich mag.«

»Mögen Sie *dies?*« fragte Lee Roy verächtlich bei einem großen abstrakten Bild mit dichten, wirbelnden, gedämpften Farben auf weißem Untergrund. Das Gemälde stammte von einem erst vor kurzem verstorbenen namhaften Amerikaner; Michael hatte schon immer vermutet, daß Gina den erheblichen Preis für das Werk nur bezahlt hatte, weil andere in Mount Orion den Künstler sammelten und weil gerade dieses Bild so gut zu der Wohnzimmereinrichtung paßte. »– zu scheißweich«, brummelte Lee Roy.

Es war das erste Mal, daß Lee Roy Sears in Michaels Gegenwart diesen Ton anschlug. Er war froh, daß Gina es nicht hören konnte.

»Ich mag es ganz gern«, sagte Michael mit leiser Ironie. »Sie werden schon noch sehen, daß ich ein bescheidener Mensch bin.«

Und dann kam das Abendessen.

Ein schnelles, zerfranstes Mahl, wie sich herausstellte, denn obwohl Gina ein köstliches Bœuf Bourguignon gekauft hatte, aß Lee Roy Sears nervös und zwanghaft und kaute die Bissen mit schräg gehaltenem Kopf wie ein gieriges Tier. Er merkte anscheinend, daß er abstoßend wirkte, denn mehrmals äußerte er nuschelnd: »'schuldigung! – keine Tischmanieren mehr!« und »'schuldigung! – hab so'n *Hunger!*« Die beiden O'Mearas warfen sich mit vielsagendem Ausdruck Blicke zu –, hatte ihr Gast in den dreizehn Jahren keine anständige Mahlzeit zu sich genommen? Oder noch länger nicht?

Gina versuchte mit ihrem normalerweise unfehlbaren Instinkt als Gastgeberin, Lee Roy zum Gespräch zu bewegen, indem sie ihm unverfängliche Fragen stellte – zum Beispiel, ob ihm seine Mitbewohner im Wohnheim zusagten –, aber Lee Roy gab nur nuschelnd oder grunzend Antwort. Seine Stirn glänzte ölig, seine Augen schimmerten feucht. Er keuchte beim Essen. Mittendrin hielt er inne und nahm eine große weiße Kapsel mit einem Schluck Wasser zu sich. (Ein Medikament? überlegte Michael. Ein Psychopharmakon oder nur ein Tranquilizer?) Wenn er nicht heißhungrig schlang, rückte er zwanghaft seinen Teller, sein Wasserglas, sein Besteck, die winzigen silbernen Salz- und Pfefferstreuer, die vor ihm standen, zurecht; sogar die wohl kaum falsch angeordneten silbernen Kerzenleuchter, die Gina in die Mitte des Tischs gestellt hatte.

»'schuldigung! – 'schuldigung!« brummelte Lee Roy.

Gina, deren Appetit schon in guten Zeiten schwankte, schien angesichts von Lee Roy Sears' Gefräßigkeit alle Lust am Essen verloren zu haben, dennoch bot sie ihrem Gast in einer Anwandlung weiblichen Märtyrertums höflich noch mehr an: mehr Rindfleisch, mehr Reis, mehr Gemüse, mehr Brot. »Danke, Mrs. O'Meara!« keuchte Lee Roy. Er schien es nicht lassen zu können, seinen Teller mit zitternder Hand bis an den Rand zu beladen und mit dem Essen wieder von vorn anzufangen. Eine Minute später jedoch, mitten im eifrigen Kauen, hielt er mit leidendem Ausdruck inne, krümmte sich über den Tisch und stöhnte leise; wieder wechselten die O'Mearas einen Blick – Michael, rot geworden, schmerzvoll und bedauernd; Gina mit undurchdringlicher Miene.

Lee Roy ächzte: »Oh! – Gott! – Entschuldigung!«

Er hatte zuviel und zu schnell gegessen; sein geschrumpfter Magen konnte eine solche Menge reichhaltiger Nahrung nicht verarbeiten; taumelnd wie ein Sterbender erhob er sich vom Tisch, krümmte sich fast bis zum Boden und hielt sich mit totenbleichem Gesicht die Hand vor den Mund. Michael warf seine Serviette hin und leistete Nothilfe, indem er Lee Roy in das Gästebad in der Halle beförderte – keine Sekunde zu früh.

Als Michael, selber mit Brechreiz kämpfend, ins Eßzimmer zurückkehrte, sah er, wie Gina reglos dasaß, die Hand über den Augen.

Er sagte: »Gina, mein Gott, es tut mir so leid! Ich sehe zu, daß ich ihn loswerde, sobald er in der Lage ist, sich auf den Weg zu machen.«

Gina blickte Michael erschrocken an. Ihre schöne Stirn legte sich sorgenvoll in Falten. »Aber der arme Lee Roy! Er ist so lieb und so hilflos! Er ist ja nicht in unserem Alter, sondern noch ein Kind! *Was soll aus ihm werden?*«

Jetzt starrte zur Abwechslung Michael O'Meara seine Frau fassungslos an. Von allen Bemerkungen, die er von ihr erwartet hätte, war dies die unwahrscheinlichste.

109

Völlig erschöpft, obwohl es noch nicht einmal neun Uhr abends war, brachte Michael Lee Roy Sears zu seinem Wohnheim in Putnam, New Jersey: Weil Sears keine Ahnung von seiner Umgebung hatte und nur die Straße und die Hausnummer angeben konnte, verfuhr sich Michael mehrmals und mußte sich nach dem Weg erkundigen. Der entkräftete Lee Roy neben ihm, dessen Atem nach Erbrochenem stank, stöhnte in einem fort: »– 'schuldigung, o Gott! –«, war aber sonst wenig hilfreich.

Ein Kind. Was soll aus ihm werden.

Schließlich fand Michael das Wohnheim, einen schäbigen gelben Klinkerbau, der mehr wie eine billige Absteige aussah und in einem Viertel mit Kneipen, Billardzimmern, durchgehend geöffneten Eßlokalen und Leihhäusern lag.

Er half Lee Roy Sears aus dem Auto und brachte ihn die verfallene Treppe zum Haus hinauf und in die trüb erleuchtete Eingangshalle. Sears schwankte wie ein Betrunkener. Es ging ihm schlecht, aber nicht zu schlecht, um seinen Wohltäter mit feuchtem, flehendem Hundeblick zu fixieren und seine Hände mit beiden Händen zu packen. »Vielen Dank, Mr. O'Meara! O Gott! Mann! Von ganzem Herzen!«

Michael würgte beim Geruch von Sears' Atem und löste sich diskret aus seinem Griff. »Gute Nacht, Lee Roy!«

Draußen auf dem Gehsteig, nur auf sein Entkommen bedacht, hörte er noch aus dem Inneren des Hauses den schwachen Entschuldigungsruf des anderen: »– Ich meine ›Michael‹.«

3

O wie *traurig*. Diese *Augen*.«
Gina O'Meara musterte die zwergenhaft kleine Figur, die Lee Roy Sears ihr mit leisem Widerstreben zur Begutachtung vorgelegt hatte; und um ehrlich zu sein, Gina wußte nicht, was sie davon halten sollte. Sie bildete sich einiges darauf ein, ein Auge für Kunst zu haben, und die Galeriebesitzer, die ihr überteuerte Werke verkauft hatten, hatten ihr schon oft Komplimente wegen ihres ausgezeichneten Geschmacks gemacht – aber *dies* hier? Dieses ungestalte kleine Ding mit den Glotzaugen?

Etwa zwanzig Zentimeter lang, sollte es einen Mann darstellen, wie im Todeskampf verrenkt, mit ungeschlachten, verzerrten Zügen, klaffendem Mund, ausgestreckten Armen und Beinen, einer flachen Höhlung in der Gegend der inneren Organe; glücklicherweise hatte die Figur keinerlei Geschlechtsmerkmale. Aus noch feuchtem, übelriechendem Ton geformt, war sie eigentümlich schwer und irgendwie ekelhaft. Trotzdem hörte Gina nicht auf zu lächeln.

Lee Roy stand dicht neben ihr, atmete durch die Nase und krümmte die mit Ton beschmierten Finger in ungeduldiger Erwartung. Gina war am Nachmittag gekommen, um ihn zu Einkäufen und Besorgungen abzuholen, aber er hatte, wie es anfangs schien, ihre Verabredung vergessen, so vertieft war er in seine Arbeit – in dieses »Modellieren«.

(Die so dilettantisch gestaltete häßliche kleine Figur gehörte, wie Gina sah, zu einer Reihe ähnlicher Figuren, die wie weggeworfene Föten auf Sears' Arbeitstisch herumlagen. Variationen auf ein Thema, aber was für plumpe Variationen, und was für ein hoffnungsloses Thema!)

»– ja, diese *Augen.* Beachtlich!«

Fleckig im Gesicht vor peinlicher Verlegenheit nahm Lee Roy Sears ihr die Figur aus der Hand und legte sie mit übertriebener Sorgfalt zwischen die anderen. Er nuschelte etwas, das Gina nicht verstehen konnte – sie hoffte nur, es war nicht wieder dieser ermüdende Refrain »*'schuldigung* –!«

»Also!« sagte Gina munter mit ihrem strahlenden Lächeln, das dem ganzen Raum galt – warum bloß hatte Clyde diesem armen Mann nicht einen der oberen Arbeitsräume mit anständigem Licht und mit Blick auf den Himmel gegeben? »Wir gehen jetzt lieber, Lee Roy, es wird spät. Um halb vier muß ich ja Joel und Kenny von der Schule abholen –«

An einem winzigen Ausguß in der Ecke sich die Hände waschend, sagte Lee Roy, nicht zum ersten Mal: »Ich will Ihnen bestimmt keine Mühe machen, Ma'am –«

Gina lachte. »– ›Ma'am‹?

»– Mrs. O'Meara –«

»Ich habe Ihnen doch gesagt, Lee Roy, ›Mrs. O'Meara‹ ist meine Schwiegermutter, und sie wohnt, leider nicht sehr gern, in Palm Beach, Florida.«

Lee Roy versuchte über diese Bemerkung zu lachen, aber es klang mehr nach Husten.

»Ich habe Ihnen auch gesagt, Lee Roy, daß es nicht die geringste ›Mühe‹ ist. Ich bin froh, wenn ich Ihnen helfen kann –«, sie unterbrach sich diskret, »– sich … einzuleben.«

Sie fügte hinzu: »Und ich bin ›Gina‹ –!«

Lee Roy Sears hatte den Wasserhahn aufgedreht und daher wohl nichts gehört, und Gina ließ es dabei bewenden. Es hatte etwas Würdevolles und fast Theatralisches, wenn Sears sie mit jenem Blick hilfloser Anbetung, Verehrung und Scheu in den Augen ›Mrs. O'Meara‹ nannte.

Was Gina natürlich taktvoll übersah. Zumindest ging sie nicht darauf ein.

Verächtlich wischte sie sich die Hände mit einem feuchten Papiertuch ab in der Hoffnung, daß der scheußliche Geruch nicht haftenblieb. Sie wollte unbedingt raus aus diesem deprimierenden Kellergeschoß und an die helle, klare Frühlingsluft; sie wollte unbedingt in die Läden von Mount Orion, wo sie sich so wohl fühlte.

Dilettantische Kunstbemühungen waren ihr sowieso peinlich. Sie hatte, als Joel und Kenny klein waren und sie sich nach Unabhängigkeit, Selbstverwirklichung, einem »kreativen« Ausdruck ihrer aufgestauten Gefühle sehnte, eine kurze Phase durchgemacht, in der sie an dem beliebten Keramikkurs im Dumont Center teilgenommen hatte. Eine Zeitlang hatte sie es als eine wunderbare Herausforderung erlebt, und es hatte ihr Spaß gemacht (»Kunst soll Spaß machen!« behauptete ihr bärtiger Lehrer) – Gina und die anderen Anfänger hatten natürlich keine Gefäße aus Ton hergestellt, sondern nur unbearbeitete Fabrikware mit einer farbigen Glasur überzogen, die ihr Lehrer dann mit theatralischer Gebärde zum Brennen in den Ofen schob. Er hatte Gina versichert, sie habe ein echtes Talent für die Töpferkunst, und schien von ihrer Arbeit tatsächlich beeindruckt zu sein, aber leider kamen ihr reges geselliges Leben und eine intensive romantische Freundschaft mit einem Arzt aus Mount Orion ihr in die Quere, und sie mußte den Kursus abbrechen.

Die drei oder vier Kostproben ihres Könnens, alles Schalen, waren deutlich sichtbar im Haus aufgestellt. Gäste machten ihr deswegen häufig Komplimente, besonders wenn sie hörten, daß Gina sie selber hergestellt hatte.

So hielt Gina die Aussicht auf »Kunst« wie in einem Geheimfach ihres hübschen Gucci-Portemonnaies in Reserve – eines Tages, wenn die Zwillinge älter wären, könnte sie einen neuen Anlauf nehmen. Kein Glasieren von vorgefertigter Töpferware, sondern wirkliche Kunst wie von Georgia O'Keeffe oder Helen Frankenthaler oder – wie hieß diese Bildhauerin noch, die mit dem Turban und den falschen Wimpern? – Louise Nevelson.

Vorläufig jedoch gab sich Gina O'Meara damit zufrieden, durch die Geschäfte in Mount Orion zu ziehen.

Zuerst nahm sie Sears mit zum Schönheitssalon, wo sie Nikki, ihren Haarstylisten, fragte, was man mit Lee Roys Haar machen könnte – »Sieh dir das bloß an, es sieht wie abgehackt aus, und hinten so ausrasiert«, sagte Gina, »wie bei einem Matrosen vom Ende der Welt!« Lee Roy setzte sich, rot geworden, auf den Stuhl des Stylisten und starrte sich mit steinernem Gesicht in dem goldgesprenkelten dreiseitigen Spiegel an, während sich Nikki unter weit ausholendem Schwingen seines Stahlkamms stirnrunzelnd an ihm zu schaffen machte, dann aber mehr zu Ginas als Lee Roys Enttäuschung zu dem Schluß kam, daß man vorerst nicht viel tun könne, sondern warten müsse, bis das Haar nachgewachsen sei – »Bringen Sie ihn in vielleicht drei Wochen wieder, Mrs. O'Meara.«

Trotz des sichtlich faszinierten Widerwillens, mit dem Nikki Lee Roy Sears betrachtete, fragte er Gina nicht, wer er sei.

Nur einmal trafen sich die Blicke der Männer wie zufällig im goldgesprenkelten Spiegel, und da Nikki etwas in Lee Roy Sears' Augen wahrnahm, das ihn offenbar beeindruckte, sah er schnell wieder weg.

Als Lee Roy Sears auf die Straße hinkte, drückte Gina Nikki einen Zwanzigdollarschein in die Hand. »In drei Wochen kommen wir wieder«, sagte sie.

Mit gezwungenem Lächeln gab Nikki den Schein wieder zurück. »Bis dann, vielen Dank, Mrs. O'Meara.«

Als nächstes: *das* Geschäft für Herrenschuhe.

In diesem mit dicken Teppichen ausgelegten Laden beaufsichtigte Gina inmitten zahlreicher Spiegel und auf Hochglanz polierter wunderschöner Exemplare der Fußbekleidung den Ankauf eines neuen Paars Schuhe für Lee Roy Sears, schwarzes Leder, italienisch, teuer – trotz Sears' schwachem Protest, daß er sich im Augenblick keine neuen Schuhe leisten könne und schon gar keine, die mehr als 95 Dollar kosteten. Gina schien das nicht zu hören und gab dem noch ziemlich jungen Verkäufer die Anweisung: »Sehr gut, wir nehmen diese hier, sie passen anscheinend hervorragend. Und – würden Sie bitte die alten wegschaffen?«

Lee Roy Sears öffnete den Mund zu weiterem Protest, doch der Verkäufer hatte seine alten braunen Schuhe bereits in einen Schuhkarton geworfen und trug sie weg.

»Jetzt sind wir auf dem richtigen Weg!« sagte Gina herzlich.

Draußen hinkte Lee Roy Sears in seinen glänzenden neuen Schuhen, die in so krassem Gegensatz zu seiner ausgebeulten Arbeitshose und der Karojacke standen, befangen neben ihr her. Er versuchte Gina zu erklären, daß er bei seiner schlechtbezahlten Teilzeitarbeit im Parkhaus in Putnam und so vielen unerwarteten Ausgaben nicht wüßte, wann er ihr das Geld zurückzahlen könne. Gina antwortete schnell, als sei es ihr peinlich, das hätte keine Eile – »Wann Sie wollen, Lee Roy. Das wichtigste ist, daß Sie sich wohl fühlen in der Welt. Daß man Ihnen ansieht, daß Sie in die Welt *gehören*.« Sie hielt inne. Sie hoffte, Lee Roy Sears würde begreifen, daß er das Geld nie zurückzuzahlen brauchte, aber sie zögerte, es ihm zu sagen. Sie nahm an, daß Sears trotz seiner demütigen Haltung seinen Stolz hatte. Vielleicht mochte er keine Almosen.

Dann kamen in schneller Abfolge The English Shop, Carlisle's Clothiers und The Esquire, wo Michael O'Meara unter Ginas kundiger Anleitung die meisten seiner Sachen kaufte; danach gingen sie zu Henle's, Mount Orions feudalem Kaufhaus, wo fast jede Verkäuferin Gina O'Meara kannte; anschließend, weil es auf ihrem Weg zum Auto lag, zu The Village Art & Photographics Supplies Company. Dann sagte Gina, einer plötzlichen Eingebung folgend: »Wir müßten eigentlich auch Check-ups für Sie vereinbaren – bei einem Allgemeinmediziner, einem Zahnarzt, vielleicht auch einem Optiker?«, worauf Lee Roy Sears sagte: »Um so'n Zeug kümmern die sich im Gefängnis, Mrs. O'Meara, das is was, was die wirklich machen.« Darauf Gina skeptisch: »Den praktischen Ärzten vom Öffentlichen Gesundheitsdienst kann man aber nicht trauen, wie?«

Glücklicherweise war es Zeit zum Mittagessen.

Ein elegant spätes Essen um zwei – in Mount Orion aßen nur Arbeiter und Arbeiterinnen um zwölf, und nur wenige konnten sich die Preise richtiger Restaurants leisten. »The Café wird Ihnen sehr gefallen«, sagte Gina, »ich gehe da immer hin.« Als Gina mit Lee Roy im Schlepptau eintrat, zogen sie von allen Seiten verwunderte Blicke auf sich, aber obwohl Gina O'Meara ihre Freunde und Bekannten fröhlich grüßte, machte sie sich nicht die Mühe, ihren sonderbar aussehenden Begleiter vorzustellen. Sie bat um einen Tisch in einer Nische mit getönter Glaswand und Topffarnen, ein Platz, von dem aus sie einen guten Blick über das Restaurantinnere oder auf die Straße hatte, ohne gesehen zu werden. Welche Wohltat!

Taktvoll ignorierte sie die Hast, mit der Lee Roy Sears eine seiner weißen Kapseln schluckte, sobald der Kellner sein Glas mit Eiswasser gefüllt hatte.

Auch gestattete sie sich keinerlei Ärger über seine affektierte Nervosität beim Lesen der Speisekarte oder dem Versuch dazu; er bewegte in einem fort die Schultern unter seiner Jacke und spähte unter den dichten Augenbrauen hervor, als fürchtete er, beobachtet zu werden. Immer wieder rückte er zwanghaft seine Teller, das Besteck, sein Wasserglas zurecht; endlos lange fuhrwerkte er mit seinem Stuhl herum, ruckelte mit ihm dicht an den Tisch heran, so daß er schließlich unbequem gegen die Kante gedrückt dasaß, die schmalen Schultern stocksteif, als hätte er einen Besen verschluckt. Gina nahm an, daß er seit dreizehn Jahren nicht in einem Restaurant gewesen war, vielleicht auch nicht in weiblicher Gesellschaft. Sie hatte Mitleid, wollte sich kein Urteil erlauben. Ihr Herz öffnete sich diesem armen, traurigen, benachteiligten Menschen, einem Fallengelassenen, einem Opfer; noch dazu, der Gipfel allen Unrechts, einem von seinem eigenen Volk zurückgestoßenen Indianer. Sie legte ihm die Hand mit den rosa gelackten Nägeln, die in aufregendem Kontrast zum billigen Stoff seiner Jacke standen, auf den Arm und sagte: »Lee Roy, bitte bestellen Sie sich, was Sie mögen! – Es ist eine Feier.« Mit seiner nasalen, hohen Stimme sagte er: »Ääh – können Sie nich für mich bestellen, Mrs. O'Meara?«

Es wurde eine anstrengende Stunde, dieses Mittagessen mit Lee Roy Sears in The Café.

Gina plapperte und stellte Fragen; Lee Roy antwortete einsilbig oder gar nicht. Er fuhr fort, sich an seinen Tellern, seinem Stuhl zu schaffen zu machen. Er leerte hastig mehrere Glas Wasser hintereinander, wie in einem Fieberanfall oder manischen Schub. Mal schlang er sein Essen herunter, mal aß er gar nicht, legte Messer und Gabel sittsam quer über den Teller und wartete. Schweißperlen traten ihm auf die Stirn. Mit seinen dunkelglänzenden Augen, den Augen eines Nachttiers, das sich ins Licht gewagt hat, hielt er sich hilflos an Gina O'Meara fest, die sich in solcher Aufmerksamkeit sonnte, auch wenn es ihr andererseits auf die Nerven fiel.

Es gelang ihr, aus Lee Roy Sears die Geschichte mit dem Koffer herauszuholen, der ihm in New York Port Authority, vor seiner Ankunft in Putnam, gestohlen worden war: Also brauchte er die Kleidungsstücke und andere Sachen, die Gina ihm gekauft hatte, dringend. (Er brauchte doch sicher noch mehr – Socken, Unterwäsche, Toilettenartikel und ähnliches? Gina machte sich im Geist Notizen.) Sie erfuhr auch, daß er, obgleich er sich darüber offensichtlich nicht auslassen wollte, in Phu Kuong verwundet worden war. (Ein Ort, von dem Gina noch nie gehört hatte, auch wenn sie verständnisvoll nickte, als riefe der bloße Klang der Wörter ein gemeinsames Anliegen wach.) Sie erfuhr ferner, daß er, obwohl er verhaftet, vor Gericht gestellt und für ein Verbrechen, das er nicht begangen hatte, zum Tode verurteilt worden war, obwohl man ihn in den dreizehn Jahren Gefängnis beschimpft, geschlagen, gedemütigt und nicht selten gezwungen hatte, einen Schweinefraß, auf dem Käfer herumkrochen, zu sich zu nehmen, keine Verbitterung empfand – nein wieso, gar nicht.

Weil er seine Kunst hatte.

Weil er das Gottesgeschenk seines Talents hatte.

Weil er sein Schicksal kannte.

Weil er an Gott glaubte. *An einen Gott, der dem Menschen am Ende Gerechtigkeit abverlangte.*

Gina hauchte, mit großen Augen an ihrem Weißwein nippend: »O ja, o ja! So ist das.«

Lee Roy Sears nahm wieder die Gabel in die Hand, kaute

und schluckte und aß heißhungrig, während Gina, die nie mehr als einen leichten Salat bestellte und selbst diesen selten aufaß, in den grünen Blättern auf ihrem Teller herumstocherte. Sie empfand –, was empfand sie? Jene herrliche, unschuldige Hochstimmung, die sich einstellt, wenn man Weißwein auf leeren Magen trinkt, in genau abgemessenen winzigen Schlucken?

Sie bemerkte, daß Lee Roy Sears' Hände jetzt stärker zitterten als zu Beginn des Essens. Impulsiv sagte sie: »Trinken Sie einen Schluck von meinem Wein, Lee Roy, bitte! Es sieht ja niemand.«

Lee Roy sah erschrocken zu ihr auf. »Ääh – nein danke, Mrs. O'Meara.«

»Ach, seien Sie nicht dumm, los, wir feiern doch.«

»Vielen Dank, aber –«

»Man sagt – ich meine, Michael sagt – ich meine, ich habe gehört, wie er sagte – in der Hirnforschung – da hat man einen Mechanismus entdeckt in der linken Hirnhälfte, der Theorien erfindet, Geschichten – also Gründe dafür, warum etwas so und nicht anders passiert und warum wir das tun, was wir tun – und deshalb«, sagte Gina vergnügt, fast ohne sich ihrer Worte bewußt zu sein, nur daß Lee Roy Sears wieder seine Gabel über den Teller gelegt hatte und kerzengerade dasaß und mit einer Intensität zuhörte, wie sie sie noch nie bei einem Mann erlebt hatte, »und deshalb können wir jetzt genausogut sagen: Tun wir, was wir tun wollen, und denken wir uns den Grund dafür später aus!«

Lee Roy Sears schüttelte den Kopf und sagte verlegen: »Also, na ja, äh – es ist nicht nur wegen dem Verstoß gegen die Bewährungsauflage, es ist das Medikament, das ich nehme –«

Gina schob ihr Weinglas mit verschwörerischem Lächeln auf Lee Roy Sears zu. »Es ist doch nur trockener Weißwein, der hat ganz wenig Kalorien«, sagte sie kichernd.

Und: »Sie haben Ihre Schulden an die Gesellschaft gezahlt, verdammt noch mal.«

»Leider kann ich heute nachmittag doch nicht«, sagte Gina O'Meara mit vor Bedauern belegter Stimme in den Hörer, »– es ist etwas dazwischengekommen. Tut mir so *leid*.«

Die Stimme des Mannes am anderen Ende der Leitung, tief, ebenfalls belegt, hatte diese schneidende Schärfe, die Gina schon seit ein paar Wochen kannte. Sie bereitete ihr Unbehagen, ängstigte sie etwas.

Brachte sie zum Lächeln.

Schnell sagte sie: »– ein Freund, ein Freund von Michael eigentlich, ich mußte ihm den Gefallen tun, ja, es ist ein Er, niemand, den du kennst, ich konnte nicht voraussehen, wie lange es dauern würde –« Sie hielt inne und hörte zu. Sie nickte. Runzelte die Stirn. »– O ja, Liebling. Ich weiß, daß du morgen nach Tokio fliegst, ich weiß, daß wir uns eine Woche nicht sehen können – *zwei* Wochen? Oh! –«

Eine Gruppe von Männern ging vorbei, einer von ihnen hob grüßend die Hand, und Gina spitzte die Lippen zu einem gelächelten Kuß, winkte zurück: Jack Trimmer mit ein paar Geschäftsleuten.

»– Oh, aber das tu ich doch, das mußt du doch wissen, das Leben ist nur so kompliziert und – ich muß heute nachmittag noch ein paar Besorgungen machen, und ich muß die Jungen von der Schule abholen und –«

Gina hatte ihre goldene Puderdose aus der Handtasche gezogen, um ihr Lippenrot, die Wimperntusche, den Zustand ihres Teints zu überprüfen: Sie hatte sich mit einer zarten, zuverlässigen Tagescreme und einem federleichten losen Puder so geschickt zurechtgemacht, daß sie zumindest für den unbedarften Beobachter fast ungeschminkt aussah.

Und viel, viel jünger.

Nicht, daß Gina O'Meara sich mit Gedanken über das Alter aufhielt. Man ist so alt wie man aussieht, so einfach ist das.

Ja, aber sie brauchte Lippenrot, also trug sie es auf. Stirnrunzelnd lauschte sie auf die Stimme am anderen Ende der Leitung. »– Oh, das ist unfair! – das ist gemein! – ›absichtlich‹? – also ›absichtlich‹? – wirfst du mir das vor? Ich tue *nichts* absichtlich! –« Mit einem klitzekleinen Kitzel der Befriedigung stellte sie fest, daß ihr Lippenrot fast aufgebraucht war, was bedeutete, daß sie nachher bei Hélène's Cosmetics vorbeischauen mußte. Und nebenan von Hélène's war Henri Bendel's.

Lee Roy Sears hätte sicher nichts dagegen, der Mann war ja so lieb.

Es war Zeit aufzulegen, aber wie sollte sie auflegen, die Stimme am anderen Ende klang so unerwartet gefühlvoll, so fordernd; merkwürdig, daß die Gefühle anderer, insbesondere am Telefon, einen so kalt lassen können, »– ja, tu ich – mir geht es genauso – aber – das Leben ist gerade *jetzt* so kompliziert – ich würd liebend gern ja sagen, aber – ich kann es nicht – ich kann's einfach nicht versprechen – Oh! was *fällt* dir eigentlich ein!«

Und wenn sie nach Henri Bendel's noch schnell bei Bergdorf's reinschauen würde (nicht wirklich reinschauen, nur durchgehen: der Parkplatz lag auf der anderen Seite des Ladens), wenn sie die Zwillinge fünf Minuten später abholen würde, machte das was aus? Nein, tat es nicht. Wenn Mommy sich verspätet, geht ihr auf den Spielplatz.

Die Aufsicht in der Riverside School war absolut zuverlässig: Die Kinder durften die Schule nie ohne eine erwachsene Begleitperson verlassen, die sie nach Hause brachte.

»– Ich begreife nicht, wie du das sagen kannst, du kennst mich überhaupt nicht – du *denkst* nur, du kennst mich! Genau wie mein Mann!«

Seufzend, schmollend, zuhörend. Während ihr starrer Blick durchs Restaurant glitt, über die vertraute Umgebung mit Hängepflanzen und Hartholzfußboden und reizvoll angezogenen Gästen und Kellnern in weißer Uniform, dieses angenehme Stimmengewirr im geschäftigen Hin und Her, und in einer Ecke Lee Roy Sears mit seinem indianerschwarzen Haar, allein, vor sich hin brütend.

Jedenfalls sah es aus dieser Entfernung aus, als brüte er vor sich hin.

Die Stimme am anderen Ende der Leitung leierte weiter. Gina, die liebenswürdigste aller Frauen, sah sich gezwungen, ihr ins Wort zu fallen; mit jäher Heftigkeit sagte sie: »– wenn du es so siehst, dann – auf Wiedersehen!«

Den Tränen gefährlich nahe, mit den Absätzen ein Stakkato auf den Boden trommelnd, kehrte Gina aufgebracht zum Tisch zurück, als empfände sie tatsächlich die Gefühle, die sie vorgetäuscht hatte. Da saß Lee Roy Sears und blickte ihr mit gerötetem Gesicht, halboffenem feuchten Mund, starr entgegen. Er hatte nicht nur ihr Weißweinglas geleert, sondern auch noch die Karaffe.

»Gehen wir!« rief Gina. »Es ist ein herrlicher Tag!«

Ein rascher Besuch bei Hélène's und Henri Bendel's; dann quer über die Straße zu Bergdorf's; und weil es so nahe war, zum Herrenausstatter Xavier's, um für Lee Roy Sears Unterwäche von Calvin Klein zu kaufen. Und eine Dior-Krawatte, nachtblaue Seide. (Als Ersatz für das grauenhafte schmutziggrüne Ding, das er unbedingt tragen wollte.) Man sollte meinen, daß Lee Roy Sears inzwischen entspannter war, aber nein, der arme Mann stand zu Ginas Verzweiflung befangen, niedergeschlagen und stumm, das Gesicht ölig von Schweiß, daneben, wenn Gina mit Verkäufern und Verkäuferinnen schwatzte. Sie stellte ihn als einen mit ihr und ihrem Mann befreundeten Künstler vor – »Lee Roy ist Stipendiat am Dumont Center. Er ist vor allem *Bildhauer.*«

Lee Roy Sears wirkte so steif und streng, daß keiner der Angestellten Anstalten machte, ihm die Hand zu schütteln.

Sie müssen ein sonderbares Paar abgegeben haben, wie sie da durch die guten Geschäfte von Mount Orion zogen, Gina O'Meara mit Lee Roy Sears im Schlepptau. Gina war in ihrem Element, strahlend vor Vergnügen. In solchen Geschäften wie auch in ähnlichen in New York City kannte man Gina beim Namen, und wenn nicht beim Namen, so doch als Vertreterin ihrer Gattung. Sie war die typische amerikanische Kundin, nicht immens reich, aber wohlhabend; gebildet, aber nicht so gebildet, daß ihre Begeisterung dadurch gelähmt worden wäre; mit fünfunddreißig nicht mehr jung, aber auffallend jung aussehend; und dünn, wie die Mode es verlangte. Und ähnlich wie Gina ihr Vertrauen in eine Litanei von Namen setzte, mochten ihre Vorfahren einer Litanei von Heiligennamen vertraut haben: Gucci, Dior, Calvin Klein, Bill Blass, Yves Saint Laurent, Christian Lacroix, Prinzessin Marcella Borghese, Lancôme, Estée Lauder … sie war eine süchtige Abonnentin, wenngleich keine gewissenhafte Leserin von *Vanity Fair, The New Yorker, Town & Country, House & Garden*; ihr Lieblingsautor war Tom Wolfe.

Wie sie dem benommen, wie vor den Kopf geschlagenen Lee Roy erzählte, hatte sie sich vor langer Zeit geschworen, nicht zu den vielen eitlen, neurotischen, mit sich selbst beschäftigten Frauen gehören zu wollen; selbst wenn ihr ein bißchen melancholisch zumute sei, gäbe sie sich große Mühe, es nicht zu zeigen.

Inzwischen hatten sie ihre Einkäufe beendet und gingen zu Ginas Auto zurück. Lee Roy Sears trug den größten Teil von Ginas Anschaffungen und hinkte stark, als drückten ihn seine schönen neuen italienischen Schuhe, obwohl er kein Wort der Klage geäußert hatte.

Gina schwatzte weiter, laut denkend wie im Selbstgespräch: »Meine Schwiegermutter ist für mich so was wie ein negatives Vorbild, so wie ich nie und nimmer sein möchte. Für mich ist Michaels Mutter ›die andere Mrs. O'Meara‹: Für ihr Alter ist sie eine attraktive Frau, finanziell unabhängig, ihre beiden erwachsenen Kinder lieben sie, und doch stimmt irgendwas nicht mit ihr. Ich glaube, sie trinkt zuviel; in ihrem Leben gibt es irgendeine Verletzung, eine Wunde, ein altes Trauma, eine Art trostlosen Schatten, der über ihrem Leben liegt. Brrr!« sagte Gina und schüttelte sich. »So möchte ich nicht sein!«

Lee Roy Sears gab einen Grunzlaut des Mitgefühls oder der Zustimmung von sich, konnte zu dem Thema aber sonst nichts beitragen. Mit schräggestelltem Kopf betrachtete er Gina O'Meara wehmütig von der Seite aus wachsamen Hundeaugen.

»Gina? – Warte!«

Sie überquerten gerade die Laurel Street, Gina forsch in Führung, das aschblonde Haar glitzernd wie ein Helm, Lee Roy Sears lahm hinterherhinkend, als eine Männerstimme ertönte: tiefer Bariton, mit kaum hörbarem vorwurfsvollen Unterton: Und Gina drehte sich, schon lächelnd, um und sah nicht den Mann, den sie halbwegs zu sehen erwartet hatte, sondern einen anderen: Marvin Bruns.

Marvin Bruns, in einem marineblauen Blazer mit Goldknöpfen seemännisch verwegen wirkend, das gutgeschnittene Gesicht leicht gerötet, mit weit auseinanderliegenden fragenden Augen – er war völlig außer Atem, weil er von einer Ladengalerie oberhalb der Straße hinter Gina hergerannt war. (Die Laurel Gallery, Inc., war eine von mehreren teuren Immobilien in Mount Orion, bei denen Marvin Bruns als Eigentümer oder Miteigentümer oder Investor, als Gläubiger oder Schuldner seine Hand im Spiel hatte.) Er schüttelte Gina die Hand zur Begrüßung und hielt sie fest in der seinen; lächelte sie langsam und konzentriert an; warf ihrem seltsamen Begleiter, der ein Stück weiter weg stand und ihn mit der Aufsässigkeit und Unruhe eines Hundes beäugte, der unschlüssig ist, ob er sich ducken oder angreifen soll, einen gleichmütigen, eher kühlen Blick zu.

Gina wußte, daß Marvin sie sehr gern unter vier Augen sprechen wollte; deshalb legte sie es mutwillig darauf an, die beiden Männer miteinander bekannt zu machen, und wunderte sich über die plötzliche Spannung zwischen ihnen. Als ob sie Rivalen wären – aber um wen rivalisierten sie?

Marvin brachte ein knappes, verächtliches Lächeln zustande, vermied aber ostentativ das Händeschütteln. »– ›Sears‹? Ja, Claude Somerset hat mit einigen von uns über Sie gesprochen. Ich glaube, Sie waren das? – der einen Kurs im Dumont Center abhalten soll?«

So platt ausgedrückt, erwies sich Lee Roy Sears' wunderbare Stellung und die mit ihr verbundene Würde als nicht eben bedeutend. Zumindest wohl nicht für Marvin Bruns mit seinem Kräusellächeln und seinen schlauen, abschätzenden Augen.

Marvin zog Gina geschickt beiseite, um ihr zu sagen, daß er gehofft hatte, sie bald zu sehen. Er hatte mehrmals angerufen, aber sie schien nie zu Hause zu sein, und er hatte ihr keine Nachricht auf ihrem Anrufbeantworter hinterlassen wollen.

Unschuldig lächelnd fragte Gina: »Aber warum denn *nicht,* Marvin? Dafür sind Anrufbeantworter doch da.«

Marvins Lächeln wurde verkniffen. »Ich mag's nun mal nicht, Gina.«

Auf Lee Roy Sears, der ein paar Schritte weiter weg stand, von einem Fuß auf den anderen trat und ein leise schniefendes Geräusch wie bei verstopften Nebenhöhlen von sich gab, achteten sie nicht, als sei er ein Laternenpfahl. Sie schwatzten, lachten und stellten zu ihrer beiderseitigen Freude fest, daß sie nicht nur zu derselben Abendgesellschaft am Freitag, sondern auch zur selben Abendgesellschaft am Sonnabend eingeladen waren. Vielleicht waren zehn Minuten vergangen, zweifellos rasend schnell für Gina O'Meara und Marvin Bruns, die sich beide durch die Gegenwart des anderen wunderbar angeregt fühlten – Marvins gutgeschnittenes, leicht gerötetes Gesicht nahm eine noch gesündere Farbe an, Ginas Augen glitzerten geradezu; dann dachte Marvin daran, zu fragen, ob Gina nicht Lust auf einen Drink hätte? – Gina und natürlich ihr Begleiter? –, aber Gina lehnte mit einem besorgten Blick auf ihre Armbanduhr ab.

Leicht verstört sagte sie: »O Gott! – die Jungen warten seit einer halben Stunde auf mich.«

»Dann ein anderes Mal?« fragte Marvin.

Schon auf dem Rückzug, sagte Gina: »Ja. Vielleicht.«

Marvin ließ nicht locker: »Ja oder vielleicht –?«

Lachend sagte Gina auf Wiedersehen und eilte mit Lee Roy Sears davon, während Marvin Bruns ihnen nachsah. An der nächsten Kreuzung konnte Gina es nicht lassen, einen Blick zurückzuwerfen; mit leiser Befriedigung stellte sie fest, daß er immer noch auf dem Gehsteig stand und sich mit einem geistesabwesenden Lächeln das Kinn strich.

Der liebe Marvin! Es gab Frauen in Mount Orion, die in

vorwurfsvollem Ton von ihm sprachen, Gina O'Meara aber würde das nie tun. *Sie* machte sich da keine Sorgen.

Seit jener Stunde scheinbarer Intimität in The Café, vor allem seit den ein oder zwei Glas trockenen Weißweins, benahm sich Lee Roy Sears irgendwie anders, was Gina in ihrer Lebhaftigkeit und guten Laune freilich nicht bemerkt hatte. Sie gehörte zu den Frauen, die es genießen, betrachtet, bewundert, begehrt zu werden; die nicht Liebhaber, sondern Verehrer brauchen. Sie hätte lange nachdenken müssen, um zu erkennen, daß, anders als ein Spiegel, in dem unsere Bilder nur dann so unwiderstehlich schweben, wenn wir vor ihm stehen, ein Mann, ein Bewunderer, ein Begehrender immerhin *lebendig* ist – und vielleicht auch dann noch schaut, starrt und begehrt, wenn das Objekt seines Interesses ihn nicht mehr wahrnimmt.

Oder sich nicht mehr im geringsten für ihn interessiert.

Deshalb sonnte sich Gina, als sie das Auto startete, nicht den Mazda, sondern einen metallgrauen Honda in einem (nicht erotischen, doch sehr romantischen) Wohlgefühl, das weniger mit Marvin Bruns als mit der Idee Marvin Bruns zu tun hatte und darüber hinaus mit der Idee, bewundert, begehrt, ja, und angebetet zu werden, als spiele sich dies gleichsam in einem platonischen Reich des Geistes ab, in dem der Körper nur Vorwand für ein derart inständiges Verlangen ist; daher achtete sie auch kaum darauf, hörte vermutlich nicht einmal richtig, als Lee Roy Sears nach schüchternem, doch tapferem Räuspern sagte: »Mrs. O'Meara – ich – ich habe noch nie jemand kennengelernt wie Sie – ich war tot, und nun haben Sie mir Leben gegeben und –«

Als Gina jetzt aus der Parklücke rückwärts herausfuhr, war sie, eine Falte der Entschlossenheit zwischen den vollkommenen Augenbrauen, die schönen Lippen heruntergezogen, ganz bei der Sache und murmelte wie zu einem Kind, das einen ablenkt: »Oh! – das ist aber lieb von Ihnen, Lee Roy! Ja doch, dankeschön.«

Gina entschuldigte sich, daß sie gerade jetzt keine Zeit habe, Lee Roy am Dumont Center abzusetzen – »Ich weiß, wieviel Ihnen daran liegt, wieder an die Arbeit zu gehen!« – aber sie war spät dran: Und schon schwenkte sie in den Riverside Drive und zur Riverside School ein, um Joel und Kenny vom Spielplatz abzuholen: die noch nie so offenkundig Zwillinge, und zwar eineiige, waren wie in diesem Augenblick, da sie beim Anblick von Mommys Auto herbeigerannt kamen, zwei zartgliedrige blonde Buben mit auffallend schönen Gesichtern, der eine (Joel?) in einem grünen Hemd, der andere (Kenny?) in Blau. Wie sie liefen, rannten! – überglücklich, Mommy endlich wiederzusehen! – und erst langsamer wurden, als sie neben Mommy *diesen* Mann erkannten.

Diesen Mann, den Daddy in der vergangenen Woche mit nach Haus gebracht hatte.

Aus irgendeinem Grund, aber *warum?*

Vorsichtig stiegen die Jungen hinten in den Honda ein, während Gina sich, glücklich wie immer, umwandte, um sie zu küssen und zu umarmen. »Ihr erinnert euch doch noch an Mr. Sears, Jungs?«

Sie nickten mit düsterer Miene.

»Dann sagt guten Tag! Wo bleiben eure Manieren?«

Joel nuschelte mit niedergeschlagenen Augen: »Tag, Mr. Sears«, und Kenny nuschelte: »– Tach, Mr. Sears«, und Lee Roy Sears nuschelte ebenfalls: »Tag«, wobei er mit durchdringendem Blick den Mund zu einem Lächeln schlitzte. Aber Joel und Kenny, denen es kalt über den Rücken lief, erwiderten sein Lächeln nicht.

Die O'Meara-Zwillinge waren nicht deshalb mürrisch, weil sie so lange auf Mommy warten mußten, im Gegenteil, sie freuten sich und waren erleichtert, Mommy wiederzusehen, aber nein, sie wollten Lee Roy Sears, den schwarzen Mann, nicht anlächeln, das wollten sie einfach nicht.

Mr. Sears war ja nicht wirklich *schwarz.* Weder seine Haut noch sein Aussehen noch sonst etwas an ihm, außer seinem Haar.

Joel und Kenny waren mit ihren sieben Jahren zu jung, um

sich der gesellschaftlichen Verpflichtung des Lächelns zu beugen, und sei es auch nur dem Anschein nach, wenn sie nicht mit dem Herzen dabei waren.

Und Mr. Sears hatte ein so merkwürdiges Gesicht, merkwürdiger noch als vorher, ein seltsames grobkörniges Wachsweiß, und die Augen feucht, glasig, hart und *starr:* als ob zwischen ihm und ihnen ein Geheimnis bestünde oder bestehen sollte.

Er lächelte allerdings. Er versuchte doch, nett zu sein. Oder nicht?

Wie immer, wenn Gina die Zwillinge zu spät abholte, löcherte sie sie während der Fahrt mit Fragen. »Ihr habt doch nicht zu lange auf Mommy gewartet?« fragte sie munter, wobei sie sie durch den Rückspiegel ansah, und Joel, eingeschüchtert durch die Anwesenheit des schwarzen Mannes, nuschelte: »Nein, Mommy«, und Kenny, ein bißchen lauter, »Nein, Mommy.«

»Habt ihr mit ein paar von euren netten Freunden auf dem Spielplatz gespielt?«

»Nein, mit keinem.«

»Also hört mal, das habt ihr *doch* – oder?«

Gina lenkte den Wagen in die Crescent Avenue und damit zurück zur Mount Orion Street, so daß sie sich auf direktem Weg zum Dumont Center befand, dann aber bog sie, anscheinend spontan, rechts in die Highland Street ein, nahm in schnellem Tempo die Steigung und bremste vor einem ansehnlichen Bürogebäude aus Sandstein, an dem ein auffallendes Messingschild mit der Aufschrift DOBERMAN & SCHATTEN, RECHTSANWÄLTE prangte.

»Entschuldigt, ich bin gleich wieder da!« rief Gina atemlos.

Sie ließ die Autoschlüssel in der Zündung hängen und lief schnell den Eingangsweg hinauf. Hinter ihr, im Auto, breitete sich tiefes, peinliches Schweigen aus und der Hauch ihres lieblichen Parfums.

Lee Roy Sears saß in einer Haltung totaler Überraschung auf dem Vordersitz, Joel und Kenny hinten glotzten verwirrt blinzelnd hinter Gina O'Meara her, die irgendwo in dem Sandsteingebäude verschwunden war und erst nach einer mysteriösen halben Stunde wieder auftauchen sollte.

Zuerst herrschte nur das unselige Schweigen.

Dann begann ein eigentümliches Wispern.

Die Zwillinge waren es nicht – es mußte Lee Roy Sears sein.

Er hatte sich nicht zu ihnen umgedreht, sondern lehnte sich nach links, um sie durch den Rückspiegel heimlich zu beäugen, so daß sie, als sie aufblickten, um ihn, um diese Augen, diese dunkel-glasigen, starren Augen zu sehen, spürten, wie ein einziger Schauer, von Kenny zu Joel und von Joel wieder zurück zu Kenny, sie überlief. War es ein Spiel? Denn Lee Roy Sears riß die Augen auf und bewegte schlängelnd die Brauen (die wie eine einzige Augenbraue eine fast gerade Linie bildeten und über dem Nasenrücken dunkel wucherten), so daß die Zwillinge vor Staunen ausgelassen kichern mußten.

Und Lee Roy Sears, der sich immer noch nicht zu ihnen umdrehte, kicherte ebenfalls, ein hohes, zischendes Geräusch. Und daraufhin kicherten die Zwillinge um so mehr, als ob sie gekitzelt würden.

Plötzlich dann, als käme es von allen Seiten, war ein heiseres Wispern zu hören: »He, ihr kleinen Arschlöcher, he he *he,* kleine Arschlöcher«, und Joel und Kenny erstarrten, klemmten sich die Finger in den Mund und beobachteten den schwarzen Mann, der sie beobachtete, in dem kleinen Spiegel, nur seine Augen waren zu sehen, glänzend wie der Teich hinterm Haus, wenn das Tageslicht verblaßte und das Wasser schwarz, schwarz und undurchsichtig war, gar nicht wie Wasser, sondern wie etwas ganz anderes.

Die Jungen glaubten nicht richtig gehört zu haben. »He he, ihr kleinen Arschlöcher, wollt ihr was sehen? – was Geheimes, was sonst keiner sehn kann? – jaa?«

Joel starrte blinzelnd die Augen im Spiegel an, und Kenny starrte.

Der schwarze Mann im Spiegel.

War es ein Spiel, ein Spaß – das Wispern, das eindringlich, hänselnd, drohend, lustig klang? Wieder erschauerten sie, Seite an Seite auf dem Rücksitz, die Arme aneinandergepreßt.

»Ihr kleinen Arschlöcher, wollt ihr 'n Geheimnis sehen, häh?«

Schüchtern nickten die Jungen, nickten gleichzeitig, wie gebannt, o ja.

»Aber es is'n *Geheimnis* – verstanden? Wehe, wenn ihr das jemand erzählt, dann geht's euch an den Kragen, auch nicht Mommy und Daddy, kapiert, ihr kleinen Arschlöcher?«

Lee Roy Sears fuhr sich mit dem Zeigefinger über die Kehle. Joel kicherte schrill, und Kenny kicherte schrill.

Lee Roy Sears drehte sich um und sah sie grinsend an, knöpfte den linken Hemdsärmel auf und rollte ihn hoch, um ihnen etwas auf seinem Unterarm zu zeigen, wobei er schmatzte, als hätte er Kaugummi im Mund. »He he he, bloß nich hinsehn, ihr kleinen Arschlöcher, wenn ihr Angst habt!«

Und er hielt ihnen den Arm hin.

Eine Schlange: schwarz, goldgeschuppt, mit funkelnden Goldaugen und einer gespaltenen Zunge und Giftzähnen – zusammengerollt, angriffsbereit.

Die Jungen gerieten in Panik und wichen kreischend zurück (die Schlange *wand* sich, sie war *lebendig*), Joel umklammerte Kenny, und Kenny umklammerte fast schluchzend Joel, bis Lee Roy Sears ihnen mit Daddystimme gut zuredete, sich zu beruhigen: »Na na – Schlangenauge beißt doch nicht, Kinderchen. Beißt *euch* doch nicht.«

Besorgt schaute er nach draußen; er hoffte, daß niemand etwas gesehen hatte.

Er hoffte, ihre Mutter würde nicht plötzlich auftauchen.

Er sah, daß die Jungen Angst hatten, wahrscheinlich hatte ihnen noch nie etwas solche Angst gemacht. Schlangenauge war ganz schön unheimlich, wenn man nicht drauf gefaßt war, und wer konnte beim ersten Mal schon auf Schlangenauge gefaßt sein? Aber er sah auch, daß sie hofften, gesagt zu bekommen, *keine* Angst zu haben.

Er sah (und das war ein Thema, das er in seiner künstlerischen Arbeit darstellen wollte), daß die Siebenjährigen sich nicht anders als erwachsene Männer und Frauen wünschten, man solle ihnen die Furcht ausreden, auch wenn sie wußten, daß sie Grund hatten, guten Grund, sich vor Angst in die Hosen zu scheißen. Also sagte er in sich hineinlachend, schmunzelnd wie ein Onkel oder jemand, dem sie vertrauen konnten: »Na na, Schlangenauge beißt euch schon nicht, schlägt seine Giftzähne nicht in *euch* rein, beißt niemand, außer wenn ich das Zeichen gebe.«

Also waren die Zwillinge nach ein paar Minuten, wenn auch noch ängstlich und mit großen Augen, soweit, Schlangenauge zu betrachten, während Lee Roy Sears ihnen von Schlangenauge erzählte, wie Schlangenauge in einem Traum in der Hitze des Dschungels weit, weit weg von den Vereinigten Staaten und Mount Orion, New Jersey – so weit weg, daß es ebensogut in einer anderen Welt gewesen sein könnte – zu ihm gekommen sei. »Die läßt sich nicht oft blicken. Ich mein, das hat seinen Grund, daß die im Versteck bleibt.«

Joel, der seinen ganzen Mut zusammennahm, fragte: »Ist sie eine Tätowierung, Mr. Sears?« Lee Roy Sears lachte und sagte: »Is sie, jaa, und is sie auch wieder nich, und wißt ihr, warum?« Die Jungen schüttelten verwundert den Kopf, und Lee Roy Sears sagte, wobei er die Muskeln anspannte, so daß es wieder so aussah, als ob Schlangenauge zubeißen wollte, und die Zwillinge zurückschraken: »– weil Schlangenauge nämlich die Macht über Leben und Tod von allen Menschen in seiner Umgebung besitzt, darum.«

Die Reaktion der O'Meara-Zwillinge gefiel Lee Roy Sears; er erkannte, daß sie Respekt vor Schlangenauge und Respekt vor ihm hatten, und das war gut so.

Sein ganzes Leben lang und besonders seit seiner Einlieferung ins Staatsgefängnis Hunsford und jetzt als ein auf Bewährung Entlassener, der einer anderen als der eigenen Autorität verantwortlich war, tobte Lee Roy Sears innerlich, daß man ihn nicht respektierte, *wie es ihm zukam.*

Ein Mensch braucht Würde und Selbstachtung, und *wenn*

130

man ihm diese verweigert, kann man ihm nicht die Schuld geben an dem, was er tut.

Es machte ihm Spaß, den Jungen Schlangenauge zu zeigen und sich in ihrer furchtsamen Aufmerksamkeit zu sonnen, aber er mußte sich vorsehen (er paßte höllisch scharf auf), daß *sie* nicht herauskam und sie ertappte.

Eines Tages, vielleicht, würde er Schlangenauge *ihr* zeigen, aber erst, wenn die Zeit dafür gekommen war.

Gina O'Meara: das Miststück: zog ihn auf wie sonst was, und wußte es: aschblonde Fotze, *er kannte den Typ.*

Und jetzt war sie da drinnen (er wußte es, wußte es!) und fickte mit irgend so einem Kerl, und wenn sie atemlos unter Entschuldigungen zurückkam, mußten sie das schlucken, diesen Scheiß, Lee Roy Sears und ihre eigenen Kinder, *er kannte den Typ.*

Du kannst sie ficken und ficken und ficken, und sie achten kaum drauf, die Schlampen wollen mehr als nur gefickt werden, ja, aber sie *war* nett zu ihm, das war sie, freundlich und großzügig, vergiß nicht, wie großzügig sie waren, sie und Mr. O'Meara, beide, wie Heilige, egal wie reich, und daß sie sich Großzügigkeit leisten konnten und Lee Roy Sears für sie ja nur der letzte Dreck war, die Sache ist die, daß Lee Roy Sears ein Mann mit einer echten Aufgabe ist, ein Künstler, der schon Anerkennung und Belohnung für seine künstlerische Begabung gekriegt hat. Die kostbare Flamme, die in ihm brannte, durfte nicht ausgehen, *diesmal würde er keinen Fehler machen.*

Also rollte er den Ärmel seines Hemds wieder runter und knöpfte die Manschette zu, wobei er die Jungen warnend darauf hinwies, daß es ein Geheimnis war und daß es ihnen an den Kragen ginge, wenn sie was erzählten, und sie würden ganz bestimmt nichts erzählen, o nein! o nein! daher fühlte er sich ganz gut, auch erleichtert, und dachte, daß diese amerikanisch-blonden Kinder ganz anders waren als die Eingeborenenkids, die er weggepustet hatte.

Beim ersten Anblick der O'Meara-Zwillinge war ihm der Gedanke an die Eingeborenenkids durch den Kopf geschossen, aber das war falsch: *die* waren dunkelhaarig und schlitz-äugig und gelb gewesen, mehr wie Ratten, halbertrunken da im Dreck, und überhaupt hatte Lee Roy Sears ja nicht die Absicht gehabt, die wegzupusten, er hatte es nur auf die Erwachsenen abgesehen, aber dann hatte er die Beherrschung verloren, und sowieso war er nicht der einzige, der die Beherrschung verloren hatte, scheiß drauf, kein Grund, sich schlecht zu fühlen.

Es hing ihm allmählich zum Hals raus, sich schlecht zu fühlen. Es gab so einen lichten Moment, wo *sich schlecht fühlen* umkippte und zu *sich gut fühlen* wurde, da mußte er sich drauf konzentrieren. Auf die *Kunst* nämlich.

Dann auch das Versprechen: *Keine Gefahr mit zweimal täglich Medikamenten* – nur: wenn nun die Dosierung erhöht werden mußte, ohne daß Lee Roy Sears davon erfuhr? – Man mußte den Ärzten vertrauen, denen das scheißegal war.

Einer der Zwillinge fragte: »Mr. Sears – hast du mal jemand umgebracht?« und der andere kicherte, und auch Lee Roy Sears lachte, obwohl die Frage und die Nüchternheit der Frage ihn überraschte, und unschuldig gab er zur Antwort: »Nee – *ich* doch nicht!«

TEIL IV

1

Lächelnd und so laut, daß sie das heitere Stimmengewirr übertönte, sagte Janet O'Meara: »Ist es nicht ein herrlicher Zufall, daß mich CBS ausgerechnet hierher geschickt hat! Daß ich an diesem wunderschönen Junitag *hier* gelandet bin!«

Der Anlaß war ein Cocktailempfang am 21. Juni für die Freunde des Dumont Center zu Ehren von Lee Roy Sears und drei seiner Kunsttherapie-Schüler. Michael O'Meara führte Janet herum und stellte sie seinen Freunden und Bekannten vor – nicht oder nicht in erster Linie als seine Schwester, sondern in ihrer beruflichen Eigenschaft als Fernsehinterviewerin und Filmemacherin. Sie hatte den Auftrag, eine Dokumentation über Lee Roy Sears für eine CBS-Serie mit dem Titel »Ausschau halten im Land« zu drehen, die sonntags morgens gesendet wurde. In ihrer fröhlichen, überschwenglichen Art machte sie viel Aufhebens von dem Zufall, daß gerade sie, Michael O'Mearas Schwester, den Auftrag für eine Geschichte über ein Thema erhalten hatte, das Michael so sehr am Herzen lag; eine Geschichte noch dazu, die ohne seine Bemühungen gar nicht zustande gekommen wäre. »Natürlich«, sagte Janet, »ist sie für das Fernsehen und insbesondere für ›Ausschau halten im Land‹ ein absolut unwiderstehlicher Stoff. ›Todeskandidat vor der Hinrichtung bewahrt‹ – ›Gefängnisrehabilitation‹ – ›Vietnam-Veteran‹ – ›Therapie durch Kunst‹. Sie ist hoffnungsvoll und ermutigend, und sie ist obendrein *wahr.*«

Michael bemühte sich, nicht tadelnd zu klingen: »Ja, Janet,

aber wir wollen Lee Roy nicht so schnell durch zuviel Beachtung erdrücken – wir möchten nicht den Anschein erwecken, ihn auszunutzen. Er ist schon von Lokalblättern interviewt worden.«

»›Ihn erdrücken‹? – Was meinst du bloß damit?« fragte Janet, wobei sie Michael skeptisch anlächelte, als hätte er etwas Absurdes gesagt, und sich in der Runde bestätigungheischend umblickte. »Er *will* doch, daß seine Geschichte gebracht wird. Er ist ein Mann mit einer Aufgabe, er ist etwas Besonderes.«

»Na ja«, sagte Michael betreten, »aber das Ganze geht so schnell. Ich frage mich, warum du nicht ein paar Monate gewartet hast, bevor du deine Sendung machst? Bis sich Lee Roy ein bißchen besser zurechtgefunden hat und er und seine Schüler mehr Arbeiten ausstellen können.«

Janet sprach atemlos, mit der Hand auf Michaels Arm, um weitere Kommentare von seiner Seite im Keim zu ersticken. Sie hatte sich die Brille mit den großen rötlichbraun getönten Gläsern ins Haar geschoben und die Stahlbügel hinter die Ohren geklemmt, was ihre Ausstrahlung jugendlicher Dynamik und Ungeduld noch verstärkte. »Natürlich, Michael, im Idealfall ja – das gebe ich zu, und das tut auch der Produzent der Sendung. Nur – einer unserer Konkurrenten würde uns mit der Geschichte zuvorkommen. Und das, was Lee Roy und die anderen bisher künstlerisch hervorgebracht haben, ist, ja, es ist – *erstaunlich*. Das Stück wird nur zwanzig Minuten dauern, deshalb haben wir für den Aspekt ohnehin nicht viel Zeit; wir konzentrieren uns auf Lee Roy Sears' Situation, seinen Mut, seine *Entschlossenheit*. Ich weiß, Michael, daß du bei deinem engen Terminplan nie fernsiehst« – dies in ironischem, milde tadelndem Ton –, »aber ›Ausschau halten im Land‹ wirft vor allem ein Schlaglicht auf Leute, die mit Schwierigkeiten fertiggeworden sind. Es müssen keine ›Genies‹ oder ›Erfolgsmenschen‹ im herkömmlichen Sinne sein. Ich hätte gedacht, daß gerade du begeistert wärst – dein Freund Mr. Somerset ist es jedenfalls!«

Warum nur mußte Janet, seit sie erwachsen und offensichtlich nicht mehr Michael O'Mearas bewundernde jüngere Schwester war, sondern eine Frau, die einiges geleistet hatte und sehr ehrgeizig war, ihn so oft mißverstehen? Warum nur fühlte sich Michael, wenn sie einander sahen, in eine Verteidigungshaltung gedrängt? Seine umgängliche Art beibehaltend, als hätte die Hand auf seinem Arm nicht etwas Beleidigendes, sagte er: »Natürlich bin ich begeistert, Janet. Ich möchte nur, daß wir alle etwas langsamer vorgehen. Lee Roy hat in den letzten acht Wochen Fortschritte gemacht, aber es war nicht leicht für ihn, sich einzufügen in –«

»Aber gerade das ist es ja, worüber wir unter anderem *diskutieren*. Wir haben gestern darüber gesprochen, und wir wollen jetzt weiter darüber sprechen. Über den Wiedereintritt eines auf Bewährung Entlassenen in die Gesellschaft. In *unsere* Welt, die wir für selbstverständlich halten, als ob es die *einzige* Welt sei. Wir haben schon zwei Stunden im Kasten; Lee Roy hat uns offen und faszinierend von seiner Situation als ›Opfer der Institutionen‹ berichtet. Wenn er ins Reden kommt, dann *redet* er!« Janet schielte zu Lee Roy Sears und seinen Studenten am anderen Ende der überfüllten Eingangshalle hinüber, wo grelles Licht die Augen blendete; das Kamerateam war mit dem Aufbauen schon fast fertig. »Du wirst sehen – ich glaube, ihr werdet euch alle wundern –, wenn die Sache erst gesendet wird.«

Janet entfernte sich, und Michael rief hinter ihr her: »*Zwei* Stunden? Und ihr wollt noch mehr machen? Bei nur zwanzig Minuten Sendezeit?«

Janet rief zurück, als sei das die Antwort auf seine Frage: »Das Interview wird natürlich geschnitten. Darum geht es beim Film – geschicktes *Schneiden* ist alles.«

Michael folgte Janets breiten Schultern und hoch erhobenem Kopf durch die überfüllte Halle, nicht nur um Unterhaltungen mit gewissen Freunden aus dem Wege zu gehen, sondern auch, weil er wirklich neugierig auf das Interview war. Er war an diesem Samstagabend ungewöhnlich angespannt, aber auch müde, denn er hatte eine lange Woche hinter sich – eine seit Jahren verschleppte Klage auf Schadensersatz war schließlich zur Verhandlung gekommen, und wenn Michael O'Meara und seine Mitarbeiter ihre Sache nicht überzeugend vortrugen, konnte Pearce Pharmaceuticals zu einer Zahlung von zehn Millionen Dollar an die Witwe eines dreißigjährigen Mannes verurteilt werden, der eine doppelt so hohe Dosis von Tranquilizern, wie auf seinem Rezept angegeben, eingenommen und dazu Schnaps getrunken hatte und danach mit seinem Wagen auf dem Garden State Parkway verunglückt war. (Die Klage war absurd, die Forderung der Witwe unberechtigt, doch Michael tat sie nun einmal leid, und er machte sich Sorgen, daß sie anderen, zum Beispiel den Geschworenen, ebenfalls leid tun würde.)

So viele Leute, attraktive Männer und Frauen, die sich auf dem Marmorfußboden der Halle im Dumont Center drängten – ein Stimmengewirr und Getriebe, das Michael in letzter Zeit zunehmend ermüdete, obgleich er, wie er sich selber sagte, seine Freunde doch *mochte* und die Notwendigkeit solcher festlichen Veranstaltungen durchaus einsah. Wie viele gesellige Menschen hielt sich Michael tief im Inneren für einen Einsiedler – womöglich hätte er, etwas unklar, behauptet, er verdiene die Gesellschaft anderer nicht. Er hätte zu arbeiten, er müßte ernsthaft nachdenken, ja, und auch bereuen, wenn er nur wüßte, was, und wie er sich entlasten könnte.

Jener alte pochende Wunsch, besetzt mit Schuldgefühlen, er möge woanders sein – irgendwo, nur woanders!

Dieser Empfang aber mußte noch durchgestanden werden (es war erst sieben Uhr: noch eine Stunde), und danach würden sie Lee Roy Sears zum Abendessen mit nach Hause nehmen; Janet würde auch kommen, sie wohnte bei ihnen. Obwohl Michael sich auf den Abend freute, den er sich hoffnungsvoll als eine Art Familienabend vorstellte, fühlte er sich auf untypische Weise verspannt, er fühlte sich regelrecht erschöpft. Wein trinken war unter solchen Umständen nicht gerade eine gute Idee, das wußte er, besonders diesen starken Rotwein, von dem er sicher Kopfschmerzen bekommen würde, trotzdem leerte er sein Glas und nahm wohlgemut ein weiteres von dem Tablett, das ein Kellner durch die Menge trug.

Und wo war Gina? – Gina in ihrem rohseidenen violetten Futteralkleid mit dem modisch kurzen Rock und den hauchdünnen malvenfarbenen Strümpfen? Vor kurzem noch hatte sie zusammen mit Janet neben ihm gestanden, war dann aber weitergewandert, wie sie es bei solchen Anlässen meistens tat.

Michaels Augen schweiften suchend durch den Raum, aber er sah sie nicht.

Oder – war das Gina in einer Ecke weiter weg, die mit einem Mann lachte, der von hinten Marvin Bruns ähnelte?

Nein, nicht Gina. Eine andere Frau.

Nicht daß Michael ernstlich nach seiner Frau Ausschau hielt, das nicht.

Das wäre erniedrigend, entwürdigend, nein, das tat er nicht.

Denn er hatte keinen Grund, eifersüchtig zu sein, wie auch Gina keinen Grund hatte, auf ihn eifersüchtig zu sein.

Was für eine erfreuliche Überraschung Ginas Gastfreundschaft gegenüber Lee Roy Sears gewesen war! Sie hatte sich nicht nur angeboten, zwei oder dreimal mit ihm einkaufen zu gehen, um ihm zu helfen, Kleidungsstücke und anderes Notwendige zu besorgen, sie hatte auch Termine bei einem praktischen Arzt, einem Zahnarzt und einem Optiker für ihn vereinbart; sie hatte ihn sogar zu ihrem Friseur mitgenommen, um seinem primitiv gestutzten Haar einen neuen Schnitt verpassen zu lassen. Zuerst hatte Lee Roy vor fast allem Angst gehabt: im Auto zu fahren, auf die Straße zu gehen, Ampelkreuzungen zu überqueren, mit Verkäufern zu sprechen, Einkäufe zu machen, Essen im Restaurant zu bestellen. »Als ob der Arme wirklich gestorben und von den Toten wiederauferstanden wäre«, hatte Gina mit einem kleinen Wonneschauer gesagt.

Auch Michael hielt natürlich den Kontakt zu Lee Roy Sears aufrecht und legte Wert darauf, mindestens einmal die Woche im Dumont Center vorbeizuschauen, wenn Sears in seinem Keller-Atelier war. Er überredete Gina, Lee Roy einmal in der Woche zum Essen einzuladen, meistens Freitag abends; für O'Mearas bedeutete das eine Einschränkung ihres geselligen Lebens, aber Gina hatte ernstlich nichts dagegen einzuwenden gehabt. Wie Michael war auch sie zu der Einsicht gelangt, daß es für Lee Roy Sears nach all der Lieblosigkeit und Entbehrung, die er erlitten hatte, wichtig sei, eine normale, glückliche amerikanische Familie kennenzulernen.

Selbst die Zwillinge, die Hemmungen gegenüber Fremden hatten und sich in Gegenwart der elterlichen Freunde meistens nicht wohl fühlten, hatten mittlerweile eine Zuneigung zu »Mr. Sears«, wie sie ihn nannten, gefaßt. Und Lee Roy Sears schien sie auf seine linkische, sprachlose Weise ebenfalls zu mögen.

Michael bahnte sich einen Weg durch die Menschenmenge zum anderen Ende der Halle, wo Lee Roy Sears und die drei anderen Veteranen zwischen ihren ausgestellten Kunstwerken und vor dem Stimmenhintergrund der Cocktailparty stumm in die grellen Fernsehscheinwerfer blinzelten. Einer von ihnen, Mal Bishop, saß mit seinen gut fünfzig Pfund Übergewicht im Rollstuhl, die anderen standen, ziemlich schief und krumm, wie Wachsfiguren herum, die unversehens angefangen hatten zu schmelzen. Wie befangen sie wirkten, wie fehl am Platz – als ob auch sie, wie Kuriositäten, zur Schau gestellt würden. Janet O'Meara, die getönte Brille wie ein zweites, ausdruckslos glänzendes Augenpaar auf dem Kopf, sprach mit ihnen, wobei sie ihre Aufmerksamkeit auf Sears konzentrierte, der zugleich ängstlich und streitlustig erschien, sich die Nase wiederholt an der Manschette seiner kürbisgelb karierten Jacke abwischte und ungeduldig nickte, als müsse er das Interview nun endlich in Gang bringen.

Janet hatte Michael zu überreden versucht, an dem Interview mindestens ein paar Minuten teilzunehmen, doch er hatte strikt abgelehnt – er war schon, zusammen mit Lee Roy Sears und Clyde Somerset, für den *Mount Orion Courier* interviewt worden und hatte sich geschüttelt, als er seine Worte gedruckt sah.

Clyde Somerset hingegen war begeistert von der Publicity.

Anscheinend legte er auf alles, was das Center und damit seine Funktion als Leiter in ein günstiges Licht rückte, ungeheuren Wert. Weit entfernt davon, die CBS-Kameras von dem Empfang an diesem Abend fernzuhalten (was Michael ihm im Vertrauen eindringlich geraten hatte), hatte Clyde alles darangesetzt, den Fernsehleuten entgegenzukommen. Bis zum Erscheinen Lee Roy Sears' hatte niemand außerhalb von Mount Orion vom Dumont Center gewußt oder Notiz genommen.

Die Kameras liefen. Das Interview hatte begonnen. Janet hielt Lee Roy Sears ein Mikrofon vor den Mund und fragte ihn nach seinem Kurs im Dumont Center, und Lee Roy Sears gab, immer noch benommen blinzelnd, so gut er konnte grinsend Auskunft; die anderen Männer neben ihm warteten mit steinernem Blick, bis sie an die Reihe kämen. Mal Bishop, Ned Fiske, Andy Scarf. Neugierige standen, das Glas in der Hand, im Halbkreis um sie herum; unter anderem Valeria Darrell, die verzückt zuschaute. Michael sah es mit Beschämung und Ärger. Er hatte Janet gefragt, warum in aller Welt sie gleichzeitig eine Cocktailparty filmen wolle, was das mit ihrem Thema zu tun habe, und Janet hatte sofort eine lässige Antwort parat: »Aber das *gehört* zu unserem Thema, Michael – um zu zeigen, daß Lee Roy Sears in Mount Orion *integriert* ist, daß jeder *freundlich* zu ihm ist!«

Es traf kaum zu, daß Lee Roy Sears in die Gesellschaft von Mount Orion integriert war, denn eigentlich kannte ihn niemand auf dieser Gesellschaft persönlich: Vielleicht hatte man den Artikel im *Courier* über ihn gelesen und diesen und jenen Klatsch über ihn gehört. Aber Michael hatte die Hoffnung aufgegeben, seine Schwester von irgend etwas zu überzeugen, das sie aus eigenem Antrieb nicht glauben wollte.

Jetzt war sie auf Sendung. Eine warmherzige, mühelos wirkende Autorität ausstrahlend, unterhielt sie sich mit Lee Roy Sears, als sei dies ein beiläufiges Gespräch. Janet O'Meara hatte sich, wie es schien, völlig in der Gewalt – ein Profi durch und durch. Sie sprach mit wohltönender Stimme, gab sich offen und direkt. Sie war keine schöne Frau, hatte aber als Mittdreißigerin eine reife Attraktivität entwickelt: weizenblondes

Haar und helle Augen, die O'Mearasche Stupsnase, ein frisches Gesicht, das Gesundheit, Kraft, Intelligenz, *Optimismus* erkennen ließ. Michael wußte, mehr in Umrissen als im Detail, daß Janet durch eine gescheiterte Liebesaffäre vor mehreren Jahren tief verletzt worden war; er wußte, daß sie als Single unter der Unnahbarkeit, der Verschlossenheit, der melancholisch-vorwurfsvollen Haltung ihrer Mutter weit mehr litt als er. Doch wenn man sie sprechen hörte, ihr Lächeln sah, hätte man ein problematisches Innenleben bei ihr nie vermutet.

Seit Janet für CBS arbeitete, hatten Michael und Gina sich mehrmals nur zu dem Zweck vor den Fernseher gesetzt, um sie in dokumentarischen Sendungen zu sehen, die, wie »Ausschau halten im Land«, zu ausgefallenen Stunden über den Bildschirm liefen; beide waren von ihr beeindruckt, allerdings auch erstaunt, denn wieso war Janet bei all ihrer Fähigkeit nicht erfolgreicher? Es kam ihnen so traurig vor, so unfair. (Gina sagte seufzend: »Natürlich liegt das an der Konkurrenz. In der verdammten darstellenden Kunst ist das tausendmal schlimmer als im Leben.« Vor ihrer Heirat hatte sich Gina mit ihrer dünnen, schwankenden Sopranstimme vage Hoffnungen auf eine Karriere als Sängerin gemacht.)

Janet hatte gelernt, nervöse Gesprächspartner zu beruhigen oder zumindest ihre Nervosität in spannungsreiche Bildschirmpräsenz umzusetzen. Nur ein Profi, so Janet, könnte ihre eigene Angst erkennen. »Selbstbeherrschung ist nur eine Illusion, aber wenn andere das akzeptieren, ist es eine Illusion, die *funktioniert.*«

Jetzt schien es, bis zu einem gewissen Grad, zu funktionieren. Was Lee Roy Sears sagte, klang verständlicher; die anderen begannen, von Janet ermutigt, sich zu beteiligen. (»Und was meinen Sie dazu, Mal?« – »Und was meinen Sie, Ned?« – »Andy, würden *Sie* dem zustimmen?«) Das meiste, was die Männer ernst und mit solcher Intensität ins Mikrofon sprachen, daß man annehmen konnte, sie wendeten sich an eine weltumspannende, hingerissen lauschende Öffentlichkeit, kam Michael vorhersagbar, banal, wenn auch sicherlich tief empfunden vor – »Durch die Kunst kriege ich den Vietnam-Alptraum in meinem Inneren besser in den Griff«, erklärte Mal Bishop, und Ned Fiske nickte heftig, und Andy Scarf, dem glänzende Spucke in den Mundwinkeln hing, sagte: »Ja, Mann, *genau.* «

Janet O'Meara hob in gespieltem Staunen die Stimme: »Und Sie haben die Möglichkeit gefunden, die Ihnen vorher nicht zur Verfügung stand, *sich auszudrücken – sich anderen mitzuteilen?*«

»Ja! Ja, Mann, *genau!*«

Die Männer äußerten sich jetzt eindringlicher, fielen einander ins Wort, und während sie redeten, fuhr eine der drei Kameras zurück und schwenkte auf die Menge in der Halle ein, wo sich gutangezogene Gäste des Dumont Centers, besonders in der Nähe der Bar und an dem langen, mit warmen und kalten Vorspeisen üppig gedeckten Tisch, ungeachtet der Veteranen zu fröhlichen Gesprächsgruppen zusammengefunden hatten; eine weitere Kamera schwenkte über die ausgestellten Werke der Veteranen, etwa zwanzig an der Zahl, Gemälde, Zeichnungen und Lee Roy Sears' unbeholfene Tonfiguren, die vor einem weißen Hintergrund aufgestellt waren. (Handelte es sich bei diesen Werken denn um Kunst? fragte sich Michael O'Meara. Aber was *war* Kunst? Nach seiner laienhaften Auffassung konnte ein großer Teil der modernen und zeitgenössischen Kunst der Definition von »Kunst« schwerlich genügen.)

Von den vier Veteranen sah Lee Roy Sears am jüngsten und merkwürdigerweise am eindrucksvollsten aus. Seine Stellung als Stipendiat des Dumont Centers verlieh ihm eindeutig ein anderes Selbstgefühl. Im vergangenen Monat hatte er vielleicht zehn Pfund zugenommen; er hatte Michael gegenüber erwähnt, daß er in einer Turnhalle in Putnam Gewichtheben übte, um seinen Körper »wiederaufzubauen«, und daß er kräftigere Schulter- und Halsmuskeln entwickelt hatte, war deutlich zu sehen. Sein Haar, länger und daher attraktiver, ließ die Stirn frei und bildete eine modische Tolle, tiefschwarz mit unheimlich schillerndem Glanz, wie mit Öl gestriegelt. Er trug auffallende, hakenförmige Koteletten. Sein Mund wirkte fleischiger, das Gebiß kräftiger. Die Augen schienen größer, lebhafter und intensiver. Er hatte, typisch für ihn, vor ein paar Wochen Pech gehabt – der größte Teil seiner neuen Sachen war ihm aus seinem Zimmer im Wohnheim gestohlen worden (und hatte sich nicht wieder angefunden), so daß er die kürbisgelb karierte Sportjacke und seine alten ausgebeulten Hosen tragen mußte, aber der Dieb hatte den mitternachtsblauen Dior-Schlips übersehen, dessen seidige Pracht ihn an diesem Abend schmückte. Und die auf Hochglanz polierten italienischen Schuhe. (Als die O'Mearas von dem Diebstahl erfuhren, hatten sie natürlich angeboten, für Ersatz zu sorgen; das heißt, um Lee Roy Sears' Stolz zu schonen, hatten sie angeboten, ihm Geld zu leihen, damit er sich die zu ersetzenden Sachen selber kaufen konnte. Erstaunlicherweise hatte Lee Roy jedoch eisern abgelehnt. Er wollte, wie er sagte, keine Almosen. Er würde schon bald genug Geld verdienen, um für seine Ausgaben selber aufzukommen; und vielleicht, kann ja sein, würde er herausfinden, welches Schwein ihm die Sachen aus seinem Zimmer gestohlen hatte, und sie wiederkriegen. »Kann das nicht gefährlich werden?« hatte Gina beunruhigt gefragt, und Lee Roy hatte zwinkernd geantwortet: »Häh? Für wen?«)

Die anderen Männer, im mittleren Alter von vierzig bis fünfzig, waren übel zugerichtet. Opfer des Krieges. »Veteranen«. Michael hätte sie sofort erkannt, wenn er sie auf der Straße gesehen hätte: Menschen, die das Leben beschädigt hatte. Mal Bishop in seinem Rollstuhl, beide Beine unterhalb des Knies amputiert, gekrümmte Wirbelsäule, aufgedunsener Oberkörper, mit kleinen, eng zusammenstehenden glitzernden Schweinsaugen – Ned Fiske, dünn, ausgemergelt, grimmig, dicke Brillengläser, auf einem Auge anerkannt blind, ein Dauerzittern in beiden Händen – Andy Scarf, rotgesichtig, kahl, süffisant grinsend, hochdekorierter ehemaliger Bomberpilot, der sich seit Kriegsende vor fast zwanzig Jahren in keinem Job halten oder auch nur mit seiner Familie zusammenleben konnte. Michael O'Meara starrte die Männer an, wie es andere neben ihm ebenfalls taten, Wein schlürfend, schuldbewußt, hilflos; verlegen. Trotz Janets Begeisterung und trotz des Selbstwertgefühls, das ihnen das Fernsehinterview zu bescheren schien, was konnte man zu oder von diesen Männern sagen? Sie waren nicht nur vom Leben beschädigt worden, das Leben hatte sie auch vergessen.

Valeria Darrell hingegen schien es anders zu empfinden, denn sie beugte sich dicht zu Michael herüber, als hätte sie ihm eine vertrauliche Mitteilung zu machen, und hauchte ihm raunend ins Ohr: »Wie mutig die sind! Und ganz besonders Ihr Freund Mr. Sears!«

Mit ihrer kraftvollen hellen Interviewerstimme fragte Janet O'Meara Lee Roy Sears, ob seine Erfahrung als Insasse des Todestrakts traumatischer gewesen sei als seine Vietnam-Erfahrung, und Sears zuckte die Achseln und lachte rauh und bellend auf, als gäbe es nichts weiter zu sagen. Janet ließ jedoch nicht locker: »›Amerikanische Institutionen‹ – sind Sie von ihnen geprägt worden, Lee Roy Sears? Können Sie uns darüber etwas sagen?«

Sears sagte: »Meinen Sie Erziehungsheime? – Jugendstrafanstalten? – Gefängnis? – die US Army? – das Militärgefängnis? – oder *was*?«

»Welche hat nach Ihrer Einschätzung den nachhaltigsten Eindruck auf Sie gemacht?«

»Alle, solange man drin ist, weil, du glaubst nie, daß du rauskommst.«

»Könnten Sie das vielleicht genauer erklären, bitte?«

»Häh? ›Genauer‹? Wie?«

»Welche hat sich Ihrem Gedächtnis am meisten eingeprägt?«

Sears lachte wieder, wobei er sich mit dem Ärmel grob die Nase wischte. In seinen Augen zeigte sich ein durch die Fernsehscheinwerfer verstärktes manisches Funkeln, das Michael O'Meara noch nie bei ihm gesehen hatte. »In den Erziehungsheimen behandeln sie dich wie Scheiße, im Gefängnis behandeln sie dich *echt* wie Scheiße, im Militärgefängnis *bist* du Scheiße.«

Janet sagte nach einer Pause mit verschwörerischer, fast

sinnlich raunender Stimme: »Lee Roy, Sie haben gesagt, daß Sie rauschgiftsüchtig wurden – in Vietnam?«

Sears sagte unbekümmert: »Ja klar, ich hab mir alles mögliche reingezogen, haben alle gemacht, hauptsächlich Heroin, aber jetzt bin ich clean. Wolln Sie mal sehen?« Er holte draufgängerisch zu einer Geste aus, als wollte er die Ärmel aufkrempeln, um seine Arme vor der Kamera zu zeigen; aber glücklicherweise war es nur eine Geste. »Sie meinen, ich sollte mich schämen oder so was?« fragte er streitlustig. »Okay, ja Lady, tu ich, und tu ich nich: Ich tu's, weil jede Abhängigkeit Schwäche ist, und Schwäche verachte ich, und ich tu's nicht, weil neunzig Prozent der Leute nach irgendwas süchtig sind, Alkohol, Rauchen, Tabletten mit oder ohne Rezept, es gibt nix, was es nicht gibt, Lady!« Mal Bishop, Ned Fiske und Andy Scarf sahen mit hängendem Unterkiefer ausdruckslos zu, wie Kinder, die zugucken, wie einer ihrer Spielkameraden auf einen Abgrund zuschlittert.

Janet fuhr tollkühn fort. »Also, Lee Roy, Sie kamen unter Anklage wegen Mordes ins Staatsgefängnis Hunsford in Connecticut, und Sie behaupten, diese Anklage war –?«

»Lügen! Dreckige Lügen!«

»Aber Sie können uns vielleicht erzählen, ob ein Zusammenhang zwischen Ihrer Militärzeit in Vietnam und Ihren Jahren im Gefängnis besteht, *gibt* es da eine Verbindung?«

»Nee! Was denken Sie denn?«

»Gibt es keinen Zusammenhang?«

»Was denken Sie denn, Lady, das frage ich *Sie!*«

»Nein, Lee Roy Sears«, sagte Janet mit tiefer, bebender Stimme, als sei dies eine Art Flirt, »– *ich* frage *Sie*. Gibt es irgendeinen Zusammenhang?«

Sears grinste frustriert, mit Zähnen wie vergilbtes Elfenbein, schüttelte den Kopf, als müsse er da drinnen Ordnung schaffen, und sagte: »Hörn Sie mal! Die haben mich zum Töten ausgebildet! Ich hab gehandelt, wie meine Ausbildung das vorschrieb. Ich bin dauernd im Einsatz! Ich bin auch jetzt im Einsatz! Ich vergesse nix! Ich hab alles gelernt, was die mir beigebracht haben! Und noch mehr! Ich hab noch mehr gelernt! Ich hab's nicht für Amerika gemacht oder für Südvietnam, um die vor den Vietcong zu retten. Ich hab es gemacht, weil ich es machen wollte, ich hab's für *mich* gemacht.«

Sears hatte schnell, schlangenhaft, den Arm ausgestreckt um Janets Hand, die das Mikrofon hielt, zu packen und es sich näher an den Mund zu halten, und Janet zuckte zurück. Die modische Brille glitt ihr vom Kopf und fiel zu Boden. Sie und Sears ließen gleichzeitig das Mikrofon los, und auch dieses fiel herunter. »Oh! – Entschuldigung!« murmelte Janet sichtlich verängstigt.

In dieser peinlichen Tonart endete das Interview.

Michael O'Meara dachte: Ja, das *muß* geschnitten werden.

Als sich die Gruppe zerstreute und unter der Führung von Clyde Somersets quirliger Assistentin Jody zum Tisch mit den Hors d'œuvres strebte, blieb Michael zurück, um sich die Kunstausstellung anzusehen. Warum zitterte er? *Er* hatte seine Seele nicht bloßgelegt.

Die Bilder von Mal Bishop und Andy Scarf waren primitiv, auffällig, reißerisch wie Comics, mit Pinselstrichen dick wie Federn und acrylglänzend wie Plastik. Hubschrauber hingen schräg in der dampfenden Dschungelluft. Panzer explodierten in Feuerschwaden; Mannequins in Uniformen der amerikanischen Armee schossen mit gewaltigen phallischen Waffen. Übergroße Sonnen, irrwitzig grelle Monde. Plumpe, am Boden liegende Figuren mit gelben »asiatischen« Gesichtern. Unverarbeitete, auf die Leinwand übergeschwappte Gefühle, unausgegoren, unintegriert – Michael fand das alles, ja, »eindrucksvoll«, wie die Gäste den ganzen Abend über vor sich hingemurmelt hatten, aber es war auch peinlich. Ned Fiskes Kohlezeichnungen waren gekonnter ausgeführt, differenzierter, doch wie absichtlich entstellt durch Flecke, Radierstellen, Risse im Papier. Seine Figuren (Amerikaner, Vietnamesen) hatten überproportional große Köpfe; seine Landschaften aus wirrer Vegetation waren flach wie Tapeten. Michael fragte sich, wie der Mann mit seinen heftig zitternden Händen es überhaupt fertigbrachte zu zeichnen. *Das* war eigentlich das Bemerkenswerte.

Doch waren es vor allem Lee Roy Sears' Arbeiten, die die Blicke auf sich zogen: sechs Tonfiguren auf weißen säulenartigen Sockeln, menschenähnliche Wesen, nackt, brutal, mit verzerrten Gesichtern, deformierten Körpern, Spalten statt Mündern. Eine hatte keine Augen, eine andere statt Gliedmaßen nur Stümpfe. Die kleinste hatte etwa die Größe einer Männerhand, die größte war fünfundzwanzig Zentimeter lang; von links nach rechts angeordnet, wurden sie allmählich größer, menschlicher und prägnanter, ihr Leiden, wenn man überhaupt davon sprechen konnte, schien jedoch auch heftiger zu werden. Die letzte Figur lag in einer Haltung erstarrter Qual mit weit aufgerissenem Mund auf dem Rücken, der offene Unterleib ein Gewirr von Eingeweiden – Schlangen? – wie in den grausigsten Alpträumen.

Minutenlang stand Michael O'Meara mit ernst gefurchter Stirn vor Sears' Skulpturen. Das Werk war ein Rätsel, das entschlüsselt werden wollte – aber wie? Welcher Zusammenhang bestand zwischen diesen Objekten und Lee Roy Sears selbst? (Der Mann schien, soweit Michael es beurteilen konnte, nicht fähig, solche Werke zu schaffen, es sei denn, er verbarg sein wahres, tieferes Selbst. Im Augenblick befand sich Sears, umringt von mehreren Matronen, unter ihnen Valeria Darrell, in einem Zustand äußerster Erregung; sein Gesicht war sehr blaß und ölig von Schweiß, der Blick stechend und irr, und noch während er sprach, verschlang er gierig die Vorspeisen auf seinem Pappteller, den er sich dicht vor den Mund hielt.) Michael war so in die Betrachtung des Werks versunken, daß Freunde, die sich ihm nähern wollten, um mit ihm zu reden, sich anders besannen und Abstand hielten; er nahm sie verschwommen an der Peripherie seines Blickfelds wahr, drehte sich aber nicht um. Obwohl er hören konnte, was sie sprachen – Tracey Deardon raunend: »Man kann sehen, wieviel es Michael bedeutet«, und ein Mann, wahrscheinlich Jack Trimmer, in seiner liebenswürdigen Art antwortend: »Ja, aber was glauben Sie, *bedeutet* es denn? Michael war ebensowenig in Vietnam wie ich.«

Wenn er zu früh geboren wird, wird er nicht alt, wird keiner.

Dann kam Clyde Somerset, heiter und herzlich, in Begleitung eines mit ihm befreundeten Kunsthistorikers aus Boston, den er Michael vorstellte. Freeman war sein Name – oder Freedman? Michael ärgerte sich über die Unterbrechung, gab ihm aber lächelnd die Hand, obwohl er ihm sofort mißtraute, denn der Mann hatte etwas dünkelhaft Professorales, seine abwesenden Augen hinter den Brillengläsern flitzten hin und her, während er die Ausstellung erfaßte – »erfassen« war genau das, was er tat – und auf Clydes Frage langsam, nachdenklich antwortete, als wüßte er, daß er ein endgültiges Urteil abgab und daher taktvoll formulieren mußte: »Nun ja. Ja. ›Kunsttherapie.‹ Ich sehe schon, daß diese Dinge authentisch sind, daß sie ganz zweifelsfrei ›aus dem Herzen‹ kommen, aber« – und hier hielt er inne, zog die Lippen ein, überlegte, umbrandet vom schrillen Stimmengewirr im überfüllten Raum, das durch die hohe, gewölbte Glas-Aluminium-Decke und den Marmorfußboden schaurig dröhnend verstärkt wurde. Clyde Somerset entgegnete schnell, aber weitschweifig: »Die Männer haben hart gearbeitet. Lee Roy Sears konnte sie dazu bringen, ihren Gefühlen freien Lauf zu lassen. Keiner von ihnen, auch Sears nicht, hat, soviel ich weiß, eine ordentliche Ausbildung erhalten; es sind Dilettanten – Primitive. Darin liegt die Bedeutung. Das« – nun hielt auch er inne auf der Suche nach dem richtigen Wort – »*Ergreifende.*«

Michael fragte: »Wie ist es mit Sears? Ich finde seine Arbeiten gut.«

Er merkte, daß er in einem etwas aggressiven Ton gesprochen hatte. Was ihm nicht ähnlich sah, besonders nicht bei gesellschaftlichen Anlässen in Mount Orion.

Freedman nickte, allerdings eher bedenklich; fast verächtlich. Er wies mit dem Finger auf die größte Figur, die mit dem Bauch voller – waren es Schlangen? –, und sagte, wiederum taktvoll: »Nun ja. Ja. Recht – interessant.«

Michael spürte, wie sein Gesicht brannte. »Nur – ›interessant‹?«

Clyde Somerset schien diese Frage nicht zu hören, sagte aber um sich blickend leise, als fürchte er, es könnte jemand zuhören, mit einem Ausdruck verwirrter Verdrießlichkeit: »Die Bilder sind vielleicht, könnte man sagen, ein bißchen dilettantisch. Schwach. Eigentlich schrecklich, eh? So was wie eine alptraumhafte Kombination von George Grosz und Grandma Moses.« Als Freedman lachte, fuhr Clyde, der solche Anekdoten liebte, in denen er die Rolle des ironisch gebrochen Pechvogels spielte, schwungvoll fort: »Jedenfalls sind die anstößigsten, die wirklich obszönen nicht dabei. Dieser arme, irregeführte Mann da im Rollstuhl – Bishop – er ist ein Rassist, ein Anhänger des Genozids! – und was noch schlimmer ist, er hält sich für Picasso. Er hat mehrere Bilder gemalt, in denen Vietnamesen vorkommen, und das sind die übelsten, ekelhaftesten, unbeholfensten Karikaturen, die man sich vorstellen kann, und die meisten sind Tote. Verstümmelt, blutig, *tot*. Eben nur Comic-Kram, gelbe Gesichter und Schlitzaugen, wie Affen – gräßlich! Also hab ich Sears gesagt, daß so etwas nicht geht, das Dumont Center kann solche »Kunst« nirgendwo öffentlich zeigen, wir können die dahinterstehende Einstellung nicht unterstützen oder auch nur dem Anschein nach unterstützen, und Sears sagte darauf: ›Ist das Zensur, Mr. Somerset? Sie wollen uns wohl jetzt schon zensieren?‹ Stellt euch das vor!«

Clyde hatte Sears' Sprechweise ziemlich genau getroffen, und Freedman lachte von neuem. Michael sagte: »Tja, Clyde, es *ist* aber Zensur, oder?«

Clyde fuhr mit komischer Grimasse fort: »Dann hab ich mit Bishop gesprochen, ganz vernünftig, wie ich dachte, denn schließlich muß die Ausstellung selektiv sein; sie kann nicht mehr als soundsoviele Stücke von jedem Künstler zeigen. Und auch Bishop muckte gegen mich auf, fragte, ob ich seine ›Kreativität unterdrücken‹ wolle. Mein Gott! Ich habe zu erklären versucht, daß die Mittel des Center zum Teil vom New Jersey Art Council sowie aus unserer Stiftung und aus Privatspenden stammen, und wir können es uns nicht leisten, wollen es auch gar nicht, die Einwohner hier vor den Kopf zu stoßen. Es gibt Asiaten in Mount Orion, selbst unter den Stiftern sind mehrere japanische Amerikaner, und die sind heute abend hier – sehr gute Leute und *sehr* großzügig. Wir können keine Kunst hängen, die Vietnamesen als Irre darstellt, habe ich zu Bishop gesagt, und wißt ihr, was der geantwortet hat? ›So sehen die Schlitzaugen eben aus, Mr. Somerset. *Ich* war schließlich da.‹«

Freedman brach in schallendes Gelächter aus, denn es *war* komisch. Michael fuhr zusammen und sagte: »Clyde, die Ausstellung kommt zu früh. Dieses ganze Ereignis heute abend – ich habe mir von Anfang an gedacht, es ist verfrüht.«

»Aber wir tun es, um Gelder zu beschaffen«, sagte Clyde unbestimmt, als sei das die Antwort. Er wischte sich mit einem Taschentuch die Augen vor Lachen über seine eigene Schilderung. »Auch die Berichterstattung durch CBS – eine so gute Gelegenheit darf man nicht vorübergehen lassen.«

Freedman wurde dogmatisch: »Ihr Programm läßt eine verdienstvolle Absicht erkennen, und ich bin sicher, es hat sich bereits vorteilhaft auf die Veteranen ausgewirkt. Ich habe überhaupt nichts dagegen, wenn meine Steuergelder für solche Zwecke verwendet werden. Aber Sie müssen wissen, daß schon der Begriff ›Kunsttherapie‹ ein Oxymoron ist: Kunst im eigentlichen Sinn kann zwar therapeutische Wirkungen erzielen, aber dieser Aspekt ist nebensächlich oder zufällig; Therapie kann jedoch niemals ›Kunst‹ sein. Weil Therapie ihrer Natur nach pragmatisch und zweckbestimmt vorgeht, wohingegen Kunst den bloßen Zweck transzendiert. Sie *ist.*«

Freedman hatte glatt und gewandt gesprochen, als zöge er das Fazit eines Vortrags. Michael fragte mit zornbebender Stimme: »Wie können Sie so sicher sein? Wer hat das zu beurteilen?«

Freedman lachte und meinte scherzhaft: »Na, *wir* haben das zu beurteilen.«

»Und wer, verdammt noch mal, sind ›wir‹?«

Michael O'Meara hatte in einem für ihn so untypisch abfälligen Ton gesprochen, daß sein Freund Clyde ihn verblüfft anstarrte; und Freedman, dem das Lächeln verging, wich kaum merklich zurück. Irgendwo an der Bar wurde laut gelacht; die Zeit rückte heran, da die ersten Gäste aufbrachen. Michael erkannte, daß er die Situation übertrieb und sich lächerlich machte, und aus welchem Grund? Er wußte es eigentlich nicht. Später an diesem Abend ließ Clyde gegenüber Susanne die Bemerkung fallen, daß Michael O'Meara vermutlich überlastet sei. Gegen Ende der Woche war es in ganz Mount Orion herum.

Michael sagte, wie um nachzugeben, schnell: »Ich glaube, ich möchte, daß Lee Roy Sears wirklich ein Künstler ist, weil ich selbst keiner sein kann.«

Es war das erste Mal, daß ein solcher Gedanke ihm in den Sinn kam. Aber nun, da er ihn geäußert hatte und Clyde Somerset und dessen Freund Freedman ihn zu akzeptieren schienen, hörte er sich ganz vernünftig an.

Dort, schräg gegenüber in einem Durchgang auf der anderen Seite des Zwischengeschosses, anzüglich gespiegelt in einer senkrechten Platte aus schimmerndem Aluminium, umarmte sich verstohlen ein Paar. Das war ein so unerwarteter und schockierender Anblick über der Menschenmenge in der Halle, daß Michael O'Meara, der gerade aus der Herrentoilette im Zwischenstock kam, wie angewurzelt stehenblieb und starrte.

Eine blonde Frau in einem lila Kleid, das ihre schlanke Gestalt wie angegossen umschloß. Ein Mann, genauso groß wie sie, schwarzhaarig, in einer orange karierten Jacke. Sie standen sehr eng beieinander – intim eng.

Gewagt, wie sie sich benahmen, zweifellos angetrunken, überzeugt, daß niemand sie sehen würde, da oben im Zwischengeschoß.

Wer waren sie – die sich küßten, heftig aufeinander eindrangen, der Mann, der die Brust der Frau drückte? – und sie stemmte die Hand gegen seinen Oberkörper, und er antwortete sofort mit einem tiefen Lachen, griff an ihr Hinterteil in dem violetten Stoff, ja, packte es grob, gab sich nicht mit Gentleman-Quatsch ab, preßte sie an sich, Geschlecht an Geschlecht.

Sie wiegten sich schaukelnd, die beiden, in einem lüsternen, schwerfälligen Tanz.

Und jenes glockenhell klirrende Lachen wie von zerspringendem Glas.

Wie eine Frau in plötzlichem, unverhofftem Orgasmus.

Doch als Michael O'Meara sich gedankenlos umwandte, sah er nur seine Frau Gina und seinen Freund Lee Roy Sears im Gespräch; Gina stand oben auf dem Treppenabsatz und Lee Roy Sears, mit sonderbar beschämt-trotzigem Ausdruck, ein oder zwei Stufen darunter. Sie berührten sich nicht. Sie standen züchtig voneinander getrennt und zeigten keine Anzeichen einer Berührung, geschweige einer Umarmung, wie sie Michael gesehen oder zu sehen geglaubt hatte.

Michael blinzelte, schüttelte den Kopf wie ein Hund, der sich Wasser aus den Ohren schleudert. *Was* hatte er gesehen – doch nur Gina im Gespräch mit Lee Roy Sears, wie sie auch sonst nicht selten in seiner Gegenwart miteinander redeten.

Er blickte zur Aluminiumverkleidung zurück – aber auch dort, auf der schimmernden, leicht verzerrenden Fläche, berührten sich die blonde Gestalt im lila Kleid und die Gestalt des Mannes im kürbisfarbigen Schottenmuster nicht, man konnte mehrere Zentimeter Zwischenraum zwischen ihnen erkennen.

Später sagte sich Michael O'Meara wie ein Arzt, der zu einem besorgten Patienten spricht, oder wie er, Michael selber, dem einen oder anderen der jüngeren Anwälte bei Pearce, die zuweilen mit ihren Problemen zu ihm kamen, in onkelhaftem Ton Ratschläge erteilte: *Zuviel auf fast leeren Magen getrunken. Der Streß des Berufs. Der Streß des Lebens.*

Einen Augenblick später hatte Sears sich umgedreht, stieg die Treppe herunter und hinkte behende weiter; und Gina, die

Michael sah, der ihr jetzt ganz aufgeschlossen entgegenkam, als ob alles in Ordnung sei (es *war* ja alles in Ordnung – offensichtlich), rief ihm mit der Stimme eines gekränkten, wütenden kleinen Mädchens so aufgebracht zu, daß Michael gleich dachte, er müsse schuld haben: »O Michael, du wirst es nicht glauben: Lee Roy kommt doch nicht zum Abendessen zu uns! Obwohl er gesagt hat, er käme! Valeria Darrell hat ihn überredet, mit ihr nach Manhattan zu fahren, damit sie ihn ›einflußreichen Kontaktleuten‹ in der Kunstszene vorstellen kann. *Das Miststück!*«

Also war es unvermeidlich, daß Lee Roy Sears' Abwesenheit im O'Mearaschen Haushalt an jenem Abend das durch Janet O'Mearas schwungvolle Anwesenheit noch betonte Hauptthema war, welches Gina in der ihr eigenen Art, sich bestimmte Anlässe manchmal selber und damit anderen zu verderben, nicht loslassen konnte. Hatte Lee Roy seine Freunde, seine einzigen Freunde in Mount Orion, verraten? Oder hatte diese mannstolle, lächerliche Frauensperson ihn entführt?

Michael war es peinlich, daß Gina sich in Janets Gegenwart derart hitzig über Valeria Darrell beschwerte: »Und ich habe gedacht, die Frau ist eine Freundin von mir! – von *uns!*«

Anscheinend in aller Unschuld, doch mit ihrem Interviewer-Instinkt für provozierendes Nachfragen, erkundigte sich Janet bei Gina nach Valeria: Woher kam sie, seit wann war sie geschieden, gehörte sie zu den Frauen, die sich leicht auf gewagte Liebesaffären einlassen, interessierte sie sich wirklich für Kunst? – woraufhin sich die arme Gina zu Äußerungen hinreißen ließ, die sie, da war Michael sicher, unter anderen Umständen nicht gemacht und vielleicht nicht einmal gedacht hätte.

Denn soweit Michael wußte, hatte Gina Valeria Darrell, die, obschon ein paar Jahre älter als Gina, eine der temperamentvollsten und attraktivsten Frauen in ihrem Kreis war, immer gemocht. Sie hatte Verständnis gezeigt für Valerias Dilemma einer Frau ohne besondere Talente oder Fähigkeiten außer einem sicheren gesellschaftlichen Auftreten, die in einem großen, teuren Haus in Mount Orion, New Jersey, lebte, als ob sie darauf wartete – ach, wie viele amerikanische Frauen, verheiratet oder ledig, verbringen ihre Zeit mit *Warten!* –, daß etwas passierte.

Michael legte die Hand beruhigend auf Ginas Hand, wie um sie zu bändigen, und sagte: »Gina, sei bitte vernünftig. Jetzt, wo Lee Roy sich besser im Leben zurechtfindet, ist es nur natürlich, daß er anfängt, sich seine eigenen Freunde zu suchen, und nicht immer nur mit *uns* zu tun hat.«

»Ja, aber er *hat* mit uns zu tun«, sagte Gina, wobei sie die Hand in kindlichem Trotz wegzog. »Ohne Michael O'Meara wäre er gar nicht beim Dumont Center, das soviel Aufmerksamkeit erregt.« Stirnrunzelnd hielt sie inne: Deutlich zeigten sich zwei Linien in der glatten Haut zwischen ihren Augenbrauen. »Ohne Michael O'Meara würde er gar nicht auf der Erde herumlaufen. Er wäre tot. *Hingerichtet.*«

»Aber Gina –«

»Er hätte nicht mal Unterwäsche und Socken, ein anständiges Hemd, anständige Schuhe, wenn *ich* nicht gewesen wäre!«

Janet, die ernst und verständnisvoll wirkte, konnte der Versuchung dennoch nicht widerstehen: »Als ich Lee Roy Sears interviewte und mehr noch, als ich ihn nur beobachtete, ist mir aufgefallen, daß er im Grunde ein *verschlossener* Mensch ist. Ein Rätsel. Jemand, den man zu kennen glaubt, vielleicht sogar irrtümlich für ein bißchen einfältig hält, aber eines Tages stellt man fest, daß man ihn in Wirklichkeit – gar nicht kennt.« Janet hielt erschauernd inne. Bei Kerzenlicht wirkte ihr offenes mondförmiges Gesicht mit der Andeutung von Fleischigkeit unterm Kinn kindlich arglos. »Der Ted-Bundy-Typ, in der Art. Aber nicht ganz so attraktiv wie Bundy.«

Gina starrte Janet verblüfft an. »Ted *Bundy?* Der Massenmörder?«

»Serienmörder, genauer gesagt. Bundy wurde in Florida hingerichtet, weil er dreißig Mädchen und Frauen umgebracht hatte. Er war nicht psychotisch. Er wollte lediglich töten. Die Leute, die ihn kannten, behaupteten, er sei ein ›netter Kerl‹ gewesen.«

Gina sah Janet an, als versuchte sie abzuschätzen, ob ihre Schwägerin, die sie nicht gut kannte, aber stets gern gehabt hatte, absichtlich provozierte; oder ob sie in ihrer ungestüm-ruppigen Art keine rechte Vorstellung von dem hatte, was sie sagte oder wie es interpretiert werden könnte. Gina sagte lachend, wenn auch verärgert: »Janet, das ist lächerlich. Michael und ich, wir *kennen* Lee Roy doch, wirklich! Er ist lieb, er ist naiv, er ist leicht zu beeindrucken. Er ist Wachs in Valeria Darrells Händen.«

Es war spät, nach halb elf. Sie saßen am Eßzimmertisch, Gina, Michael und Janet, und leerten träge eine zweite Flasche Wein. Die Zwillinge waren schon vor Stunden ins Bett gebracht worden, und im Haus war es still – für Michaels Gefühl entnervend still. (Oder hörte er seine Söhne weit weg da oben? Wie sie sich ausschütteten vor Lachen, herumspielten, wo sie doch schlafen sollten? Letzthin benahmen sie sich unberechenbar.) Nach dem Empfang im Dumont Center hatte Janet Gina bei der Vorbereitung eines späten Abendessens geholfen, und es erwies sich als ein trauriges Mahl, obwohl Gina etwas ganz anderes im Sinn gehabt hatte. Keiner hatte anscheinend trotz der köstlichen Speisen (von einem Partyservice in Mount Orion) großen Appetit; besonders Gina hatte in ihrem Essen nur in jener mäklig-geringschätzigen Selbstbestrafungsmanier herumgestochert, die Michael beunruhigte. Allerdings trank sie mehrere Gläser Rotwein.

Gina und Janet sprachen, ohne sich wirklich zu streiten, weiter über Lee Roy Sears. Michael lächelte, während er Gina beobachtete. Sollte sie sich plötzlich hilfesuchend ihm zuwenden, lächelte er wenigstens.

Hatte Michael O'Meara irgend etwas in jener Aluminiumverkleidung auf dem Zwischengeschoß des Dumont Center gesehen? Nein, hatte er nicht.

Und wenn er etwas erblickt hätte, würde er es bald vergessen, hatte tatsächlich schon vergessen, was er gesehen hatte – das heißt, was er *nicht* gesehen hatte.

»Schenkst du uns bitte noch etwas Wein ein, Michael?«
fragte Gina, die Lippen schürzend, »oder ist die Flasche leer?«

»Sie ist fast leer.«

»Würdest du dann eine neue öffnen? Bitte.«

»Noch eine? Jetzt?«

Gina hob angeheitert ihr und Janets Glas, als wolle sie einen zweifachen Trinkspruch ausbringen.

»*Noch eine*, Liebling. *Jetzt.*«

»Das finde ich nicht, Gina. Wir haben alle genug gehabt.«

»›Genug‹? Was ist ›genug‹? Wer sagt hier, was ›genug‹ ist?«

Gina machte kühn Front gegen Michael. Sie befand sich in einem Zustand, in dem aufgewühlte Gefühle sie wie Elektrizität durchströmten. Ihr Haar war zerwühlt, ihre Pupillen glänzten tiefschwarz. Sie trug noch immer das lila Seidenkleid, hatte aber die Schuhe von sich geschleudert und ein Bein hochgezogen, das sie ungelenk, aber auf die ihr eigene Art dennoch fast anmutig auf ihrem Stuhl angewinkelt hatte. Michael lächelte sie an, lächelte angestrengt. Er hatte mit Unterbrechungen seit Stunden getrunken, war aber nicht betrunken, Alkohol bewirkte sehr wenig bei ihm, aber er war müde und zerstreut und nicht in der Stimmung, sich mit Gina zu zanken, vor allem nicht in Gegenwart seiner Schwester als so ostentativer Zeugin.

Janet sagte, sich aufraffend: »O Gina, danke, aber *ich* möchte wirklich nichts mehr. Ich –«

»Gut, aber *ich* möchte noch was«, sagte Gina. »Los, Michael, hol noch eine Flasche, ja? Bitte, ja? Wenn schon Lee Roy nicht bei uns ist, wollen wir wenigstens in seiner Abwesenheit feiern.«

Es entstand eine Pause, ein Augenblick deutlichen Schweigens, dann stand Michael auf und ging in die Küche, um eine neue Flasche Wein zu holen. Er entkorkte sie ziemlich ungeschickt in der Küche, zerbröckelte zum Teil den Korken und verschüttete Wein auf dem Tisch. Er wußte, daß er nicht betrunken war, aber seine Finger waren merkwürdig taub, weit weg von den Gedanken, die sie steuerten. *Geschicktes Schneiden ist nötig. Wenn er zu früh geboren wird, wird er nicht alt.*

In dieser verqueren, uneindeutigen Stimmung, in der ein starkes erotisches Verlangen, das er nicht begreifen konnte, gegen eine leichte Übelkeit ankämpfte, hatte er sich nicht dazu zwingen können, viel zu essen, obwohl er hungrig war.

Als er mit der Weinflasche, die er wie einen Siegespreis vor sich her trug, ins Eßzimmer zurückkehrte, kam es ihm so vor, als senkten Gina und Janet, die sich ernst unterhielten, bei seinem Kommen die Stimmen. Die Kerzen flackerten.

»Vielen Dank, Michael, du Schatz! Was *bist* du für ein Schatz!« rief Gina.

Michael schenkte den Wein ein, in drei Gläser.

(Hörte er etwas, oder bildete er es sich nur ein? Und was? Jemand, der sich auf der Einfahrt dem Haus näherte? Schritte oben?)

Worüber die Frauen in seiner Abwesenheit auch gesprochen haben mochten, sie brachen geschickt ab. Gina hatte Janet nach ihrer Fernseharbeit gefragt, und Janet, die das Thema gern aufgriff, redete angeregt und ausführlich in leicht klagendem Ton. Schließlich war sie fünfunddreißig, unverheiratet, kinderlos. Ihre Karriere war ihr Leben, aber was *bedeutete* schon ihre Karriere? Michael machte sich Sorgen um sie, weil sie allein in New York wohnte, aber er wußte, daß er sofort eine Abfuhr bekäme, wenn er sich in dieser Richtung äußerte. Würde er sie fragen, ob sie »jemanden hätte«, könnte es passieren, daß Janet rot anliefe vor Entrüstung über diesen Eingriff in ihre Privatsphäre.

Vor Jahren, als Janet gerade das College verlassen hatte, hatte ihr wohlmeinender älterer Bruder Michael sie beiläufig gefragt, ob sie »jemanden hätte«, und daraufhin hatte Janet spitz entgegnet: »Wenn du meinst, daß ich mit jemandem schlafe – nein, im Augenblick nicht. Okay?«

Okay.

Jetzt sprach Janet von der Familie, von Michaels und ihren Kusinen und Vettern, die sie seit Jahren beide nicht gesehen hatten, und dann sprach sie von ihrer Mutter, mit der Michael alle zwei bis drei Wochen mit dem fröhlich-pflichtbewußten Entgegenkommen eines erwachsenen Sohnes telefonierte.

Störrisch wie immer, wenn sie sich über diesen Gegenstand ausließ, sagte Janet: »In Mutters Leben gibt es irgendein Geheimnis, da bin ich sicher. Aber –« Ihre Stimme verlor sich vage, unschlüssig.

Michael zuckte bloß die Achseln. Es war ein altes Thema, und ihm fiel nichts dazu ein.

Gina sagte aufgeregt: »O ja, das hab ich auch immer gedacht, Janet. Die Art, wie sie mich manchmal ansieht – so mitleidig, *tragisch*. Die Art, wie sie Michael ansieht und die Jungen.« Sie hielt nickend inne. »Besonders die Jungen.«

»Aber sie spricht darüber wohl nicht mit dir? Vertraut sich dir nicht an?«

»Mir – ihrer Schwiegertochter? Bestimmt nicht«, sagte Gina. »Warum auch? Nach all den Jahren wage ich immer noch nicht, sie anders zu nennen als ›Mrs. O'Meara‹. Stell dir vor, ich würde sie ›Mutter‹ nennen!«

»Na ja«, sagte Janet, plötzlich tränenfeucht kichernd, und wischte sich die Nase, »ich dachte, nur so, weil Mutter sich ja nie mit *mir* unterhält, könnte sie vielleicht mit *dir* sprechen.«

Gina beugte sich vor, die Ellbogen auf dem Tisch: »Hat sie je mit deinem Vater geredet? Hat er je mit *ihr* geredet...?«

Michael hörte mit halbem Ohr zu, verwirrt und unruhig. War er gefühllos? – typisch männlich ungehobelt? Beim besten Willen, solche Unterhaltungen, auf die Frauen sich zu stürzen scheinen, als ob Familienbeziehungen so entscheidend wären, waren ihm ein Rätsel. Warum zum Beispiel interessierten sich Gina und Janet so sehr für die ältere Mrs. O'Meara? Interessierten sie sich denn wirklich für sie? Oder war dies rührselige Gerede, angeheizt vom Wein, der späten Stunde, der Abwesenheit Lee Roy Sears', nur die Art Gespräch, in das Frauen einer bestimmten Schicht, Erziehung und Herkunft aus der ungeprüften Vorstellung hineingeraten, daß, ja daß die eigene Mutter, mag sie im Sinne eines umfassenderen gesellschaftlichen Zusammenhangs auch noch so unbedeutend sein, wichtig ist und ihre banalsten Charaktermängel sich zu einem *Geheimnis* umdeuten lassen.

Gina sagte scharf: »Michael, warum lachst du? Was ist so komisch?«

Michael sagte: »Ich lache nicht.«

Er vermutete jedoch, daß er gegrinst hatte. Seine untere Gesichtshälfte tat ihm vor Anspannung weh.

Janet sagte abwehrend: »Ach, das ist eine alte Geschichte. Michael findet, daß ich mit Mutter übertreibe. Mit unseren Eltern. Er denkt, ich bilde mir was ein – was immer das sein mag.«

Michael sagte in der Absicht einzulenken: »Janet, ich glaube, du liebst Mutter sehr und denkst darüber nach, wie du sie glücklich machen kannst; oder weniger unglücklich. Wenn dir das nicht gelingen kann, wie es mir ja auch nicht gelingt, schreibst du es einem besonderen Grund zu. Wohingegen ich –«

»Himmel noch mal, du bist ein Anwalt!« sagte Janet lachend.

»– dazu neige, es als eine Sache des Charakters, der Vererbung, der Gene anzusehen.«

»– ein Anwalt für ein pharmazeutisches Unternehmen!«

Janet lachte, und auch Gina brach in Gelächter aus, als hätte Janet etwas Witziges und nicht etwas – nach Michaels Auffassung – bloß Törichtes geäußert. Helles, klirrendes, glitzerndes Lachen. Michael lief rot an und blickte verdutzt von einer Frau zur anderen.

Janet sagte, nun wieder ruhiger: »O Gott. Ich erinnere mich gerade, wie Mutter mich einmal beiseite nahm, warum, weiß ich nicht mehr, und sagte: ›Kinder kriegen – wenn du eine junge Frau bist, denkst du, das ist die Lösung des Rätsels, wie du dein Leben anpacken sollst. Wenn die Babys dann aber auf der Welt sind, erkennst du, daß das Rätsel erst angefangen hat‹.«

Gina schrie auf und stieß fast ihr Glas um. »O Gott – das hat sie mir auch erzählt! Als Joel und Kenny geboren wurden!«

Michael seufzte; er wußte, daß sich Gina und Janet bei diesem Thema noch länger aufhalten würden. Er wußte, daß seine Mutter diesen kryptischen Aphorismus an Gina weitergegeben hatte, aber er hatte es schon lange vergessen und konnte sich nicht vorstellen, warum das jetzt eine besondere Bedeutung haben sollte.

Keine tiefere Bedeutung als der kryptische Aphorismus seines Vaters: *Wozu sind Menschen da, wenn nicht, um einen hängenzulassen?*

Michael stapelte die Teller auf dem Tisch zusammen, als er zufällig ein Gesicht in der Tür zwischen dem Eßzimmer und der schwach erleuchteten Halle vorbeihuschen sah – klein, geisterhaft bleich, undeutlich im Halbdunkel. Er starrte an Ginas Schulter vorbei, und sein Ausdruck hatte Gina wohl erschreckt, denn sie drehte sich in dem Augenblick, als das Gesicht in der Dunkelheit verschwand, rasch um, um zu sehen, was es war. »Michael, was ist los?« fragte sie.

Michael konnte nicht sprechen. Die Haare in seinem Nakken sträubten sich im wahrsten Sinn des Wortes.

Dann tauchte ein zweites Bleichgesicht im Halbdunkel auf, und jetzt hörte Michael unterdrücktes Lachen und ein Kratzen an der Wand. »Joel! Kenny!« rief er. »Was macht ihr hier unten?«

Die Jungen ergriffen die Flucht. Hastige Schritte in der Halle, ein Geräusch, als rutsche jemand auf einem losen Teppich aus, wieder unterdrücktes Lachen, hell und wild, als sei Daddys Wut das Komischste von der Welt; dann ertönte, während die Erwachsenen dasaßen und auf die Türöffnung starrten, ein freches Kichern dicht hinter ihnen an der Tür zur Küche, durch die erst Joel (oder war es Kenny?) den Kopf steckte und dann Kenny (oder war es Joel?) den Kopf steckte; beide hatten sich hingehockt, so daß ihre Köpfe unerwartet dicht am Boden auftauchten. Was für eine Unverschämtheit! Mit dem gleichen Grinsen und der gleichen Krähstimme verlangten Joel und Kenny zu wissen: »Wo ist er? – Mr. Sears?« und: »Wo ist er? – Mr. *Sears*?«

Gina legte sich die Hand auf die Brust, als müsse sie ihr heftig klopfendes Herz beschwichtigen. Ihre Augenlider flatterten. Atemlos schalt sie: »Was fällt euch beiden ein! Uns so zu erschrecken!«

Michael war aufgesprungen. »Das ist nicht komisch, Joel! – Kenny! Untersteht euch!«

Das brachte die Zwillinge erst recht zum Kichern. Fast einstimmig schrien sie: »Wo ist er?« und: »Wo *ist* er?«

Michael ging drohend auf sie zu, während sie schon kreischend und lauthals lachend zusammenprallten und durch die Küche, wo sie etwas umstießen, in die rückwärtige Halle und die Hintertreppe heraufrannten, mit den bloßen Fersen auf die Stufen stampfend, als seien sie nicht siebenjährige Jungen, sondern viel älter, schwerer. Der Schrei: »Wo ist er!« und sein Echo: »Wo! ist! er!« dröhnte durchs Haus.

Als sei dies ein vertrautes nächtliches Spiel und keine einmalige Trotzhandlung, stand Michael in der Halle, hielt die Hände vor den Mund und rief: »Marsch ins Bett, ihr beiden! Los jetzt! Marsch ins Bett!« Er wagte nicht daran zu denken, daß seine Schwester ihn für einen Vater halten könnte, der seine Söhne nicht unter Kontrolle hatte.

Von oben kam das Geräusch scharrender Schritte und das nachäffende Geheul: »Marsch ins Bett! Ins Bett! *Bett!*«

Nach einer Weile kehrte wieder Ruhe ein. Es war freilich eine in diesem Haushalt immer häufiger auftretende Ruhe, der Michael O'Meara nicht trauen konnte.

Gina leerte ihr Glas und stieß es beim Absetzen fast auf den Tisch. Sie warf Janet einen Blick zu, der Belustigung ausdrükken sollte, aber ihre Stimme klang heiser und brüchig. »Na! möchtest du vielleicht gern Mutter sein?«

»O ja«, sagte Janet emphatisch, »– und ob!« Mit jener singenden Fersehstimme, die – offen, klar, aufrichtig – vollkommen unüberzeugend war.

Nach diesem langwierigen, sorgenvollen, erschöpfenden Tag endlich im Bett, küßte Michael O'Meara seine Frau auf die Augenlider, die feucht waren von Tränen der Kränkung und Enttäuschung, streifte ihr sacht die Achseln des seidenen Nachthemds von den Schultern, um ihre Brüste zu küssen. Ach, sanft – ehrerbietig! Er achtete darauf, sein sexuelles Begehren zu verbergen, denn er wußte, daß ein solches Verlangen zu dieser Nachtzeit und unter solchen Umständen ihr zuwider oder doch zumindest lästig sein konnte.

Ginas schöne Brüste! Klein, sehr blaß, seltsam kühl, zartbläulich geädert, die rosenfarbenen Brustwarzen scheinbar so unberührt wie bei einem jungen Mädchen und, soweit Michael das im Lampenlicht erkennen konnte, nirgendwo blaue Flecke, kein verräterisches Zeichen einer Versehrung.

Eingeschlafen, ohne zu schlafen. In den Fallstricken des Schlafs, ohne es zu wollen. Er strengte sich an aufzuwachen, ging aber vorsichtig, klug zu Werke, spannte den Körper an, die Muskeln, ein Kampf auf Leben und Tod, obgleich die Stimme johlte, *Michael war ebensowenig in Vietnam wie ich,* und plötzlich sah er, als ob ihm ein Schleier von den Augen gezogen würde, was ihn hier festhielt, ihn niederrang, ihm den Sauerstoffvorrat zu entziehen suchte: die Figur, ein mißgestalter Zwerg mit einem klaffenden Loch im Leib, sich wälzende Schlangen statt Eingeweiden, starrende Augenhöhlen und ein grinsender Schlitzmund.

Und der Gestank! Ekelerregend!

Wie nach Phenol oder Chlor!

Michael zwang den gräßlichen Zwerg zu Boden, drückte ihm die Kehle zu. Nieder mit dir, nieder! Laß mich in Ruhe! *Stirb!* Gleichzeitig gelang es ihm, sich wachzurütteln, und er wachte auf, schweißgebadet, zitternd, wußte mehrere verwirrte Sekunden lang nicht, wo er war. Gina, seine schöne Frau, die neben ihm tief, dumpf, weintrunken geschlafen hatte, murmelte, kaum fähig, ihren Ärger zu unterdrücken: »Ja, Liebling, ist ja gut – wir sprechen morgen darüber.«

TEIL V

1

Wo war er? – Er war in der FEUERZONE.

In all den Monaten jenes Sommers in der FEUERZONE. Beim Modellieren mit Ton. Die Hände tastend, knetend. Bohrende Finger. In Trance arbeitend, einer dunstigen schweißtreibenden Trance, die waren nicht so dumm, Lee Roy Sears in der FEUERZONE zu stören.

Selbst auf der Treppe zum Bewährungsamt in der Twelfth Street, beim Eintritt in H. Sigmans Büro war er in der FEUERZONE.

Selbst im Parkhaus in Putnam bei der Drecksnachtarbeit für Kanakenlohn, wo er den Riesenbesen über den Boden schieben und Abfall mit der Hand rausholen muß, war er in der FEUERZONE sicher.

(In der ersten Septemberwoche gibt er den Job auf. Sagt den Arschlöchern, sie können ihn mal. Läßt es bei H. Sigman drauf ankommen, dem Lee Roy Sears' reiche Freunde und Anhänger da drüben in Mount Orion imponieren – sie *sollen* dem Arschloch auch imponieren.)

In der FEUERZONE zuckt Schlangenauge mit offenen Augen im Schlaf. Fest zusammengerollt, bereit zuzuschlagen, falls ein Feind zu dicht rankommen sollte.

Jawohl, aber *er* war sicher: Er trug langärmelige Hemden, wenn er in Mount Orion war, manchmal sogar beim Trainieren mit Hanteln, Gewichten, was, schätzt er, ihm (und Schlangenauge) nützt.

Öliger Schweiß rinnt ihm in Strömen übers Gesicht, über den Körper.

In der FEUERZONE ist das okay. Damit kann er fertigwerden.

Brauchte schon ein paar Tage lang nicht mal mehr Medikamente. Den Sommer über.

Ausgerechnet die Ärzte, die Psychiater, die ihr Geld nur kriegen, um einem Angst einzujagen, was wissen die schon? Die Blödmänner haben doch von keinem Scheiß eine Ahnung. Keine Ahnung von Lee Roy Sears. Nee, von ihm bestimmt nicht.

Hat ihnen erzählt, ja, klar nimmt er das Chlonopramane, zweimal täglich, zu den Mahlzeiten. Hat ihnen erzählt, er ist clean – keinen Stoff, keinen Alkohol, nicht mal Zigaretten. Hat das H. Sigman geschworen und ihm dabei grundehrlich in die Augen gesehen, Lee Roy Sears, glattrasiert, mit leiser Stimme und respektvoll angezogen mit Jacke, weißem Hemd, Schlips. Hält sich an die ausgedruckten BEWÄHRUNGSREGELN, ja klar, *er* geht mit Sicherheit nicht mehr in den Knast zurück.

Eins stand fest, wie sich Lee Roy Sears innerlich schwor: Er würde nie wieder süchtig werden. Nie wieder Heroin, diesen Shit – Heroin ist was für Verlierer.

Okay, vielleicht mal Koks, hier und da mal was trinken, heimlich. In der FEUERZONE, wo's sicher ist. (Falls Valeria Darrell dafür löhnte. Reiche Fotze, wenn sie so wild aufs Löhnen ist – Wahnsinn!)

In der FEUERZONE wie in Nam, wo man alles machen kann, was man will oder gerade nötig hat. Mit allem und jedem. Die Kraft tief innen.

Wenn er die damals gehabt hätte. Wenn er damals davon gewußt hätte. Vor dreißig Jahren. Sein Stiefvater, der ihn mit einem Mop verprügelte, einem dreckigen nassen Mop, die anderen Kinder standen dabei und lachten über Lee Roy Sears, der sich in die Hosen machte, und sein Stiefvater (ein Noname: bleiches aufgedunsenes Gesicht, beleidigte Glotzaugen), nun erst recht richtig wütend, schlug, haute, stieß mit dem Mopstiel auf ihn ein, versuchte ihm das Auge auszustechen. Und alle lachten.

Wenn er da schon seine Kraft gehabt hätte.

163

Schlangenauge zuckte, sehnte sich danach, lebendig zu werden.

Vor Jahren, vor Hunsford, vor Nam, als er zum Militär ging, hatte er einen mageren, drahtigen, sehnigen Körper gehabt – er war nicht einer von diesen Bodybuilderfreaks gewesen, schon gar nicht einer von diesen Schwulen mit blondgebleichtem Haar, er hatte gut ausgesehen, knallhart, Muskulatur ist ein Panzer, das einzige, womit sich ein Mann Respekt bei anderen Männern verschaffen kann. (Ein Messer oder eine Knarre verschafft einem zeitweilig Respekt, aber wenn sie dir die wegnehmen, bist du doch nur'n kleiner Gauner.) Jetzt, mit Vierzig, baute er seinen Körper systematisch wieder auf, drückte sich das vergiftete Blut, die Schwäche, für die er sich schämte, tropfenweise aus den Adern.

In der FEUERZONE gibt es weder Schwäche noch Scham.

Drei Trainingsstunden pro Woche in der schmutzigen kleinen Turnhalle in der Nähe vom Wohnheim in Putnam. Immer mit der Ruhe. Bloß nicht fanatisch werden. Bizeps, Trizeps, Quadrizeps. Klimmzüge, Langhantelrudern, Heben und Stemmen, Kabelziehen. Hocke. Beindrücken. Dehnen und Verkürzen. Schulterdrücken. Deltamuskeln, Brustmuskeln. Hanteln. Den Muskel elektrisieren – ihn zum Leben aktivieren.

Zum *Widerstand,* also zum Leben.

Im April, grade aus Hunsford entlassen, wog Lee Roy Sears sechzig Kilo.

Im September wog Lee Roy Sears vierundsiebzig Kilo.

Hals, Schultern, Oberarme zeigten das am deutlichsten. Er sah auch besser aus. Stolz. Bestärkt in seiner Männlichkeit.

Schlangenauge war ebenfalls gewachsen. Fest zusammengerollt auf Lee Roy Sears' linkem Unterarm, die ganze goldgeschuppte Strecke schimmernd vor Muskelkraft.

Meistens weigerte sich Lee Roy Sears, über seine körperliche Ertüchtigung zu sprechen. Würgte neugierige Fragen, wieviel er zugenommen hatte an Größe und Gewicht, von vornherein ab.

Er war ein Künstler, Kunst war seine Berufung.

(Scheiße, er mußte echt lachen! – wie die Leute ihn inzwischen ansahen, mißtrauisch, wachsam, respektvoll. Zum Beispiel seine »Studenten« im Center – Fiske, Scarf, Bishop, besonders der Fettarsch Bishop –, die Lee Roy Sears anstarrten, wenn sie dachten, er würde es nicht merken. Aber nicht wagten zu fragen.)

(Und die O'Mearas. Neulich war er zum Abendbrot bei ihnen, das erste Mal seit Wochen, daß er sie wiedergesehen hatte, sie waren weggefahren »ans Meer«, wie sie sagten, hatten Lee Roy Sears *nicht* eingeladen, aber verdammt, er nahm ihnen das nicht übel, er liebte sie, die O'Mearas waren seine engsten Freunde auf der Welt, *seine* Familie, und die Zwillinge waren ganz wild auf ihn, obwohl, sie hatten auch etwas Angst vor ihm, aber Schlangenauge beißt euch nicht, nee keine Sorge, der beißt *euch* doch nicht. Und er hatte die Zwillinge beim Spielen hochgehoben, in jeder Armbeuge einen kleinen Jungen, und Gina O'Meara hatte zufällig gesehen, wie seine Schultermuskeln am Schwellen waren, und sie hatte geblinzelt und hingestarrt und mit schwacher, atemloser, verwunderter Stimme gesagt: »Na so was, Lee Roy – was ist denn mit Ihnen passiert?« Daraufhin hatte er irgendwas von »Training« – »Gewichtheben« – in seinen Bart gebrummelt, um deutlich zu erkennen zu geben, daß er das Thema nicht weiter verfolgen wollte, aus Bescheidenheit. Michael O'Meara hatte das Ganze mitgekriegt, aber nichts gesagt, weil er eben Respekt hatte vor Lee Roy Sears' Privatbereich.)

»Ich stehe außerhalb der weißen Rasse«, hatte er ihnen gesagt, mehr als einmal hatte er ihnen das im Lauf der Jahre gesagt, und jetzt ebenfalls, seitdem er sein neues Leben in New Jersey führte, aber die Miststücke konnten das anscheinend nicht begreifen. Weil Lee Roy Sears weiß aussah, mußte er ja nicht weiß *sein*.

Das letzte Mal, wo er davon sprach, hatte eine – wer war das noch? Valeria? Oder Somersets Assistentin Jody? Oder Janet, die scheißscharfe Fernsehtante? Oder *war es Gina?* – ihn angesehen, als müßte sie ihm gleich ins Gesicht lachen, sich dann aber schnell anders besonnen, weil sie sah, was in seinem Gesicht los war.

Die Hand – Glitzerringe, lackierte Nägel, Knochen, die Lee Roy Sears in Sekundenschnelle zerquetschen könnte – an den Hals gelegt und *oh!* gehaucht.

Das machten die immer. Die Miststücke. Weiße Miststücke.

Blickten in Lee Roy Sears' Rasputin-Augen, wobei ihnen das Lächeln verging.

Fühlten die Hitze, den Pulsschlag von Schlangenauge, obwohl sie ihn nicht leibhaftig, in Aktion sehen konnten.

Außer der Darrell-Fotze neulich nachts in ihrem Millionen-Dollar-Haus, das ihr irgend so ein Trottel von Ex-Mann überschrieben hat; und wie Lee Roy Sears sich ausgezogen hat, hat sie Schlangenauge zum ersten Mal gesehen, richtig deutlich, da war sie auf'm Kokstrip und dazu noch betrunken; ja aber als sie Schlangenauge sah, wurde sie schnell nüchtern; da wird die ganz bleich in ihrem nicht mehr neuen Gesicht, alles nur noch Schminkkruste, so'ne kränkliche fahle Orangefarbe wie getrocknete Kotze, und die steht da plattfüßig in Strümpfen, nicht auf ihren irre hohen Hacken, so daß sie wie abgekürzt wirkt, pummelig, und ihr gefärbtes gelbrotes Haar synthetisch wie'ne Perücke, starrt Schlangenauge da auf Lee Roy Sears' Unterarm wie hypnotisiert an – die ist schon scharf und will zubeißen: »O Gott, Lee Roy, was ist das denn! Ist das eine *Schlange!*«

Und er lacht über sie, grinst sie breit an, hält ihr Schlangenauge hin, läßt die Muskeln spielen, damit Schlangenauge zuckt, und sie stolpert rückwärts, er hinter ihr her, Mensch, muß er lachen über das Gesicht der reichen Fotze mit den Augen, die sich wie winzige Windräder drehen. »Nee, Süße, der beißt dich nicht. Für *dich* hab ich was anderes in petto.«

Sie hatte gestöhnt und geweint, heiße Tränen, was ihm peinlich war, das ganze Gesicht vollgeschmiert mit Schminke und die blassen fleischigen Lippen von den Zähnen weg hochgezogen, sie sagte, sie liebt ihn, o Gott sie liebt ihn, noch nie jemand so wie ihn, noch nie in ihrem Leben, wobei sie mit den Fingern über Lee Roy Sears' Rücken strich, wo sich eine alte Narbe wie ein Reißverschluß schräg hinzog, achtunddreißig Zentimeter lang, mit kleinen Falten in der Haut, von der sie gemeint hatte, daß es eine Vietnam-Verwundung war, und er hatte das nicht richtiggestellt, scheiß drauf, die Narbe ging niemanden was an, die hatte ihm ein Wärter in der Jugendhaftanstalt in Watertown beigebracht, der war mit einem Stück Stacheldraht auf ihn losgegangen, als er siebzehn war.

Hinterher hatte sie sich ein Tuch voll mit kaltem Wasser an die Nase gedrückt, um die Blutung aufzuhalten. Er hatte nicht vorgehabt, sie zu schlagen – oder was?

Nee, *er* doch nicht.

Er wollte die alle nie schlagen, aber manchmal passierte es eben.

Wieso, verdammte Scheiße, hatte *er* schuld? – manchmal passierte es eben.

Besonders in der FEUERZONE konnte es passieren.

An einem naßglänzenden Septembertag im vierten Monat seiner Bewährungszeit arbeitete Lee Roy Sears frühmorgens allein in seinem Atelier im Dumont Center, Finger, die schnell und geschmeidig packend knetend grabend ziehend im feuchten Ton wühlten, Mensch, wie gut er drauf ist, wie er abhebt in die FEUERZONE wo keiner von euch Arschlöchern ihm folgen kann.

Das ist der Morgen nach der Nacht, in der er seinen Job im Parkhaus in Putnam geschmissen hat. Bekam Zoff mit dem Verwalter, setzt dem Scheißkerl die Handkante auf die Brust und gibt ihm einen Schubs, hatte nicht gewußt, daß Lee Roy Sears so stark war, hä? – also kriegt der Typ die Panik. Okay, Lee Roy Sears wird deswegen noch von seinem Bewährungshelfer hören, aber er ist überzeugt, er kriegt das hin, er hat ja diese reichen Freunde da in Mount Orion, er hat Michael O'Meara, den berühmten Rechtsanwalt, gerade jetzt ist er gut drauf, formt Ton, wie er noch nie in der Geschichte der Menschheit geformt worden ist, er hat seit gestern nicht mehr geschlafen oder war es vorgestern? – scheiß drauf, ist ja egal.

In der FEUERZONE brauchst du keinen Schlaf.

Er schlägt den Ton, knetet ihn, höhlt ihn aus – das wird keine von seinen männlichen Figuren, diesmal entsteht eine weibliche, eine Frau, ein junges Mädchen, ja Lee Roy Sears hat sie noch in Erinnerung, genau sie, flaches Asiatengesicht und zarte Hautfalten an den Augen, in seiner Hand ist sie noch lebendig, liegt zusammengekrümmt auf dem Rücken, die Beine breit, weit gespreizt, fast wie abgebrochen, ein zerfranstes ausgestochenes Loch zwischen den Beinen, und der Kopf im Todeskampf zurückgedreht.

Er hatte ihr das nicht angetan, mit dem Bajonett. Er hatte nicht mal richtig gesehen, wer es getan hatte.

2

Dann begann es.

Hinterher, als sich der Alptraum endlich verflüchtigt hatte und ihm das Leben als Michael O'Meara wiedergegeben worden war, meinte er, daß es an diesem Tag begann, einem Freitag, Mitte Oktober: Als seine Sekretärin in sein Büro trat und eine Konferenz unterbrach, um ihm zu sagen, daß Mrs. O'Meara ihn am Telefon zu sprechen wünschte – »Sie sagt, es ist dringend.«

Michael entschuldigte sich höflich, um den Anruf in einem anderen Zimmer entgegenzunehmen. Seine Kollegen bemerkten möglicherweise, daß er selbst in dieser schwierigen Situation Haltung bewahrte und kein Anzeichen der Angst erkennen ließ.

Ein idealer Anwalt! – der warmherzigste und freundlichste Mensch und so *beherrscht*.

Allerdings nahm er den Hörer im angrenzenden Büroraum mit zitternder Hand auf, denn Gina hatte, seit er zurückdenken konnte, seit der turbulenten Zeit ihrer Schwangerschaft nie wieder eine von Michaels Besprechungen unterbrochen; sie kannte den Druck, unter dem er stand, und wußte sehr wohl, daß es ihr als seiner Frau zum Vorteil gereichte, wenn sie ihn so wenig wie möglich ablenkte. Der Leiter der Rechtsabteilung von Pearce Pharmaceuticals, Inc., konnte sich Ablenkungen kaum leisten.

Das Stoßgebet *Mach, daß es nicht unsere Jungen sind* fuhr ihm durch den Sinn.

Er fragte Gina, was los sei, und sie überschüttete ihn mit

einem aufgewühlten, erregten, aber auch nörglerischen Wort-schwall, so daß er gleich begriff, es konnte keine nieder-schmetternde Nachricht sein. Gott sei Dank auch keine fami-liäre: Irgendwie hing es mit Clyde Somerset zusammen, der Gina wegen einer Beschwerde über Lee Roy Sears angerufen hatte.

Gina sagte atemlos: »Clyde ist schrecklich aufgebracht, Michael, er wollte mit dir persönlich sprechen, du weißt ja, wie er manchmal ist – diese aristokratische Art, die er hat, die ist im Grunde nur aufgesetzt, die fällt sofort in sich zusam-men, wenn sie in Frage gestellt wird! – und anscheinend hat Lee Roy Sears das heute nachmittag im Center getan, sie ha-ben sich wohl ziemlich gestritten, und Clyde hat mich angeru-fen und wollte dich unbedingt sprechen, er hat nach deiner Durchwahl dort gefragt, aber natürlich habe ich sie ihm nicht gegeben. Ich habe allerdings gesagt, daß ich dich anrufen würde, und ihm versprochen« – hier senkte Gina fast schuld-bewußt die Stimme, so daß Michael sie wegen der Hinter-grundgeräusche sekundenlang kaum verstehen konnte, »– daß du heute nachmittag auf dem Nachhauseweg beim Center vorbeikommen würdest –«

Es war absurd von Gina O'Meara, so etwas zu sagen, denn natürlich hatte das Dumont Center schon lange geschlossen und Nachtbeleuchtung, wenn Michael aus dem Büro nach Hause kam. Gina wußte das, und Michael wußte, daß sie es wußte, und doch konnte er ihren Standpunkt verstehen, denn weder hatte sie Clyde zusätzlich aufregen noch Michael vor-schlagen wollen, er solle seine Nachmittagsbesprechung un-terbrechen, um zum Center und dann wieder zurück zu Pearce zu fahren – so gesehen, ein haarsträubender Vorschlag. Auf diese Lösung müßte Michael wohl selber kommen.

Er sagte: »Gut, Gina, aber was ist nun? Wieder mehr oder weniger dasselbe mit Mal Bishop?«

Vor etwa zwölf Tagen hatte Mal Bishop für Unruhe im Du-mont Center gesorgt, als er in seinem elektrischen Rollstuhl in Clyde Somersets Büro gefahren war, um seinen früheren Leh-rer Lee Roy Sears des Diebstahls zu beschuldigen: Bishop hatte Clyde mehrere seiner Ölbilder und eine Unmenge von Kohleskizzen gezeigt, um seine Behauptung zu untermauern, daß Lee Roy Sears sich gewisse Ideen von ihm für seine Tonfiguren angeeignet habe. (Bishop war im Lauf des Sommers aus dem Kunsttherapieprogramm ausgeschieden. Fiske und Scarf hatten weiter mitgemacht, sechs andere waren im September dazugekommen.) Clyde hatte Bishop, einem lautstarken Egomanen, wie er fand, höflich zugehört, seine Beschuldigungen freilich als unhaltbar – unbeweisbar – abgetan. Er hatte Michael O'Meara gegenüber geäußert, daß die Kunstwerke beider Männer ziemlich schwer zu verdauen seien.

Gina sagte hastig: »Nein, es hat nichts mit diesem schrecklichen Mann zu tun, ich fürchte, es ist ernster. Du kennst ja Julia Sutter« – Julia Sutter war die Witwe eines vermögenden Philantropen aus Mount Orion, eine Frau Mitte Achtzig, die dem Dumont Center seit seiner Gründung Hunderttausende von Dollar gestiftet hatte – »also Julia und ein paar ihrer Freundinnen nehmen an einem Keramikkurs im Center teil und haben das Kunsttherapie-Atelier besucht, und sie haben da irgend etwas von Lee Roy Sears gesehen, was sie wahnsinnig aufgeregt hat – eine Frau ist fast in *Ohnmacht* gefallen. Clyde hat die Stücke so anschaulich beschrieben, daß *ich* sie nicht sehen will, das weiß ich jetzt schon! Julia hat sich daraufhin natürlich bei Clyde beschwert und verlangt, daß die Arbeiten aus dem Center entfernt werden, sie behauptet, sie seien obszön, und Clyde ist der Sache nachgegangen, und auch er war empört und geschockt. Also hat er mit Lee Roy gesprochen, und Lee Roy hat sich geweigert, darauf einzugehen, und –«

So entfaltete sich die komische kleine Erzählung. Michael hörte mit erhöhtem Puls zu, als hätte man ihn und nicht Lee Roy Sears beleidigt.

War das nicht typisch für Clyde Somerset – sich damit zu brüsten, einen Freiraum für verstörte Männer geschaffen zu haben, wo sie ihre Dämonen durch Kunst austreiben konnten, und sich dann auf die Seite der Banausen zu stellen, die an eben dieser Kunst Anstoß nahmen. Michael fiel Gina mit der Frage ins Wort: »Was soll ich eigentlich tun, Gina? Erwartet

Clyde allen Ernstes von mir, daß ich Lee Roy Sears überrede, sich *zensieren* zu lassen?«

In heiterem Ton, allerdings ausweichend, als habe sie ihre Aufmerksamkeit für einen Augenblick etwas anderem zugewandt, antwortete Gina: »Liebling, ich weiß nicht, aber irgend etwas mußt du tun – du mußt zwischen Clyde und Lee Roy vermitteln. Clyde droht tatsächlich, Lee Roy das Center-Stipendium zu entziehen! Er sagt, daß Lee Roy sich gegen ihn und Julia Sutter unverschämt aufgeführt hat, daß er in letzter Zeit auch unverschämt zu den Mitarbeitern des Center gewesen ist, daß er sich dauernd auf die Hinterbeine stellt und nie auf Mal Bishops Anschuldigungen eingegangen ist. Du weißt ja, Lee Roy kann sich manchmal nicht beherrschen, wie ein Kind. Aber wahrscheinlich übertreibt Clyde auch –.«

Während Gina sprach, war im Hintergrund verschwommen ein plätscherndes Gewoge wie von vielen Stimmen zu vernehmen, durchsetzt von helleren, metallisch klingenden Geräuschen. Es sah Gina nicht ähnlich, tagsüber den Fernsehapparat laufen zu lassen oder ein vertrauliches Telefongespräch zu führen, wenn Marita gerade das Haus saubermachte und in Hörweite war. Oder hatten Joel und Kenny Schulkameraden zum Spielen mit nach Hause gebracht?

Michael fragte schließlich: »Gina, was ist denn los? Warum ist da so ein Lärm?«

Es entstand eine kleine Pause, dann sagte Gina: »Ich bin nicht zu Hause, ich spreche aus einem Hotel.«

»Einem Hotel?«

»Ich meine, aus einer Hotel*halle*. Ich habe ein Mittagessen im Hyatt« – als hätte Gina in dieser brandeiligen Situation keine Zeit gehabt, sich einen anderen Ort, ein Restaurant oder einen Club näher von zu Hause auszusuchen. (Das luxuriöse neue Hyatt-Regency lag siebzehn Kilometer entfernt im Vorort Green Ridge, New Jersey.)

Michael sagte verblüfft: »Aber ich dachte, Clyde hat dich zu Hause angerufen.«

Gina sagte, sofort in Abwehrhaltung: »Hat er auch. Er hat mich ausrufen lassen. Liebling, ist das ein Kreuzverhör?«

Hätte er mehr Zeit gehabt und klarer denken können, hätte sich Michael O'Meara vermutlich Gedanken darüber gemacht, woher Clyde Somerset wissen konnte, daß er Gina in aller Öffentlichkeit im Hyatt ausrufen lassen mußte, um mit ihr zu sprechen; es sei denn – war es wahrscheinlicher? –, er hatte seinen Mitarbeitern Anweisung gegeben, bei allen möglichen Restaurants und Hotels in der Umgebung herumzutelefonieren, weil er annahm, daß Gina an einem Wochentag in einem von ihnen zu Mittag essen würde.

Und mit wem?

Doch darüber dachte Michael nicht weiter nach, denn nachdem er den Hörer mit dem Versprechen auflegte, schnell zum Dumont Center zu kommen, um in die Auseinandersetzung zwischen Clyde und Lee Roy Sears klärend einzugreifen, hatte er über zuviel anderes nachzudenken. Eine Woge widerwärtiger Ahnungen, Ängste, Aufregungen überschwemmte ihn. *Banausen. Feinde.*

Hinterher würde er sich an diesen Tag, an dem die Schwierigkeiten anfingen, mit Ingrimm erinnern: Freitag, den 18. Oktober; sein Blick blieb an dem Datum auf seinem Kalender hängen, als müßte er es auswendig lernen. Er mochte nicht daran denken, daß die Schwierigkeiten vielleicht schon vor Jahren angefangen hatten, an jenem strahlenden Maimorgen 1983 bei der Verhandlung in Hunsford, als er Lee Roy Sears zum ersten Mal erblickte.

Im Büro goß sich Michael rasch einen Drink ein, gut zwei Zentimeter Scotch in ein Becherglas; er schluckte einen Tranquilizer – die kleine blaßgrüne Pille Liloprane.

Sagte seiner Sekretärin, er müßte schnell in einer Privatangelegenheit nach Hause – »fast ein Notfall, aber nicht ganz« –, würde aber voraussichtlich innerhalb von anderthalb Stunden wieder im Büro sein.

Stieg in seinen Mazda und fuhr los. Zurück nach Mount Orion.

Beruhigte sich auf dem Parkway etwas, weil ihm der

Scotch und das Liloprane in erwärmender Mischung wohltuend durch die Adern strömten.

(Es bleibt anzumerken, daß Michael O'Meara selten Medikamente nahm. Er gehörte zu jenen Amerikanern, die selbst die Einnahme von Aspirin stoisch verweigern. Meistens.)

(Es bleibt anzumerken, daß er strenggenommen kein Rezept für Liloprane hatte, daß es aber als eines der gewinnbringendsten Psychopharmaka von Pearce Pharmaceuticals in Michaels Büro ohne weiteres zur Verfügung stand. Was kann eine einzelne Pille schon schaden? Unter diesen Umständen?)

(Jedenfalls beschwichtigten das Liloprane und der Scotch fast augenblicklich das leise Schuldgefühl, das er spürte, als er das Liloprane und den Scotch schluckte. Denn das war der Zweck von Liloprane und Scotch.)

In den vergangenen sechs Wochen hatte Michael O'Meara wohl noch härter als gewöhnlich für Pearce, Inc., gearbeitet. Die Schadenersatzklage mit einem Streitwert von 10 Millionen Dollar war zugunsten von Pearce beigelegt worden; doch erst in der vorhergehenden Woche hatte die Familie eines Fabrikarbeiters aus Memphis, der unter dem Einfluß des von Pearce hergestellten Antidepressivums Peverol blindwütig sieben Menschen und sich selbst mit einem AK-47 Schnellfeuergewehr getötet hatte, dem Unternehmen klagevorbereitende Schriftstücke zugestellt. Die Anwälte der Familie des Toten brachten vor, daß Peverol, allgemein als »Wunderheilmittel« gegen Depressionen bezeichnet, bei gewissen Patienten maniforme Zustände, Suizidalität und gewalttätiges Verhalten auslöste... Diesmal wurde Pearce, Inc., auf 50 Millionen Dollar Buße und Schadenersatz verklagt.

Leider kam der Untersuchungsbericht des Coroners aus Memphis zu dem Schluß, daß die von dem Toten seinerzeit eingenommenen Medikamente, zu denen auch, aber nicht nur, Peverol zählte, sein Verhalten möglicherweise beeinflußt hatten. Um diese Behauptung zu widerlegen, würden daher Michael O'Meara und seine Mitarbeiter so vorgehen müssen, daß –

»Aber warum denke ich ausgerechnet *jetzt* daran? – *jetzt* ist wahrhaftig nicht der richtige Zeitpunkt dafür.«

Er fuhr mit fünfundzwanzig Kilometern über Höchstgeschwindigkeit, doch mit gewohntem Geschick und Fingerspitzengefühl den Garden State Parkway entlang, eine ihm beinah allzu vertraute Strecke. Die Chemie seines Hirns hatte sich nur geringfügig und durchaus günstig verändert. Obschon er merkte, daß er das Lenkrad so fest umklammert hielt, daß seine Finger knochenweiß aussahen.

Ein Künstler. Kunst ist seine Berufung.

Wenn er zu früh geboren wird, wird er nicht alt.

Zum Glück war Janet O'Mearas Fernsehinterview mit Lee Roy Sears recht beachtlich, ja, erstaunlich gut geworden. Aus irgendeinem Grund war die Sendung auf einen Sonntagmittag im August verschoben worden, aber die O'Mearas hatten sie in ihrem gemieteten Sommerhaus auf Cape Cod gesehen. (So auch Joel und Kenny, die den TV-Auftritt ihres Freundes Mr. Sears gespannt verfolgt hatten.) Wie Michael vermutet hatte, war der kontroverse Teil herausgeschnitten worden. Es schien, als hätte es Lee Roys maßlosen Temperamentausbruch nie gegeben, und das Gespräch zwischen ihm und Janet war größtenteils herzerfrischend optimistisch und blieb im verbindlich-allgemeinen Rahmen. (»Glauben Sie, daß Kunst ein gutes, heilsames, normales Ventil für alle Männer und Frauen ist, nicht bloß für diejenigen, die unter einem Trauma leiden?« hatte Janet gefragt, und Lee Roy hatte wie ein dressierter Hund erst unschlüssig, dann entschiedener genickt und dabei seine schiefen Zähne gezeigt.) Die Kunst der Veteranen wurde kurz und flüchtig abgehandelt, was wahrscheinlich nur gut war. Clyde Somerset war über die Publicity erfreut, »*hoch*erfreut«.

Was Michael Sorgen machte, war der Umstand, daß Janet in den Monaten danach mehrmals nach Mount Orion zurückgekehrt war, angeblich zu dem Zweck, einen Artikel, eine »Drucksache«, wie sie es nannte, über Lee Roy Sears zu schreiben. Sie war mit dem Interview ganz und gar nicht zufrieden – Fernsehen, klagte sie, sei so begrenzt. Zweimal hatte sie bei den O'Mearas gewohnt, aber ein oder zweimal war sie in Mount Orion gewesen, ohne sie überhaupt nur anzurufen. Wollte sie Lee Roy ausführlich interviewen? Erforschte sie seine Vergangenheit? Bei dem Gedanken wurde Michael unbehaglich zumute.

Gina sagte hinterhältig: »Wenn ich deine Schwester nicht kennen würde und keine Achtung vor ihrer Intelligenz hätte, würde ich fast denken, sie läuft Lee Roy nach.«

»Ihm nachlaufen? Wieso?« fragte Michael entsetzt.

Gina lächelte nur. »Wenn ich sie nicht kennen würde.«

Das letzte Mal, als sie sich gesprochen hatten, waren sie fast aneinandergeraten, weil Janet Lee Roy Geld geliehen hatte. Michael riet dringend ab – »Die vielen Jahre im Gefängnis haben ihn abhängig gemacht, er muß unabhängig werden.« Er erwähnte nicht, daß er und Gina ihm insgesamt mehrere hundert Dollar »geliehen« hatten, die er aller Voraussicht nach in absehbarer Zeit nicht würde zurückzahlen können. Janet sagte abwehrend: »Ich leihe Lee Roy Sears kein Geld, ich schenke es ihm auch nicht. Ich investiere vielmehr in seine Zukunft als Künstler.« Janet schien trotz ihrer Cleverness überzeugt zu sein, daß eine Galerie in New York Lee Roy Sears' Werk bald ausstellen und damit seine Karriere als neuer amerikanischer Künstler lancieren würde.

Nicht daß Michael O'Meara nicht an das Talent seines Freundes glaubte, aber –!

Dieses Hirngespinst einer New Yorker Galerie und der damit verbundenen Aussicht auf Ruhm und Geld – Michael wußte, daß das auf Valeria Darrell zurückzuführen war, die Lee Roy Sears den ganzen Sommer über unermüdlich verfolgt hatte. Sie behauptete, von ihm »gefesselt« zu sein, bestritt jedoch, eine »romantische Beziehung« zu ihm zu haben – schließlich war der Mann ein ehemaliger Häftling. Ganz Mount Orion rätselte: Waren die beiden ein Liebespaar? Erwiderte Lee Roy Sears das Interesse der älteren Frau? Oder war Valeria nur freundlich, wenn sie Sears in ihr hochaktives und nicht gerade hochselektives geselliges Leben einbezog? Oder war dies alles nur Gerücht und entbehrte jeder Grundlage? Lee Roy verhielt sich wie ein Gentleman oder vorsichtig, wenn er von Valeria sprach; eigentlich sprach er nie von ihr, es sei denn, Michael erkundigte sich indirekt, bemüht, nicht das geringste Anzeichen von Eifersucht oder Mißbilligung zu zeigen (denn in Wahrheit empfand er keins von beiden), nach Lee Roys »anderen« Freunden in Mount Orion. Gina lehnte es einfach ab, sich zu erkundigen.

Sie *war* eifersüchtig, und sie mißbilligte. Obwohl Lee Roy Sears sichtlich großen Respekt vor ihr hatte und in ihrem Beisein oft kein Wort herausbrachte, konnte sie das nicht besänftigen. »Ich werde es Valeria nie verzeihen, daß sie Lee Roy an dem Abend abgeschleppt hat«, sagte Gina mit einem wütenden kleinen Lächeln, »und das weiß Valeria auch sehr wohl.«

Was Lee Roy selbst betraf, so hatte ihm Gina schon seit langem verziehen. Er war naiv, und er war ein Mann; man konnte von ihm nicht erwarten, daß er das Protokoll des gesellschaftlichen Verkehrs in Mount Orion durchschaute. »Er steht«, sagte Gina nachdenklich, »außerhalb der weißen Rasse.«

»Der Irre hat sich in seinem Atelier verbarrikadiert und will mit keinem sprechen! Er denkt, ich lasse ihn mit Gewalt rauswerfen. Hat Gina dir das berichtet?«

Clyde Somerset sprach laut und zornig, als sei Michael O'Meara schuld; der erstaunte Michael hatte den Älteren noch nie so erregt und so offensichtlich ratlos gesehen. Neben ihm stand steif und verlegen, grimmig und unschlüssig, der einzige Wachmann des Dumont Center, ein grauhaariger Mann Mitte Fünfzig in schneidiger Uniform, aber unbewaffnet.

»Gina hat mir von – den Umständen berichtet.«

»Von Julia Sutter? Und Marian Parrish? Die arme Mrs. Parrish hat fast einen Herzschlag gekriegt. Ich meine wirklich einen richtigen Herzanfall, als sie merkte, was sie da im Atelier zu sehen bekam. Sie hatte keine Ahnung, was er da im Schilde führte, verdammt noch mal! Einfach gräßliche – ekelhafte – obszöne Sachen!«

»Meinst du seine – Tonfiguren? Wieso, was ist mit denen?«

»Diese ›Kunst‹ ist nach Mount-Orion-Maßstäben obszön, und sie ist nach *meinen* Maßstäben obszön. Sears weiß das – solche ›Künstler‹ wissen genau, was sie tun. Natürlich habe ich Julia zu erklären versucht, daß es sich um etwas Neues handelt und daß dies keine öffentliche Ausstellung ist, aber Julia sagte, und sie hat natürlich recht, daß Sears zum Lehrpersonal hier gehört; er hat ein Stipendium bei uns, sein Atelier befindet sich in unserem Gebäude, und er arbeitet mit Material, das wir kaufen. Er bekommt für den zwölfwöchigen Kurs, den er leitet, ein Stipendium von fünftausend Dollar, was *sehr* großzügig ist, nach jedermanns Maßstäben!«

»Du sagst, daß Lee Roy sich im Atelier *verbarrikadiert* hat?«

»Ja, und ich habe ihm gesagt, ich rufe die Polizei, wenn er die Tür nicht öffnet. Ich habe ihn gewarnt! Ich tu's! Die Publicity ist mir scheißegal, wenn die Sicherheit meiner Mitarbeiter gefährdet ist!«

Clyde Somersets normalerweise freundliches Gesicht war puterrot; die Augen wirkten blutunterlaufen; sein tadellos sitzender Anzug mit Weste, britischer Zuschnitt, sah zerknittert aus. Selbst das Dumont Center, dieser herrliche postmoderne Bau mit der gewölbten Decke aus Glas und Aluminium, der offenen Halle, dem makellosen Marmorfußboden, machte an diesem Nachmittag einen erschütterten, benommenen Eindruck, als sei es hochgehoben, einmal kräftig durchgeschüttelt und wieder auf den Boden gesetzt worden. Aber wieso bestand eine Gefahr? Ein paar Besucher schlenderten durch die Ausstellung »Herbstliche Visionen der Aquarellmalervereinigung New Jersey« im ersten Stock, die angesichts des Ingrimms von Clyde Somerset putzig und auf beinahe komische Weise fehl am Platz wirkte.

Michael sagte ruhig: »Clyde, ich bezweifle ernstlich, daß irgend jemandes Sicherheit gefährdet ist. Warum gehen wir nicht nach unten? Vielleicht hört er ja auf mich.«

Ein Gefühl leiser Freude erfüllte ihn: sich kümmern, Verantwortung übernehmen: das gleiche Gefühl wie vor so vielen Jahren in der Anatomie, als er noch Medizin studierte.

Die drei Männer gingen unter Michaels Führung nach unten. Clyde sagte, nun nicht mehr so heftig: »Ich vermute, der Mann ist einfach ein bißchen – durcheinander. Als ich mit ihm sprechen wollte, bestand Julia darauf, mitzukommen; sie war erregt, wie Frauen ihres Alters, die gewohnt sind, ihren Kopf durchzusetzen, eben sein können. Sie hat Sears ›Misogynie‹ vorgeworfen – als ob er wüßte, was das Wort bedeutet!« Clyde lachte und betupfte sich das Gesicht mit einem monogrammbestickten Taschentuch. »Ich habe mit Sears, glaub ich, ganz vernünftig gesprochen und ihm vorgeschlagen, seine neuen Arbeiten aus unseren Räumen einfach zu entfernen und sie mit nach Hause zu nehmen oder sonstwohin zu bringen. Aber er schaltete auf stur. Ihm war dieser Schund, den er fabriziert hat, nicht mal peinlich. Ihm war es ja auch nicht peinlich, daß er von dem wieheißternoch – dieser bejammernswerte Mensch im Rollstuhl – abgekupfert haben soll. Nein, deinem Lee Roy Sears ist nichts peinlich – der schämt sich nicht!«

Michael sagte: »Aber Lee Roy *hat* nicht abgekupfert – das hat Mal Bishop nur behauptet. Es gibt keinen Beweis dafür.«

Clyde meinte gleichgültig: »Ach Quatsch – das sagen die alle.«

»Wer alle?«

»Abkupferer. Diebe.«

»Aber warum soll man Bishop eher glauben als Sears? – Lee Roy hat *mir* gesagt, Bishop hätte von *ihm* gestohlen.«

»Ja, natürlich«, sagte Clyde mit gehässigem Lachen, »das erzählt er *dir,* das möchtest *du* ja hören.«

Michael war gekränkt, hatte aber keine Zeit mehr, darauf einzugehen, denn sie standen an der Tür zum Atelier in einem Gang mit Neonlicht und dumpfiger Kellerluft. Der Wachmann bezog sofort Posten, indem er sich, die Arme ausgestreckt, mit dem Rücken an die Wand stellte – eine naive Sicherheitsvorkehrung, die er Polizisten bei ähnlichen Aktionen im Fernsehen abgeguckt haben mochte. Michael klopfte einfach an die Tür. »Lee Roy? Ich bin es, Michael.« Er probierte den Türknauf aus. »Lassen Sie mich bitte rein?«

Von drinnen war kein Laut zu hören.

179

Michael klopfte wieder, zwar nicht mit aller Kraft, aber doch energisch; er sprach wie zuvor, nur etwas lauter. Mit Schrecken dachte er daran, daß sich Lee Roy in plötzlicher Panik, erdrückt von Umständen, die er nicht kontrollieren konnte, vielleicht das Leben genommen hatte.

Am meisten fürchtete Lee Roy Sears, wieder ins Gefängnis zu müssen – er hatte zu Michael und Gina gesagt, daß er lieber sterben würde.

Er hatte neulich abend auch, in prahlerischem Ton und etwas wirr, davon gesprochen, daß er für das, woran er glaubte, sein Leben geben würde – jetzt *hatte* er etwas, woran er glaubte.

»Lee Roy? – hier ist Michael. Bitte schließen Sie die Tür auf.«

Es entstand eine lange Pause; Clyde wollte etwas sagen, aber Michael gab ihm ein Zeichen, still zu sein; dann hörte man, wie die Tür aufgeschlossen wurde.

Michael stieß die Tür auf – verbarrikadiert hatte er sich natürlich nicht.

Das Deckenlicht im Atelier war ausgeschaltet, doch durch das waagerechte Fenster, das die Länge einer Wand dicht an der Decke einnahm, drang trübes Zwielicht. Lee Roy Sears hinkte mit abgewandtem Gesicht wie ein Kind, das sich schämt, schnell in eine Ecke des Raums.

Clyde Somerset und der Wachmann blieben draußen im Gang, während Michael eintrat und die Tür hinter sich halb offen ließ. Er begrüßte Lee Roy freundlich, doch vorsichtig. »Danke, daß Sie aufgemacht haben, Lee Roy. Wie geht es Ihnen?«

Lee Roy hatte sich mit dem Rücken zu Michael hingehockt und gab, soweit Michael hören konnte, keine Antwort.

»Clyde hat mir erzählt, es hätte ein Mißverständnis gegeben? Ich bin sicher, das läßt sich aufklären.«

Wieder keine Antwort.

Michael ging langsam auf Lee Roy zu. Er hatte zwar keine Angst vor seinem Freund, fürchtete aber, ihn noch mehr zu beunruhigen – an dem üblen, beißenden Geruch nach Tier, der in der Luft hing, und den heftigen Atemzügen des anderen erkannte er, daß sich Lee Roy in einem Zustand extremer Gemütserregung befand.

»Lee Roy –? Ich bin sicher, es läßt sich aufklären.«

Lee Roy hockte, den Rücken Michael zugewandt, immer noch auf den Fersen. Anscheinend betrachtete oder bewachte er eine Anzahl von Tonfiguren, die verstreut auf einer zerrissenen Zeitung bei der Wand auf dem Boden lagen. In dem Zwielicht konnte Michael keine Einzelheiten ausmachen, aber er erkannte die für Sears' charakteristischen Arbeiten. Menschenähnliche Gestalten in absonderlichen Stellungen, die größte etwa zwanzig Zentimeter lang. Und andere, kleinere Objekte.

In der für die Beine anstrengenden Kauerstellung verharrend, zitterte und bebte Lee Roy wie eine vibrierende Maschine. Er atmete keuchend und unregelmäßig, als ob er eine steile Treppe heraufstiege oder ein schweres Gewicht höbe. Sein Haar war strähnig und fettig, doch da er den Kopf gesenkt hielt und das Kinn gegen die Brust gedrückt hatte, lag sein Nacken frei, so daß Michael sehen konnte, wie dick er geworden war, wie muskulös. Auch die unter dem Hemd angespannten Arme und Schultern! Den schlaksigen, abgezehrten Lee Roy Sears, den Michael O'Meara kennengelernt hatte, gab es nicht mehr – wo war er geblieben?

Wie Gina neulich nacht im Bett gesagt hatte, als könne sie Michaels Gedanken lesen: »Ich hoffe, wir verlieren ihn nicht.« Michael hatte nicht zu fragen brauchen, wen sie meinte.

Mehrere Minuten lang redete Michael beruhigend auf Lee Roy ein, als spräche er zu einem seiner Söhne oder einem entmutigten jüngeren Anwalt bei Pearce. Er sicherte Lee Roy zu, daß er weder mit Gewalt aus seinem Atelier hinausgeworfen werden noch auch seine Stellung verlieren würde. (Lauschte Clyde Somerset an der Tür? Michael hoffte es.) Er stand in respektvoller Entfernung zwei oder drei Schritt hinter Lee Roy. Warnte sich selbst: Erschreck den Mann nicht, reg ihn nicht noch mehr auf. Wenn dies eine Gefängnissituation wäre, könnte er, unter Druck gesetzt, ausrasten. Michael meinte zu wissen, daß Lee Roy unter der Einwirkung eines starken Psychopharmakons stand – was eigentlich helfen müßte.

Handelte es sich womöglich um Chlonopramane, das profitträchtige »Wunderheilmittel« von Pearce, Inc., zur Behandlung manischer Zustände, Zwangsvorstellungen und gewalttätigen Verhaltens? Natürlich wäre Michael keinesfalls so taktlos, seinen Freund danach zu fragen.

In den vergangenen Wochen hatte er so unter Zeitdruck gestanden, daß er das Atelier seit Beginn des Herbstsemesters nicht mehr besucht hatte, so daß die Unordnung und der durchdringende Geruch nach Farbe, Ton, Terpentin, Schweiß und Anstrengung ihn überraschten. In dem großen Raum wurde auch der Kunsttherapie-Kurs abgehalten: Die zur Schau gestellten Werke von Lee Roy und seinen Schülern bildeten ein kunterbuntes Durcheinander farbenfroher Darstellungen, die an psychedelische Höhlenzeichnungen erinnerten. Krude, karikaturhafte Kohle- und Pastellskizzen; an die Wände geklebte Papierbogen mit Schwaden von Acrylfarben. Wie primitiv, wie entlarvend – die rohesten Kunstimpulse ohne jede Kunststrategie.

Woher, so fragte sich Michael voller Mitleid, kamen diese Impulse?

Endlich reagierte Lee Roy mürrisch nuschelnd auf Michaels Fragen, ohne ihn jedoch anzusehen. Wie er da mit fest verschränkten Armen und gesenktem Kopf vor den Tonfiguren auf den Fersen hockte, kam Michael der Gedanke an eine Schlange – seltsam aufgerichtet und doch zusammengerollt. »Ihr habt kein Recht nich, mich zu beschimpfen«, sagte er, »und solche Sachen über mich zu sagen, wie – daß ich ein – Tier bin.« Michael warf schnell ein: »Lee Roy, keiner denkt so etwas von Ihnen. Es hat nur ein kleines Mißverständnis gegeben, das ist alles. Wir könnten vielleicht –« Vorsichtig trat er einen Schritt näher, wobei er auf Lee Roys Kopf herunterschaute; zum ersten Mal sah er, daß Lee Roys dichtes, zottiges Haar oben schon leicht gelichtet war; eine kahle Stelle von der Größe eines Silberdollars zeichnete sich wie ein aus dem Dun-

182

kel hervortretender Gedanke ab. Lee Roy fuhr sich mit der Handkante grob unter der Nase entlang und sagte: »Kein ›Mißverständnis‹, Mr. O'Meara! Nee!« Er sah mit feuchten, dunkelglänzenden Augen und gefurchter Stirn zu Michael auf. Sein normalerweise jungenhaft erwartungsvoller Blick war einem Ausdruck mühsam beherrschter Wut gewichen; er bleckte die Zähne. Während Michael blinzelnd zu ihm herunterblickte, murmelte er noch etwas, das wie »Leckt mich!« klang.

Michael schaltete das Deckenlicht an und starrte in sprachlosem Entsetzen auf die Objekte zu Füßen Lee Roys.

Selbst der milde Liloprane-Nebel konnte seinen Schock nicht abfangen.

Die auffallendsten Gebilde waren wie Lee Roys frühere Arbeiten menschenähnliche Gestalten, aber bei diesen hier handelte es sich um weibliche Figuren mit noch groteskeren Verstümmelungen. Sie waren nackt, lagen auf dem Rücken oder auf der Seite mit qualvoll zurückgeworfenem Kopf, klaffendem Mund und grausig aufgerissenen Öffnungen zwischen den Beinen. Die Beine einer Figur waren aus dem Körper fast senkrecht herausgedreht, die einer anderen weit gespreizt und an den Knien gebrochen. Dazu augenlose Höhlen, Löcher statt Nasen. Brüste klebten wie Hautlappen auf den Körpern oder waren ganz abgerissen. Eine Figur hatte einen geöffneten Bauch mit einem herausgezogenen Fötus inmitten spaghettiähnlicher Schlingen, die Eingeweide darstellen sollten. Die kleineren Gebilde auf der Zeitung verdienten keine nähere Betrachtung – es waren Augen, Finger, Genitalien, innere Organe.

Von den sechs vollständigen Figuren waren vier asiatisch, die anderen zwei Weiße. Alle waren jung, noch Mädchen.

Michael dachte: mein Gott!

Michael dachte: Sie *sind* obszön!

Ein langes, peinliches Schweigen breitete sich aus, das nur von Lee Roys scharfen Atemzügen und den von draußen hereindringenden Verkehrsgeräuschen, Stimmen unterbrochen wurde. Michael fühlte sich elend, war aber zugleich entschlossen, hier durchzugreifen. Er pfiff leise durch die Zähne und sagte: »Na ja.« Pause. »*Na* ja.«

Den Rücken gekrümmt, das Gesicht maskenhaft gespannt, schielte Lee Roy von unten zu ihm hoch.

Jetzt gab es nur noch den Sprung ins Wasser: Also erklärte Michael mit hochrotem Kopf dem schweigenden Lee Roy Sears aus anwaltlicher Sicht, daß bei allem Verständnis und aller Sympathie für die Autonomie des Künstlers die Tatsache zu berücksichtigen bliebe, daß auch das Gemeinwesen Rechte hat, die es in aller Regel per Gesetz durchzusetzen weiß. Wenn insbesondere ein sexuelles Tabu gebrochen wird und wenn das betreffende Gemeinwesen den Künstler finanziell unterstützt –

Lee Roy gab verächtliche Grunzlaute von sich, wobei er das Gewicht seines Gesäßes verlagerte. Immer noch schielte er in jener angespannten, zuckenden, reptilienhaften Stellung zu Michael hoch. Seine knochige Stirn trat deutlich hervor. Der Geruch, der von ihm ausging, verstärkte sich.

Michael setzte seine Bemühungen, vernünftig zu sprechen, tapfer fort, indem er, sozusagen von Fachmann zu Freund, erklärte, daß das Dumont Center von Anfang an ausschließlich auf private Stiftungen und öffentliche Spenden angewiesen gewesen sei; in erster Linie auf private Stiftungen. In Mount Orion gäbe es eine Anzahl großzügiger Leute mit ausgeprägtem Sinn für das Gemeinwohl, darunter viele Frauen – ältere Frauen wie Julia Sutter –, und daher –

»Alles was Clyde Somerset möchte, ist, glaube ich, daß Sie diese Stücke aus den Räumlichkeiten hier entfernen. Sie könnten sie ja nach« – Michael hielt inne, im Zweifel darüber, ob sich das Wort *Zuhause* auf das heruntergekommene Heim in Putnam, in dem Lee Roy wohnte, anwenden ließe – »Hause mitnehmen. Ja? Ich helfe Ihnen dabei, ich fahr Sie hin, jetzt gleich. Was meinen Sie dazu?«

Mit einem merkwürdigen Achselzucken, als sei ihm das Hemd zu eng geworden, grinste Lee Roy Michael an. Seine Augen glänzten unnatürlich. »Sie sind auf denen ihrer Seite, hmh, Mr. O'Meara!« Es war weniger eine Frage als eine Behauptung, eine Beschuldigung.

»Es ist keine Frage von Seiten, Lee Roy. Die Frage ist, wie man am besten vorgeht. Wenn Sie sich weigern, könnte das Ihre Zukunft im Center gefährden. Wenn Sie zu einem Kompromiß bereit sind –«

»– haben gesagt, ich bin ›obszön‹. Haben gesagt, ich verdiene nicht, hier zu sein.«

»Wer hat das gesagt? Das haben Sie sicher mißverstanden.«

»Haben sie doch. *Die* da.« Lee Roy machte eine ruckhafte Kopfbewegung in Richtung Tür.

Draußen im Gang, in diskreter Entfernung, standen Clyde Somerset und der uniformierte Wachmann und paßten auf. Lee Roy, mit dem Rücken zur Tür, konnte sie nicht sehen, wußte aber sehr wahrscheinlich, daß sie da waren.

»Arschlöcher!« murmelte er vor sich hin.

Michael mußte sich gegen den Impuls wehren, Lee Roy an der Schulter zu berühren, um ihn zu beruhigen.

Er hätte sich auch gern neben Lee Roy hingehockt, um auf derselben Ebene mit ihm zu verhandeln, doch fürchtete er, herablassend zu erscheinen.

»Lee Roy«, sagte er, »Sie müssen doch wissen, daß Sie hier ein paar sehr extreme Gebilde geschaffen haben. Wenn ein Künstler oder sonst jemand ein Tabu verletzt, wenn er gegen das verstößt, was man die ›Maßstäbe des Gemeinwesens‹ nennt –« Während er sprach, war sich Michael voller Unbehagen sowohl des verächtlichen Ausdrucks auf Lee Roys Gesicht als auch der Tonfiguren zu seinen Füßen bewußt: der übel zugerichteten, verstümmelten Frauenleiber, der gespreizten Beine, zurückgeworfenen Köpfe, abgetrennten Körperteile. Sogar der Ton hatte die Farbe rohen Fleisches angenommen und suggerierte durch seine Konsistenz eine feuchtklebrige Schwüle. Michael war benommen, verwirrt. *Wozu gebe ich mich hier mit einem Verrückten ab? – Bin ich selber verrückt?* Gleich darauf verwarf er den Gedanken, einen Gedanken, der sicherlich unzähligen Anwälten im Lauf ihrer Karriere in den Sinn kam. Er redete wie zuvor vernünftig auf Lee Roy ein, in der Hoffnung, daß er ihn in ein paar Minuten überzeugen würde. (Wenn er bald aufbräche und Lee Roy nach Putnam führe, könnte er gleich östlich von Putnam auf den Parkway einbiegen und innerhalb einer Dreiviertelstunde wieder bei Pearce sein.)

Er sah, daß Lee Roys weißes Hemd, das für ihn so typische weiße Hemd, verkrustete Tonspuren und andere Flecke aufwies, daß die Ärmel fast bis zu den Ellbogen aufgekrempelt waren und die Manschetten lose herunterhingen. Und war das eine Tätowierung auf seinem linken Arm? – Michael konnte nur flüchtig etwas Schwarzes, Goldgeschupptes erkennen. Er hatte nicht gewußt, daß Lee Roy Sears tätowiert war.

Plötzlich sagte er beinahe vorwurfsvoll: »Lee Roy, Sie möchten doch nicht, daß Gina dies hier sieht, oder?«

Lee Roy zog schuldbewußt den Kopf ein. Er schaukelte auf den Hacken hin und her. »Braucht sie ja nich«, brummelte er.

»Aber es könnte doch sein, wenn sie herkommt, um Sie im Atelier zu besuchen. Was dann?«

Lee Roy zuckte die Achseln.

»Glauben Sie nicht, daß Gina geschockt wäre, wenn sie dies sieht? Vielleicht sogar *verletzt?*

»So sind die aus mir rausgekommen«, nuschelte Lee Roy.

»Meinen Sie damit, Sie haben sie nicht selber geformt? Mit Ihren eigenen Händen? Wer hat sie denn gemacht, wenn Sie's nicht waren?« fragte Michael skeptisch.

Er hatte sich keinesfalls auf eine Diskussion mit Lee Roy einlassen wollen, noch dazu unter derart brisanten Umständen, doch schien ihm kaum bewußt, was er sagte, noch weniger, was er damit auslösen könnte. Hinterher dachte er mit gleichsam verblüffter Beschämung: *Das sieht dir gar nicht ähnlich. ›Michael‹ ist doch jemand, der nie protestiert.*

Lee Roy gab einen zornigen oder gequälten Laut von sich – erstickt, kehlig. Sein Gesicht sah aus wie das eines Eingeborenen, tiefdunkel, mit manisch glänzenden Augen. Wieder murmelte er: »So sind die aus mir rausgekommen«, wobei das Wort »rausgekommen« wie ein langes, leises Wimmern klang.

»Um Gottes willen Lee Roy –«

Lee Roy ergriff eine der Tonfiguren und hielt sie Michael wie eine Gabe hin. (Wie grotesk, wie häßlich das Ding war! – eine verunstaltete weibliche Form mit ausgehöhlter Vagina, man konnte nicht umhin, sich Sears' bohrende, grabende Finger vorzustellen.) Beim Anblick des Ausdrucks von Ekel und Verachtung auf Michaels Zügen sagte Lee Roy: »Du haßt mich auch, häh! *Du* und *die!*«

Zu Michaels Überraschung fing Lee Roy an zu weinen, zu schluchzen, vor sich hin zu murren. Ganz bewußt brach er die Tonfigur entzwei und schleuderte die Teile auf den Boden. Er nahm eine andere in die Hand, und diesmal zerbrach er sie erbittert in kleine Stücke, die er, nun völlig außer sich, auf den Boden schmiß und dabei wie ein kleines Kind herzzerreißend schluchzte. Ein Kind, das einen Koller hat.

»Häh? Die? *Die? Häh, die?*«

Er schnappte sich eine Figur nach der anderen, hielt sie Michael schüttelnd entgegen und zerbrach sie. Vor dem aufrecht stehenden Michael, der zu überrascht war, um zu handeln, oder zu ängstlich, um ihn aufzuhalten, kroch er auf Händen und Knien auf die ausgebreitete Zeitung, nahm die Figuren, zerbrach sie, zertrümmerte sie, zerdrückte sie mit den Fingern in kleine Stücke. Jetzt hatte er einen Anfall von Zerstörungswut, er schluchzte, lachte: »Hähähähä!«

»Lee Roy, nein –«

Lee Roy rappelte sich hoch, gekrümmt, keuchend, mit wilden Augen im fleckigen Gesicht, ging auf die an die Wand geklebten Kohleskizzen und Malereien los und riß sie herunter, riß sie in Streifen, er packte die an eine Wand gelehnten Leinwände, schlug auf sie ein, trat gegen sie, mit einer einzigen heftigen Armbewegung fegte er Krüge, Flaschen, Kanister, Pinsel und eine Keramikschale vom Arbeitstisch – alles das, bevor Michael es wagte, ihm Einhalt zu gebieten, es auch nur wagte, ihm die Hand auf den Arm zu legen. Und als Michael ihn schließlich am Arm berührte, stieß Lee Roy ihn weg – wie ein tollwütiger Hund, der sich gegen seinen Herrn wendet, zeigte er Michael buchstäblich die Zähne.

187

»Du haßt mich auch! Du denkst, ich bin nur Scheiße!«
Dann rannte Lee Roy Sears schluchzend aus dem Atelier.

Im Gang hatten sich mehrere Mitarbeiter um Clyde Somerset und den Wachmann versammelt, um zu beobachten, was im Atelier vor sich ging. Als Lee Roy herausstürzte, drängten sie aufgescheucht beiseite, um ihn durchzulassen. Hinterher wurde berichtet (nicht von Michael, von den anderen), daß Lee Roy Sears übergeschnappt sei – kein anderes Wort gab es dafür als *übergeschnappt*.

Und hatte er denn schuld. Wer hatte schuld.
Wer war schuld?

Obwohl er völlig durcheinander war und, noch während er sich geschickt in den Verkehr auf dem Parkway einfädelte, eine zweite grüne Pille schlucken mußte, gelang es Michael O'Meara, gegen 16.30 Uhr wieder bei Pearce, Inc., zu sein; bis 18.30 Uhr zu arbeiten; sich jeden Gedanken an Lee Roy Sears und das, was getan werden mußte (was *er* tun mußte), aus dem Kopf zu schlagen, bis er wieder aufbrach und wiederum auf dem Parkway in Richtung Westen fuhr, zum endgültig letzten Mal an diesem Tag.

Dieser Tag – Freitag, der 18. Oktober. Wie lange es bis dahin gedauert hatte, und wieviel länger es noch dauern würde!

Wie in einem Kaleidoskop sah er die häßlichen, obszönen menschenähnlichen Gebilde und Organe – denn sie *waren* obszön; warum drumherum reden? –, und er sah Lee Roy Sears' zusammengekauerte, zitternde Gestalt, hörte Lee Roy Sears' herzzerreißendes Schluchzen und jene Anklage, die Michael O'Meara bis an sein Lebensende nicht vergessen zu können glaubte.

Du haßt mich auch. Du denkst, ich bin nur Scheiße.

Ja, und dann Lee Roys verzerrtes Gesicht, ein Säuglingsgesicht. Glitzernde Augen. Wahnsinn. Der beißende Schweißgeruch des Wahnsinns. Wer war schuld? Hätte Michael zusammenhängender denken können, hätte er erkannt, daß man sich keinesfalls auf eine Diskussion, folglich auf eine Auseinandersetzung mit einem sinnverwirrten Mann einläßt, einem Mann, der erst vor kurzem aus einem Hochsicherheitsgefängnis auf Bewährung entlassen wurde, einem Mann, der in Vietnam gekämpft hat und verwundet wurde, einem Mann, der dem Gift Agent Orange ausgesetzt war, einem Mann mit einer psychisch instabilen Vorgeschichte. Nein, keinesfalls.

Was getan werden mußte, was *er* tun mußte.

Wenn er auch nichts dafür tun konnte, daß Lee Roy Sears sein Stipendium im Dumont Center behielt, so konnte er doch wenigstens verhindern, daß der arme Mann wieder ins Gefängnis mußte.

Denn das Gefängnis wäre für Lee Roy Sears das Todesurteil.

Michaels Gedanken eilten juristisch routiniert voraus. Er würde mit Clyde Somerset sprechen, und er würde mit Julia Sutter sprechen, und er würde mit Marian Parrish sprechen – die er nicht kannte, die aber Gina oberflächlich kannte. Er würde sich für Lee Roy Sears einsetzen. Aber er würde die anderen nicht in die Defensive drängen: Er würde erklären, entschuldigen. An diese guten Menschen appellieren. Denn es *waren* gute Menschen, großzügig, wohlmeinend und freundlich. Sie waren doch gewiß nicht nachtragend? Vergeben ist weit besser.

Er würde es arrangieren, sich mit allen morgen zu treffen. Gott sei Dank war morgen Sonnabend.

Er mußte noch Arbeit für Pearce, Inc., erledigen, die er mit nach Hause genommen hatte, aber das konnte er am frühen Morgen schaffen, er würde bei Tagesanbruch aufstehen. Und dann war ja Sonntag.

Er hatte Joel und Kenny so gut wie versprochen, mit ihnen auf die Islands zu fahren, aber es war ein vages Versprechen gewesen, und vielleicht, ganz vielleicht würden sie sich nicht daran erinnern?

In der Woche darauf würde er wohl mit H. Sigman, Lee Roys Bewährungshelfer, sprechen. Der Mann war auf diesem Gebiet Experte, sicherlich kein Idealist, aber auch kein Zyniker; über den Zynismus schon hinaus, könnte man sagen. Ihm ging es einfach um die Arbeit, darum, die Arbeit zu schaffen. Wie viele Probanden er in seiner Obhut oder in seinen Akten hatte, wußte Michael nicht, doch vermutete er, daß es sich um eine ganze Menge handelte. Als Lee Roy Sears seinen Job im Parkhaus geschmissen hatte und der Verwalter ihn fälschlich, ohne Angabe von Zeugen, beschuldigt hatte, er habe ihn bedroht, hatte sich Michael O'Meara die Zeit genommen, H. Sigman in seinem engen Büro aufzusuchen, und das hatte ihm anscheinend geschmeichelt, von Michaels Offenheit ganz zu schweigen. Ein erfolgreicher Firmenanwalt aus Mount Orion, gut angezogen, nüchtern, der Wert darauf legte, mit einem Niemand wie H. Sigman zu sprechen. Über einen ehemaligen Häftling namens Lee Roy Sears, der auch ein Niemand war.

Sigman müßte eigentlich auch diesmal überzeugt werden können.

Was für ein trostloses, deprimierendes Gebäude! Michael stieg, ohne nach rechts oder links zu blicken, rasch die knarrende Treppe herauf und versuchte, nicht zu tief einzuatmen. Er war von Natur aus eigentlich kein überempfindlicher Mensch – Gina rügte ihn oft wegen seiner Unfähigkeit, Gerüche richtig zu unterscheiden –, aber der Gestank hier, eine grauenhafte Mischung aus ranzigem Essen, Ruß, getrocknetem Erbrochenem, Urin, Lysol trieb ihm die Tränen in die Augen. Er konnte sich nicht vorstellen, wie Lee Roy Sears das aushielt.

Oder war es im Gefängnis schlimmer gewesen?

Natürlich war es im Gefängnis schlimmer gewesen.

Michael klopfte an die Tür von 12B, Lee Roys Zimmer: Er sah kein Licht unter der Tür und vermutete ohnehin, daß Lee Roy nicht da sein würde. Er stellte fest, daß die Tür zerkratzt und ramponiert war, wie angenagt. Im Korridor brannte trübes Licht, die Wände waren fleckig und verdreckt.

Michael klopfte erneut und sagte, zum zweiten Mal an diesem Tag, vorsichtig: »Lee Roy? Ich bin es, Michael.«

Er hatte nicht laut gesprochen, doch sogleich öffnete sich

hinter ihm eine Tür, aus der ein dickbäuchiger schielender Mann in einem Unterhemd trat und irgend etwas auf spanisch fragte, was Michael nicht verstehen konnte. Er meinte den Namen »Sears« herauszuhören, aber vielleicht hatte er sich geirrt. »Ja, vielen Dank«, stotterte er, »n-nein danke«, wobei er verwirrt, angeekelt, mit Tränen in den blinzelnden Augen den Rückzug zur Treppe antrat. Der Mann im Unterhemd fragte ihn noch einmal, jetzt aggressiver, auf spanisch, aber Michael winkte ab und eilte die Stufen herunter. »Nein! Nein danke! Ist in Ordnung! Schon gut!« Für jemanden mit einem derartigen Speckbauch sprang der Mann mit überraschender Behendigkeit ans Treppengeländer, lehnte sich vor und spie, jetzt unter spanischem Gebrüll, einen dicken Speichelklumpen aus, der auf dem rechten Ärmel von Michael O'Mearas marineblauem Nadelstreifenanzug landete.

Michael war zu empört und erschrocken, um zu protestieren. Fast rannte er aus dem Gebäude und zu seinem ganz in der Nähe geparkten Auto. Er glaubte Gelächter hinter sich zu hören. Hatten auch noch andere Leute in dem Wohnheim zugesehen? Hatten sie ihn irgendwie wiedererkannt?

Er hätte nun nach Hause, nach Mount Orion flüchten können; zu Gina. Aber er wollte heute abend so dringend mit Lee Roy sprechen ... nachsehen, ob es ihm gut ging, und ihn beraten.

Ja, er mußte mit Lee Roy sprechen. Es ging nicht anders. Er mußte einfach.

Er hätte Lee Roy vielleicht schützen können, aber es war ihm nicht gelungen. Er wußte es, und Lee Roy wußte es. Dies Wissen teilten nur sie beide.

Er würde nicht einmal versuchen, es Gina zu erklären.

Doch, er würde lieber versuchen, es Gina zu erklären.

Auf jeden Fall mußte er sie anrufen, denn es war schon spät, nach 19 Uhr; er wollte nicht, daß sie sich seinetwegen Sorgen machte. Inzwischen hatte sie sicher schon von den weiteren Schwierigkeiten im Dumont Center gehört; in

Mount Orion verbreiteten sich Nachrichten schnell und schlechte Nachrichten am schnellsten. Er hatte eigentlich erwartet, daß Gina ihn im Büro anrufen würde, aber sie hatte es nicht getan.

Michael rief von unterwegs zu Hause an, und nach mehrmaligem Läuten schaltete sich der Anrufbeantworter ein. Um diese Zeit am Abend? Wo war denn Gina?

Hallo! ertönte seine eigene fröhliche Stimme. *Dies ist der Privatanschluß von Gina und Michael O'Meara! Leider können wir im Augenblick nicht ans Telefon kommen, wenn Sie aber eine Nachricht hinterlassen wollen . . .* Seine Stimme kam ihm hoffnungslos albern vor.

Mit verzweifelter Dringlichkeit sagte er: »Hallo? Gina? Marita? Joel? Kenny? Hallo, hier ist –«, aber er hatte es doch wohl nicht nötig, seinen Namen zu nennen?

Er wartete in der Hoffnung, daß Gina den Hörer abnehmen würde. Natürlich *war* jemand im Haus: Marita, die sich um die Jungen kümmerte, war da. Allerdings weigerte sie sich mit der Ausrede, sie spräche schlechtes Englisch, das Telefon zu beantworten.

»Hallo? Joel, Kenny? He! Könnt ihr mich hören! Hier ist Daddy –«

Angewidert legte Michael den Hörer auf. Ging weg.

In den folgenden zwei Stunden hielt er sich in der Nähe von Lee Roy Sears' Wohnheim auf; sein Auto hatte er unauffällig, wie er hoffte, ein paar Hauseingänge weiter geparkt. Er vertrieb sich die Zeit, indem er ein paar der Zeitungen durchsah, die er im Hinblick auf die 50-Millionen-Dollar-Klage wegen Peverol mitgenommen hatte. Das Straßenlicht reichte nur knapp zum Lesen. Und Wein trank. Er hatte sich spontan eine Flasche billigen, klebrigsüßen Gallo in einem Laden der Gegend gekauft: demselben Laden, aus dem Lee Roy Sears wahrscheinlich seinen Alkohol bezog, falls er wieder trank, was er, wie Michael hoffte, nicht tat. Eine Bagatelle, die jedoch einen Verstoß gegen die Bewährungsauflage darstellen konnte.

Michael konnte sich nicht erinnern, ob er an diesem Tag zu Mittag gegessen hatte – er hatte mittags wie ein Berserker durchgearbeitet, um seinen Schreibtisch in Ordnung zu bringen, bevor die Peverol-Klage ihn und seine Kollegen überrollte – aber er war überhaupt nicht hungrig. Hatte Gina nicht eine Bemerkung gemacht? Er aß, ohne zu schmecken, was er zu sich nahm. Im Augenblick war er auch nicht durstig, und der Gallo war ihm zuwider. Trotzdem saß er da hinter dem Steuer seines schnittigen weißen Mazda an der gotterbärmlichen Kreuzung Eighth Street und Graff, Putnam, New Jersey, nahm aus der diskret in einer Papiertüte verborgenen Flasche hin und wieder einen Schluck, während er mit gefurchter Stirn über einem Stapel juristischer Schriftstücke und fotokopierter Unterlagen grübelte. Bis zur Verhandlung des Peverol-Falls vor Gericht würden noch Tausende solcher Seiten durch Michael O'Mearas Hände gehen. Und durch sein Gehirn.

Vor Jahren hatte er einmal zufällig mitangehört, wie zwei Herren der Geschäftsleitung von Pearce im Waschraum der Vorstandsetage über ihn sprachen. Einer von ihnen hatte gesagt: »Ist Michael O'Meara nicht ein Geschenk des Himmels? Und wie es scheint, weiß er es nicht einmal oder nutzt es nicht aus!« und der andere hatte in sich hineinlachend mit väterlicher Zuneigung gesagt: »Nicht zuletzt deshalb *ist* er ja ein Himmelsgeschenk.«

Michael hatte sich hochrot vor Freude in der Toilette versteckt, bis die Luft rein war.

Wenn er zu früh geboren wird.

So sind die aus mir rausgekommen.

Juristische Arbeit, die so gewissenhaft betrieben wurde, war mühselig, aber auch eine Herausforderung. Sie setzte lustvolles Engagement voraus. Liebe zum Dickicht der Zeichen, Symbole. Rätsel. Aufhebungen. Ironien und Belohnungen.

Es gibt Naturen, die das Dickicht lieben, das Innere. Tageslicht ist zu sehr wie Vergessen.

Am vergangenen Sonntag war Lee Roy Sears zu einem frühen Abendessen zu den O'Mearas gekommen, so daß die Jungen dabei sein konnten. Sonntage waren stets frühe Tage. Eine Art Zwischenzeit, lichter Tag sozusagen; Sabbat. Vor dem Essen waren Lee Roy, Joel und Kenny unter fröhlichem Geschrei zum See runtergelaufen, ein großer, borstiger schwarzer Hund mit zwei flachshaarigen Welpen, während Michael und Gina, richtige Erwachsene, bei ihren Drinks auf der Terrasse saßen. Es war ein leuchtender Oktobertag, der herrlich in der Dämmerung erlosch. Die Luft duftete nach trockenen Blättern, deren Farben – das Rot des Zuckerahorns, das Gelb der Buchen – sich schon vom Geruch her zu unterscheiden schienen. Mit einem leisen Anflug von Eifersucht sagte Michael: »Es ist wunderbar, daß die Jungens Lee Roy so liebgewonnen haben – so zutraulich zu ihm sind, findest du nicht?«

Als hätten sich ihre Gedanken weit weg in einem Netz verfangen, das sie erst einholen müsse, sagte Gina: »O ja. Glaube ich auch.«

»Du ›glaubst‹ es –?«

»Sie haben so etwas – Aufgeregtes an sich, wenn sie mit ihm zusammengewesen sind. Und Geheimnistuerisches. Marita bekommt es am meisten zu spüren, weil sie wohl manchmal ein bißchen – ich weiß nicht – *ruppig* mit ihr sind. Ich habe es auch festgestellt, denn sie benutzen wieder wie früher, als sie noch kleiner waren, ihre Code-Wörter – weißt du noch? Sie kriegen auch diese Lachkrämpfe, und wenn ich sie dann frage, was so komisch ist, damit Mommy mitlachen kann, gucken sie mich nur dumm an.« Sie hielt inne und nahm einen Schluck. Gina O'Meara trank nie etwas anderes als kühlen, trockenen Weißwein. »Ich komme mir wie ein Eindringling in ihr Privatleben vor, und wahrscheinlich *bin* ich das auch.«

Michael sagte überrascht, gerührt: »Aber Gina, du kannst doch für unsere Söhne kein Eindringling sein – du bist ihre *Mutter.*«

Gina lachte leichthin. Sagte: »Und du bist ihr *Vater.*«

Michael ging zum Teich herunter, zu Lee Roy Sears und seinen Söhnen. Er hatte in diesem Augenblick das Gefühl, er könne es nicht ertragen, Gina ins Gesicht zu sehen, und er wußte nicht, warum.

Im verblassenden Sepialicht sah der Teich wunderschön

aus. Die Kulisse der Bäume war wunderschön. Was für ein Glück ich gehabt habe, dachte Michael O'Meara. Denn dies gehört mir.

Wie immer erschien der Teich aus der Nähe viel größer als vom Haus aus. Nach dem Ausbaggern, dem Entfernen der erstickenden Vegetation samt den Wurzeln, dem Abtragen der schwarzen Ablagerungen wirkte der Teich nun flacher, stiller, spiegelartiger als zuvor. Lee Roy Sears, in Gegenwart seines Gastgebers verlegen, nuschelte: »Der Teich sieht jetzt echt gut aus, Mr. O'Meara – ich meine, Michael. Also, na ja, seit Sie ihn haben ausgraben lassen – *echt* gut.«

Michael sagte: »Ja, finden Sie?«

Lee Roy Sears verschränkte die Hände und ließ unbewußt die Oberarmmuskeln spielen. Er trug eine billige dunkle Gabardinejacke, ein langärmeliges weißes Hemd und einen kieselfarbigen Schlips. Er blickte Michael mit gezwungenem Grinsen an. Nicht weit von ihnen tobten die Zwillinge quietschend, kreischend, sich balgend herum. Gaben an vor Lee Roy Sears; vielleicht auch vor Daddy. Letzthin sahen sie ihren Vater nur selten.

Michael sagte: »Ich mochte ihn vorher lieber. Schilf, Wasserlilien, Rohrkolben. Jetzt ist er zu maniküert. Er ist spießig.«

Lee Roy sagte: »Er ist tiefer.«

In diesem Augenblick rutschte Joel oder Kenny in den Teich oder war von seinem Bruder geschubst worden: Er schrie, plantschte, ruderte mit den Armen im knietiefen Wasser am Ufer. Michael lief so hektisch zu ihm, daß man annehmen konnte, das Wasser sei viel tiefer und sein kleiner Sohn am Ertrinken.

»Daddy, er hat mich reingestoßen!« rief das Kind und rappelte sich wutentbrannt im Teich hoch, und: »Daddy, er hat *mich* gestoßen – und ist dann selbst reingefallen!« schrie das andere empört, ohne sich jedoch ein Grinsen verkneifen zu können, und: »Daddy, hör nicht auf ihn, er lügt!« und: »Daddy, hör nicht auf ihn, *er* lügt!«

Michael half Kenny, oder war es Joel, aus dem Wasser, wobei das Kind erbost den Arm aus Daddys Griff wand. Es schluchzte fast – es war vor Mr. Sears blamiert worden.

»Daddy, du hast es gesehen! – Du hast gesehen, was er gemacht hat!«

»Daddy, ich hab es *nicht* gemacht! Er hat es selber gemacht!«

»Hab ich nicht, du Lügner. Hab ich *nicht*!«

»*Du* lügst –«

»– du *lügst*, du Wichser!«

Die Jungen hauten und knufften sich um Daddy herum. Ärgerlich lachend, weil auch er sich vor dem Gast blamiert fühlte, hielt Daddy sie mit Gewalt auseinander. Wie wild Joel und Kenny bei solchen Gelegenheiten sein konnten! Es war, wie Gina festgestellt hatte, als regredierten sie auf eine Altersstufe von zwei bis drei Jahren. Und wie stark sie in den letzten paar Monaten geworden waren! Die kleinen Körper wahre Energiebündel, reine Muskelkraft. Und diese Hartnäckigkeit, diese *Entschlossenheit*.

Daddy war erschüttert, daß die Jungen ein Wort wie *Wichser* nicht nur kannten, sondern auch aussprachen, hielt es aber in der augenblicklichen Situation (wo Gina wie versteinert auf der Terrasse stand und zu ihnen herunterstarrte), für klüger, den Mund zu halten.

Als Michael O'Meara hinter dem Steuer seines Autos aus dem Schlaf hochschreckte, war er zuerst so verwirrt, daß er gar nicht wußte, wo er sich befand.

Es war 21.02 Uhr. Er parkte auf der Straße in einer ihm anscheinend völlig unbekannten armseligen Gegend.

Eine Polizeistreife fuhr langsam an dem Häuserblock entlang: Die Polizisten im Wagen und mehrere Männer auf dem Gehsteig riefen sich gegenseitig etwas zu. Die Rufe waren es, die Michael geweckt hatten.

Die Flasche Gallo in der Papiertüte war fast umgekippt. Glücklicherweise hatte sie sich nicht auf seine Hose ergossen.

Allerdings entdeckte er einen häßlichen Fleck auf dem Ärmel seiner Anzugjacke, den er vergeblich abzureiben versuchte.

Als er den Fleck sah, erinnerte sich Michael, wo er war und warum.

»Ich warte auf *ihn*.«

Er hatte wohl ein paar Minuten gedöst. (In Wirklichkeit war es eine Stunde gewesen.) Der Aktenstapel war ihm aus der Hand geglitten und hatte sich auf dem Beifahrersitz und dem Boden verteilt.

Ein Stückchen weiter den Block entlang lag Lee Roys Wohnheim: Die gelbe Backsteinfassade sah verrußt aus. Ein feister Schwarzer saß auf der Außentreppe und fächelte sich mit einer zusammengerollten Zeitung.

Ob Lee Roy wohl schon zurückgekehrt war? fragte sich Michael. Er wagte nicht daran zu denken, dieses trostlose Gebäude wieder zu betreten, die Treppe wieder heraufzusteigen, wieder an die Tür zu klopfen. Diesmal könnte der Hispano im Unterhemd gewalttätig werden.

Michael rieb sich den Nacken, der ihn nach seinem Schläfchen schmerzte, und betrachtete sich im Rückspiegel. Er hatte sich seit kurz vor sieben Uhr früh nicht mehr rasiert, und seine silbrig rotbraunen Bartstoppeln sprenkelten schon seine Haut. Ihm war leicht übel von dem ekligsüßen Wein, er konnte sich nicht mehr vorstellen, warum er ihn gekauft hatte.

Warum mußte ein Wohnheim für auf Bewährung Entlassene ausgerechnet in einer so ungünstigen Umgebung liegen! Jetzt war es hier belebter als vorher: Vor einer Billard-Kneipe hingen junge Schwarze herum, die große Töne spuckten, junge Hispanos kamen und gingen, Frauen und Mädchen in erstaunlicher Aufmachung – hautenge Minilederröcke, kniehohe Plastikstiefel, paillettenbesetzte Pullover oder Fischernetzhemden, unter denen die Brüste zum Vorschein kamen. Obdachlose torkelten über die Gehsteige oder lagen zusammengekauert zwischen Lumpenhaufen in Türeingängen.

Ein weiterer Streifenwagen fuhr vorbei; der Fahrer warf Michael einen argwöhnisch prüfenden Blick zu.

Er wußte, daß er eigentlich nach Hause fahren müßte, es war schon spät, und Gina würde sich Sorgen um ihn machen, falls sie zu Hause war. Aber natürlich war sie zu Hause.

Er wollte gerade den Motor anlassen, als er im Rückspiegel sah, wie ein ihm bekanntes Auto sich von hinten näherte und etwa zwei Autolängen von ihm entfernt parkte. Wessen Wagen es war, wieso ihm sogar das Nummernschild bekannt vorkam, konnte er sich zuerst nicht erklären.

Instinktiv duckte er sich und zog den Kopf ein. Beobachtete im Spiegel, wie eine Frau hinter dem Lenkrad des schmuk-ken kleinen Volvo ausstieg und ein Mann sich umständlich, als sei er krank oder sehr müde oder betrunken, auf der anderen Seite herauswälzte. Ein Mann mit indianerschwarzem Haar, käsigem Gesicht – Lee Roy Sears.

Wer war die Frau? Michael konnte sie nicht deutlich sehen. Sie sprach mit eindringlichem Ernst auf Lee Roy Sears ein, als wollte sie ihm Ratschläge geben. Eine gutangezogene jüngere Frau, nicht gerade pummelig, aber kräftig gebaut; mit gesunder Gesichtsfarbe, glänzendem, weizenblondem Haar. Eine Frau Mitte Dreißig, die seiner Schwester Janet ähnelte.

Die Frau und Sears gingen auf Sears' Wohnheim zu, Sears unsicher auf den Beinen, die Frau ihn hilfreich stützend. Sie waren annähernd gleich groß, paßten aber dennoch nicht zusammen. Als sie sich dem Gebäude näherten, blickte der auf der Vordertreppe sitzende Schwarze mit einem Grinsen zu ihnen hoch, das seine untere Gesichtshälfte entzweiriß.

Michael O'Meara starrte entsetzt zu ihnen herüber: Es *war* Janet.

Er wandte sich in dem Augenblick ab, als das Paar das Gebäude betrat und die Gesichter im Dunkel verschwanden.

Michael fuhr nach Mount Orion zurück. Er hatte keine Lust zu warten, bis Janet das Haus verließ, das sie so selbstverständlich betreten hatte.

TEIL VI

1

Rasch geht sie über den Gang im oberen Stockwerk dieses quasi öffentlichen Gebäudes. Die Absätze prasseln auf die blankgebohnerten Eichenbohlen wie bei einer spanischen Tänzerin, wenn sich der Arm ausstreckt, um ohne Vorwarnung ihre Taille zu umfassen.

Um was für ein Gebäude handelt es sich und um welchen Abend? Um eins der restaurierten »historischen« Herrenhäuser in Mount Orion, und um einen feucht-ungemütlichen Oktoberabend, der nach nassem Laub riecht.

Wie kommt es, daß der Herbst, der böige Herbst mit wirbelnden Blättern und an den Fenstern rüttelndem Wind in ihr das Verlangen erregt, mit jemandem zu schlafen? Das heißt, nur in *Gedanken*. Nicht *wirklich*.

Der Arm erhebt Anspruch auf sie. Ein Arm in dunklem Ärmel, tadellos sitzender Smoking, blendendweiße Hemdbrust mit goldenen Einsteckknöpfen. Nein, Finger weg! Ich habe gesagt: *nein!*

Unten Stimmengewirr, Gelächter. Heitere Laute. Fröhlichfestliche, leicht berauschte Geräusche. Die Party, auf die sie schon ihr Leben lang geht.

Sogar ein Streichquartett, hinten in einer Ecke, dem niemand zuhört.

Sie wehrt sich gegen ihn, den Mistkerl, der ihr nach oben gefolgt ist, einfach so, oder – hatte er auf sie gewartet?

Sie will sich nicht vorstellen, daß er auf sie gewartet hat. Hier oben, weil er weiß, sie würde unruhig werden und nachkommen. Kennt er sie? Ja?

Verdammt noch mal, ich habe gesagt *nein!* Du kennst mich überhaupt nicht du hast keine Ahnung von mir wie kannst du es wagen?

Sie ist auch nicht betrunken. Denk das ja nicht, du Scheißkerl.

Nutzt es einfach aus. Aber das klappt nicht!

Sie gehört zu denen, die überlegen, vorsichtig trinken, jeden Schluck genau abmessen. Die Menge nach der Dauer der Party bemessen.

Sie trinkt stets allerbesten Weißwein: kühl, trocken, herb, köstlich. Und natürlich Champagner. Wenn es sehr guter Champagner ist.

Den sie heute abend trinkt – in Maßen.

Es handelt sich um eine Feier, den Eröffnungsempfang für was auch immer – die Herbst-Winter-Saison. Welches Jahr?

Bevor sie den Arm, der sich schlangenhaft um ihre schmale Taille wand, richtig gesehen und gespürt hatte, bevor sie seine harten, hungrigen Zähne an ihrem Mund, ihrem Hals, ihrer Brust gefühlt hatte, hatte sie vielleicht, nur vielleicht, eine Vorahnung gehabt – wie wenn man etwas an der Peripherie des Gesichtsfeldes wahrnimmt, das man nicht genau *sieht.*

Also hätte sie stehenbleiben und umkehren können; hätte schnell den Rückzug über die elegante alte Wendeltreppe antreten können. Gelassen, sehr schön. Mit einem geheimnisvollen Lächeln auf den Lippen.

Also hätte ihr Mann nicht vage, vielleicht nur unbewußt, ihre Abwesenheit gespürt. Zwischen Gesprächen, Gelächle, Händeschütteln, herzlichen Begrüßungen um sich geblickt.

Die Treppe hinabschreitend, wäre sie überzeugt gewesen, daß das schwarze Jersey-Futteralkleid, das sich ihrer fast zu dünnen Figur wie angegossen anschmiegte, ein Erfolg und seinen Preis wert sei. Ah, das hatte sie gleich gewußt, als sie es bei Henri Bendel's auf dem gepolsterten Kleiderbügel hängen sah. Manche Dinge *weiß* man eben.

Bei den Schuhen hatte sie nicht solches Glück gehabt. Tagelang herumgelaufen, bevor sie sie bei Milady's ausfindig machte – aber sie sind wunderbar.

Taumelnd vollführen sie einen schwerfälligen Tanz, schneller stoßweiser Atem, geweitete Augen und, Himmel noch mal, er tritt ihr auf die *Zehen:* das heißt also auf ihre neuen *Schuhe:* Scheißkerl, das ist nicht komisch, *hörst* du jetzt bitte auf!

Küsse, die nach Champagner schmecken.

Ein leichter Nachgeschmack von Austern, Kräuterbutter. Knoblauch?

Lachend führt er sie in einen der Ausstellungsräume, schiebt sie kurzerhand zurück, zur Seite, stößt die Tür mit dem Ellbogen hinter sich nur halb zu.

Warum soll ich aufhören? Hmmmmh?

Nicht *hier,* nicht *jetzt* –

Wo denn, wann denn?

– Wenn nun jemand reinkommt –

– Hmmmmh?

– Oh! du bist verrückt, du bist –

– So! –

– Ich habe *aufhören* gesagt –

– Warum, wenn du's so gern hast?

Schiebt ihr das Kleid unsanft über die Knie, über die Hüften, bis zur Taille, auch den schwarzen Seidenunterrock mit dem Spitzensaum, ja und zerrt ihren schwarzen Seidenslip mit harten heißen drängenden Fingern herunter, was sie so überrascht, daß sie sich verzweifelt an ihn klammert, damit sie nicht umfällt, verdammt noch mal, du verrückter Mistkerl, lachend reibt er die Nase an ihr, ich nehme dich, wo du nicht gedacht hast, daß du's wolltest, bleib einfach so, Schätzchen, ja? so? so? öffnet den Reißverschluß seiner Hose in diesem Halbdunkel, wo es nach Staub und Möbelpolitur riecht, hebt sie hoch und legt sie sich unbekümmert auf einem der gläsernen Schaukästen zurecht, Gott sei Dank ist es ein stabiles Möbel, wo *sind* sie eigentlich? – in einem Ausstellungsraum feierlich wie ein Grab, der Historisches aus dem Norden New Jerseys beherbergt, angejahrte Tagebücher, verschlissene Seidenfächer, Schnupftabakdosen, abgetragene Hüte, vergilbte Zeitungen mit Schlagzeilen, auf die in den letzten hundert Jahren höchstens hier und da ein flüchtig interessierter Blick fiel, auf den verblichenen Tapeten an den Wänden hängen in schweren vergoldeten Rahmen Portraits schnurrbärtiger, Perücken tragender Herren in steifer Haltung, ein rotgesichtiger General in vollem Ordensschmuck, der von seinem günstigen Aussichtspunkt über dem Kamin das Zepter über die anderen schwingt. Oh, sie strengt sich an, die Knie zusammenzupressen, sie kneift die Unterleibsmuskeln zusammen, sie beißt die Zähne aufeinander, zufällig trägt sie einen Strumpfgürtel aus schwarzem Satin von Edith's (wann ist dieses entzückende weibliche Zubehör eigentlich wieder in Mode gekommen?), hauchdünne rauchfarbene Strümpfe, unter ihren Lidern heiße Tränen der Wut, sie gräbt die manikürten Nägel in sein Handgelenk, sie protestiert, sie meint es ernst, auf dem Glasschaukasten liegt sie hilflos eingeklemmt unter seinem lastenden Gewicht, ihr Kopf ist zurückgedreht, ihr hübscher Mund verzerrt wie bei einem Fisch, der nach Luft schnappt. Oh! Ich habe *aufhören* gesagt! Bitte, ich meine *aufhören* –

Zu spät.

2

In jenem Herbst. In jenem Winter.
Etwas Unbekanntes, Gräßliches ging vor, und Michael
O'Meara konnte es weder beeinflussen noch die Dimensionen
einschätzen; gleichwohl fühlte er sich nach der Logik eines
Alptraums irgendwie dafür verantwortlich.

Aber wieso? Wieso war *er* verantwortlich? Denn diese
Tode ereigneten sich wie Unfälle, die nichts mit ihm oder, augenscheinlich, miteinander zu tun hatten.

Am frühen Morgen des 3. November kam Mal Bishop bei
einem Feuer ums Leben, welches das Mietshaus in Newark, in
dem er eine Einzimmerwohnung gemietet hatte, innen völlig
zerstörte und das, wie man vermutete, durch eine brennende
Zigarette entstanden war, die er im Bett fallen ließ; und

am Nachmittag des 16. November, dem Vorabend ihres
fünfundachtzigsten Geburtstags, wurde Julia Sutter im Keller
des schönen alten Kolonialhauses in der Linwood Avenue in
Mount Orion, das sie seit vielen Jahren allein bewohnte, tot
aufgefunden; ein Einbrecher hatte sie brutal erstochen und erschlagen.

Den Tod Mal Bishops nahm in Mount Orion praktisch niemand zur Kenntnis, doch Julia Sutters Tod, bei dem es sich um
Mord handelte, rief allgemein tiefe Bestürzung hervor. Nicht
nur, daß Julia Sutter eine prominente, hochgeschätzte Persönlichkeit in Mount Orion war, eine Frau mit buchstäblich Hun-
derten von Freunden, Bekannten und Kontakten, bedeu-
tungsvoller war die Tatsache, daß es in Mount Orion seit vielen Jahren keinen gewaltsamen Tod gegeben hatte. Der

Mount Orion Courier, ein Wochenblatt, bereitete eine Julia Sutter gewidmete Sonderausgabe vor: über die polizeiliche Untersuchung, dazu einen ausführlichen Nachruf, Erinnerungen und Kommentare von Freunden und Nachbarn, Fotos der Toten und eine kleine Auslese ihrer Gedichte. (Wie sich herausstellte, war Julia eine vielseitig begabte Frau gewesen.)

Im Polizeirevier Mount Orion gab es nur zwei ältere Kriminalbeamte, die beide auf den Fall Sutter angesetzt wurden: Man ging davon aus, daß Einbruch das Motiv für den Mord, wenn auch nicht für seine Brutalität, darstellte, da eine Reihe wertvoller Einrichtungsgegenstände fehlte und Julias Brieftasche nach Entnahme von Bargeld und Kreditkarten auf einem Weg ein paar Kilometer entfernt gefunden wurde. Und es gab mindestens eine unter dringendem Tatverdacht stehende Person – über die sich die Polizei anfangs nur ungern äußerte, außer knapp und kryptisch zu erwähnen, daß es sich *nicht um einen Einwohner von Mount Orion* handelte.

Natürlich dachte Michael O'Meara sofort an Lee Roy Sears.

Mit Beschämung und Entsetzen war er sich auch bewußt, daß andere dasselbe denken mußten.

»Was für eine schreckliche, schreckliche Geschichte!«

»Eine Tragödie!«

»Die arme Julia! – *auf diese Weise* sterben zu müssen!«

»Und ihre Enkelkinder wollten ihr nur einen Tag später eine Geburtstagsparty geben!«

»Wer es auch getan hat – was für ein *Vieh*»«

Beim Trauergottesdienst in der First Congregational Church in Mount Orion, der Julia Sutter zweiundfünfzig Jahre lang angehört hatte, drängten sich die Menschen. Es herrschte eine Atmosphäre gedämpften Entsetzens; es wurde viel geweint; selbst Gina, die Julia nicht sehr gut gekannt hatte, betupfte sich zu Michaels Überraschung mehrmals während der Feier die Augen. Gina behauptete, sie hätte eine »töchterliche Neigung« zu der älteren Frau empfunden – das erste Mal, das Michael davon hörte, obwohl er an der Aufrichtigkeit dieses Gefühls nicht zweifelte.

Obwohl er erschüttert und angewidert von dem Verbrechen und voller Mitleid für Julia Sutter war, fühlte sich Michael O'Meara persönlich nicht so bedroht wie Gina und anscheinend auch andere Frauen in Mount Orion. Seiner Meinung nach reagierten sie weniger auf den Tod als solchen als auf die Brutalität des Überfalls, die zu dem Tod geführt hatte: mehrere Stichwunden in nahezu jedem Körperteil, zerschmetterter Schädel und zerquetschter Kehlkopf. Der Mörder hatte eine stumpfe Waffe (einen von Julias Zinnkerzenhaltern) und ein Fleischmesser (aus Julias Küche) benutzt, die er beide blutbefleckt im Keller zurückließ, allerdings ohne Fingerabdrücke zu hinterlassen. Die Information stammte zwar nicht von der Polizei, doch war allgemein bekannt, daß die Leiche der armen Julia derart zerstückelt und zerschnitten war und so viele Wunden aufwies, daß eine ihrer Brüste nur noch durch einen Hautfetzen mit dem Oberkörper verbunden war. Der anscheinend geistesgestörte oder drogensüchtige Mörder hatte sich sogar noch die Zeit genommen, eine Kellerwand mit dem Blut zu bespritzen und zu beschmieren – leider auch ohne Finger- oder Handabdrücke zu hinterlassen.

Hatte er versucht, etwas zu schreiben oder auf irgend etwas hinzuweisen? Oder zeigte sich nur sein Wahnsinn darin, solche Dinge mit dem Blut des Opfers anzustellen?

Ein Wahnsinniger, dachte Michael. Aber ein Wahnsinniger mit Programm.

»Die arme, liebe Julia! – Daß sie ausgerechnet so sterben mußte! Ich kann es gar nicht ertragen, daran zu denken«, sagte Gina erschauernd. »Bitte sprich nicht mehr darüber, Michael. Oder nur, wenn du mir sagen kannst, daß der Mörder gefaßt ist. Dieses Ungeheuer ...«

Gina setzte ihren Drink ab und hielt sich wie ein Kind die Ohren zu.

Michael strich ihr über die dünne Schulter und das aschblonde Haar, das sich zu seiner Überraschung spröde und trocken anfühlte. Sanft sagte er: »Schatz, es ist ja möglich, daß Julia sofort tot war. Wer es auch getan hat – er hat sie vielleicht ganz schnell getötet.« Seine Worte klangen matt, unüberzeugend. Es lag wohl daran, daß er einen so trockenen Mund hatte.

Gina blickte kurz zu ihm hoch, als wollte sie ihm glauben, aber dann sagte sie, seine Hand mit einem Achselzucken abschüttelnd: »Ein schwacher Trost!« Sie lachte. »Hoffentlich kann *ich* das auch erwarten!«

Natürlich war Michael O'Meara nicht der einzige in Mount Orion, der nach Bekanntwerden von Julia Sutters Tod sofort an Lee Roy Sears dachte: Viele andere, die von dem Streit im Dumont Center wußten, hatten gleich einen Zusammenhang gesehen und die Polizei benachrichtigt. Wie sich herausstellte, hatte Lee Roy Sears jedoch ein Alibi – das ihm zur allgemeinen Überraschung Valeria Darrell verschaffte.

Er konnte die arme Julia nicht umgebracht haben, sagte Valeria, weil er mit *ihr* zusammengewesen war.

Tatsächlich hatte er sich, wie beide steif und fest behaupteten, am 14., 15. und 16. November in Valerias Cottage (in Wirklichkeit ein geräumiges anderthalbgeschossiges Haus) am Meer in Cape May, New Jersey, aufgehalten. Das Haus lag abseits, aber es gab Beweise, unanfechtbare Beweise, daß die beiden in der Nacht des 15. November zusammen waren, denn in dieser Nacht um genau 22.40 Uhr hatte Lee Roy Valeria in ihrem schwarzen Porsche wegen »unbedeutender Gesichtsverletzungen« zur Unfallstation des General Hospital in Cape May gebracht – es handelte sich um einen Nasenbeinbruch und Fleischwunden, die sich Valeria nach ihren Worten bei einem Sturz von der steilen Holztreppe, die von ihrem Cottage zum Strand führte, zugezogen hatte. Im ärztlichen Bericht war von einem leichten Rausch die Rede.

Aus den Krankenhausunterlagen ging hervor, daß Valeria sich nur fünfundvierzig Minuten in der Unfallstation aufgehalten hatte. Sie und Lee Roy Sears gaben an, daß er unterdessen draußen im Auto auf sie wartete; nach dem Verlassen des Gebäudes ging sie einfach zu ihm. Im Krankenhaus konnte niemand beschwören, Lee Roy Sears nach 22.45 Uhr gesehen zu haben, und die Meinungen darüber, ob er zu dem Zeitpunkt tatsächlich gesehen worden sei, gingen auseinander. (Die Notaufnahme hatte zur fraglichen Zeit gerade sehr viel zu tun.)

Michael konnte nicht anders, er mußte nachrechnen: Von Cape May nach Mount Orion auf dem Garden State Parkway waren es annähernd vierhundert Kilometer; eine Fahrt von vier Stunden. Julia Sutter war am späten Morgen des 16. November gestorben.

Michael konnte nicht anders, er dachte, obwohl ihm bei dem Gedanken übel wurde: Sears *könnte* es getan haben.

Aber wie unwahrscheinlich, daß Lee Roy Sears, vorausgesetzt, er war überhaupt in Cape May gewesen, in der Nacht zu dem einzigen Zweck nach Mount Orion zurückgefahren sein sollte, um eine alte Frau umzubringen. Er leugnete es natürlich. Und Valeria Darrell leugnete es, äußerst hartnäckig und in den Augen von ganz Mount Orion geradezu schamlos, ebenfalls.

Lee Roy wurde allerdings von der Polizei verhört. Aber nicht festgenommen. Gab es denn Anhaltspunkte, die ihn mit dem Verbrechen in Verbindung brachten? Oder zumindest mit dem Umfeld des Verbrechens? Nach dem Verhör telefonierte er aufgebracht und in Tränen mit Michael O'Meara: »Diese Arschlöcher! – *mir* die Schuld zu geben! – *mich* zu verfolgen! – ich tu doch keiner alten Dame nich was an, nich mal *der!* – diese verdammte – die mich ›obszön‹ genannt hat! – weil ich'n Ehemaliger bin, äh? – keine weiße Weste hab, äh? – Arschlöcher!« In dieser Art redete Lee Roy schwer atmend minutenlang weiter, und Michael ließ ihn tiefgerührt einfach weiterreden. Er war erleichtert, überhaupt etwas von Lee Roy zu hören, mit dem er zwei oder drei Wochen nicht gesprochen hatte, denn seitdem Lee Roy sozusagen ein eigenes Atelier in einem Loft auf dem Speicher eines ehemaligen Lagerhauses in

North Putnam hatte und nicht mehr zum Dumont Center gehörte, sah Michael ihn seltener; obwohl er fast ständig an ihn dachte.

Selbst wenn er nicht an ihn dachte, dachte er an ihn. Irgendwie hatte es mit der Trockenheit in seinem Mund zu tun.

Lee Roy redete erbost, empört daher und sagte schließlich, als ob er sich diese Frage zurechtgelegt hätte, fast ängstlich, dann aber doch aggressiv: »*Sie* glauben mir, Mr. O'Meara, oder nicht?«

Die Frage hing einen Augenblick lang in der Luft.

Dann brach es aus Michael heraus: »Mein Gott, Lee Roy! Mußt du danach erst *fragen?* Und bitte nenn mich endlich ›Michael‹.«

(Er sagte Gina nicht, mochte ihr nicht sagen, daß er sich wegen seiner jetzt ständigen Sorgen um Lee Roy Sears, verbunden mit den berechtigteren Sorgen um die Peverol-Klage, angewöhnt hatte, fast jeden Tag, manchmal zweimal am Tag Liloprane zu nehmen. Eine vorübergehende Maßnahme, aus praktischen Erwägungen – aber zu seinem Ärger *war* sein Mund trocken.)

Obwohl Michael O'Meara sich sowohl bei Clyde Somerset als auch bei Julia Sutter für ihn eingesetzt hatte, war Lee Roy Sears nicht mehr Stipendiat des Dumont Center.

Wie Clyde mehrfach betont hatte, ging es nicht nur um die obszönen Kunstwerke – »Ich kann und *will* niemanden im Lehrpersonal haben, der so unberechenbar ist.«

Michael konnte allerdings Entlassungsbedingungen aushandeln, die nicht kleinlich waren: Obwohl Lee Roy im Herbstsemester nur sechs Wochen Unterricht gegeben hatte, sollte er bis Dezember sein volles Stipendium beziehen. Er durfte das gesamte Material, mit dem er gearbeitet hatte, behalten. Wichtiger war – und darauf hatte Michael O'Meara als kluger Anwalt bestanden –, daß die Gründe für seine Entlassung nicht genannt werden durften. Nach außen sollte das Problem als eine Meinungsverschiedenheit über ästhetische Prinzipien dargestellt werden.

Was ist »Kunst«, und was ist »Pornographie«; wie definiert man »obszön«; soll sich eine Institution wie das Dumont Center nach den »Maßstäben des Gemeinwesens« richten; und was heißt das eigentlich: die »Maßstäbe des Gemeinwesens«?

Wochenlang veröffentlichte der *Mount Orion Courier* unter der Überschrift Pro und Kontra lange Spalten leidenschaftlicher Leserbriefe: Die Pro-Stimmen verteidigten beherzt das Recht des Künstlers auf die Definition von »Kunst«, und die Kontra-Stimmen verteidigten ebenso beherzt das Recht des Gemeinwesens auf die Definition von »obszön«. Der *Courier* bemühte sich um redaktionelle Ausgewogenheit, denn Mount Orion war merkwürdigerweise, je nach Lage der Dinge, ein sowohl konservatives als auch liberales Gemeinwesen. Der Herausgeber bat um ein Interview mit Lee Roy Sears als Gegengewicht zu einem Interview mit Clyde Somerset, doch Lee Roy befolgte Michael O'Mearas Rat und lehnte ab.

Es wäre klüger, sagte Michael, wenn Lee Roy sich würdevoll zurückhielte. »Denn schließlich erfüllen sie alle finanziellen Bedingungen der Vereinbarung.«

Lee Roy zuckte mit den Achseln, ohne eine gegenteilige Meinung zu äußern. Seit seinem Wutanfall im Center war er ungewöhnlich schweigsam, vernünftig. Er hatte Michael gebeichtet, er müsse wohl einen Blackout gehabt haben, denn er könne sich nur undeutlich an das Zerschlagen der Tonfiguren erinnern: als habe er wie in einem bösen Traum jemand anderem beim Zerschlagen zugesehen.

»Das würde ich keinem erzählen, Lee Roy«, sagte Michael. »Zum Beispiel nicht Mr. Sigman. Es könnte sein, daß er es nicht versteht.«

Lee Roy lachte unfroh. »So'n Scheiß. Ich sag *nie* einem was! Außer dir!«

Nachdem das Center Lee Roys Kunsttherapie-Kurs abgesetzt hatte, durften seine Studenten in andere, konventionellere Kunstkurse dort überwechseln; auf ihre Fragen nach ihrem früheren Lehrer erhielten sie indes keine Antwort. Die offizielle Erklärung lautete, Mr. Sears gehöre nicht mehr zum Lehrkörper.

Ned Fiske wollte von Clyde Somerset wissen, ob Lee Roy einen Zusammenbruch gehabt hätte oder wieder ins Gefängnis gekommen sei. Clyde antwortete diplomatisch: »Er ist nicht wieder ins Gefängnis gekommen.«

Zu Michael O'Meara sagte Clyde: »Findest du nicht, daß für den Mann ein psychiatrisches Gutachten erstellt werden müßte?« Michael sagte: »Hat er. Kriegt er. Das gehört zur Bewährungsauflage.« Traf das zu? Michael hatte im Grunde keine Ahnung. Der Gedanke war ihm einfach zugeflogen. »Er muß auch Medikamente nehmen.« Clyde fragte: »So was wie Lithium?«

Michael sagte: »So was wie Lithium.«

Glücklicherweise brauchte Michael nicht nach Putnam zu fahren, um H. Sigman persönlich aufzusuchen. Er hatte mit dem Bewährungshelfer irgendwann telefoniert, und das Gespräch war unerwartet gut verlaufen.

Michael erzählte H. Sigman, der durch Clyde Somerset von dem Vorfall gehört hatte, daß Lee Roy aufgrund der Beschwerde einer älteren Frau, einer Förderin des Center, entlassen worden sei. Wäre die Frau keine wohlhabende Mäzenatin, hätte Clyde Somerset ihn nie entlassen.

»Ist also politische Taktik?« fragte H. Sigman gewitzt.

»Politische Taktik, ja«, sagte Michael.

»Was mit nackichten Frauen – aus Plastik?«

»Plastiken«, sagte Michael. »Die alte Frau hat eben beim Anblick von nackten Figuren einen Schock gekriegt. Sie wissen schon – *Akte*. Kommt dauernd vor in der Kunst.«

»Ich weiß. Ich weiß, daß das dauernd vorkommt.« H. Sigman sprach schnell, mit Begeisterung. Es ließ sich nicht übersehen, daß ein Anruf von Michael O'Meara ein besonderes Ereignis in seinem Tageslauf darstellte, und er gedachte nicht, es auf die leichte Schulter zu nehmen. »Ganz früher – also bei den alten Griechen und Römern – *da* hat man immer nakkichte Statuen gemacht. Das war der Stil damals.«

»Das stimmt«, sagte Michael erfreut. »Und es ist der Stil heute.«

»Meine Worte. Lee Roy Sears steht in dieser Tradition.«

»Ja, Lee Roy Sears steht in dieser Tradition.«

»Er hat mir erzählt und dabei fast geweint, daß die ihm keine richtige Chance gegeben hätten. Das arme Schwein.«

Michael nickte, als ob H. Sigman oder Lee Roy Sears ihm zusehen könnten. Er sagte: »Richtig. Aber das werden sie noch bedauern.«

Am Sonntag nach dem Freitag, an dem Lee Roy Sears seinen Wutanfall hatte, besuchte Michael O'Meara Julia Sutter: Wenn er sie überreden könnte, ihre Beschwerde zurückzunehmen, so meinte er, würde Clyde Somerset sich bereitfinden, Lee Roy wiedereinzustellen. »Eine Frau ihres Alters und ihrer Herkunft – eine Christin –, ist nicht nachtragend.«

Hatte er laut gesprochen? Ein leises, nachdenkliches Murmeln im Gleichklang mit dem satten Geräusch des Motors und dem beruhigenden Pulsieren des Blutes durch seine Adern.

»Eine schlechte Angewohnheit, laut zu sprechen. Also hör auf damit.«

Michael O'Meara hatte noch nie vor sich hin gesprochen, selbst wenn er unbestreitbar allein war.

Denn wie kann man sicher sein, daß man unbestreitbar allein ist?

Er hatte Julia angerufen, und sie hatte ihn, gastfrei wie sie war, zum Tee eingeladen.

Michael hätte lieber einen Drink gehabt, aber er war dankbar für die Einladung und betrat das Haus an der Linwood Avenue mit der Ehrerbietung und Höflichkeit eines jungen Mannes. Weder er noch Gina hatten das Haus Sutter, ein bekanntes Wahrzeichen von Mount Orion, das aus dem frühen achtzehnten Jahrhundert stammte und im Lauf von vielen Jahren durch Anbauten erweitert worden war, je von innen gesehen. An der Vorderseite prangte eine Gedenktafel; der Legende zufolge hatte George Washington vor der Schlacht im Great Swamp eine Zeitlang in dem Haus gewohnt. Auf einem alten Friedhof in der Nähe lagen amerikanische Soldaten der Revolution zusammen mit ihren hessischen Feinden begraben, die alle in der Schlacht von Mount Orion 1780 gefallen waren. Julia Sutter erwähnte solche Ereignisse, als hätten sie sich nicht in einer fernen, uns kaum noch berührenden Zeit abgespielt. Zwischen ihren sorgfältig gehegten und gepflegten antiken Möbeln, in ihrem eleganten, wenn auch reichlich dunklen Wohnzimmer mit den hohen, schmalen Fenstern, den verblichenen Samtvorhängen, den Stichen von Currier und Ives, schienen diese Episoden tatsächlich nicht weit zurückzuliegen.

Michael O'Meara hatte sich in den vergangenen paar Jahren, seit Gina sich aktiv bei Organisationen in Mount Orion engagierte, oft gefragt, wie es kommt, daß die Bewahrung historischer Dinge, alter Symbole, antiker Möbel zu einer Domäne von Frauen wird – von wohlhabenden philantropischen Damen wie Julia Sutter? Wissen diese guten Ladies nicht, daß Geschichte vor allem aus Schlachten zwischen Männern besteht und Schlachten vor allem Gemetzel sind? Was zelebrieren die guten Ladies da eigentlich?

Julia Sutter ließ ihren Besucher auf einem hartgepolsterten Stuhl im Federal-Stil neben einem leicht zugigen, nicht angezündeten Kamin Platz nehmen und setzte sich selbst, eingehüllt in einen schwarzen Strickschal, auf ein Sofa ihm gegenüber; sie schenkte ihm fast sofort eine Tasse Earl-Grey-Tee ein, der so stark war, daß er einen bitteren Geschmack in seinem Mund hinterließ, und bot ihm sehr süße Kekse aus einer Dose von Harrods an, die zerkrümelten, als er hineinbiß. »Vielen Dank!« wiederholte Michael in einem fort und »Köstlich!« und »Nein, ich glaube, ich möchte nicht mehr!«

Ihm war unbehaglich, vielleicht ein bißchen bang zumute.

Auf dem Kaminsims sah er neben einem Paar schwerer, erlesener Zinnleuchter und einer Vase mit getrockneten, angestaubten wilden Blumen eine antike Uhr in einem wunderschön geschnitzten Gehäuse, deren Pendel langsam, gleichsam nachdenklich hin und her schwang und deren verzierte Zeiger auf 12 und 7 standen: Einen Augenblick lang wußte er nicht, wie spät es wirklich war – 7 Uhr früh oder abends oder 12.35 Uhr mittags oder nachts.

Auch sonst im Zimmer tickten antike Uhren, die hie und da die volle, die halbe, die Viertelstunde schlugen. Jede zeigte ihre eigene Zeit an – schien launenhaft und störrisch auf ihrer eigenen Zeit zu bestehen. Michael blickte verstohlen auf seine Armbanduhr und sah, daß es 16.45 Uhr war: *seine* Zeit. Fest um sein Handgelenk gebunden.

Die betagte Mrs. Sutter betrachtete ihren jungen Besucher gedankenverloren mit ernsten, grauen Augen. Sie war eine gutaussehende, wenngleich etwas schmallippige Frau; mit einer Kappe weißen Haars, weißen Augenbrauen und Wimpern, kantigen Wangenknochen, einer zugleich gebieterischen und freundlichen Miene. Sie hatte sich für die Gelegenheit das Gesicht gepudert und trug eine zwar ausgefallene, aber attraktive Gewandung – einen purpurroten Schottenrock, der sich ihrer Gestalt lose anpaßte, und jugendlich hochhackige Schuhe. Das schwarze Netz des Schals umhüllte lässig ihre Schultern. Julia Sutter war Erbin und die Witwe eines mehrfachen Millionärs. Ihre Stimme war unerwartet laut, wie die eines Richters, der sich an den ganzen Gerichtssaal wendet. »Junger Mann, Sie wirken – Sie finden mich hoffentlich nicht unhöflich – ein bißchen zerstreut.«

Michael lächelte. »Ich glaube nicht, Mrs. Sutter. Ich –«

»Bitte nennen Sie mich Julia.«

»– ich glaube nicht, Julia. Ich weiß, warum ich hier bin. Ich möchte –«

»Ja, ja, ich weiß, ich weiß, warum Sie hier sind«, sagte Julia Sutter fast teilnahmsvoll. »Sie sind hier, um diesen abscheulichen, widerwärtigen, gräßlichen Menschen zu verteidigen, diesen ›Seals‹ – ›Sears‹ – mit seiner überaus schmutzigen

›Kunst‹, und das hat keinen Zweck, junger Mann, es hat keinen Zweck.«

Als Michael den Mund öffnete, um etwas zu sagen, wiederholte Mrs. Sutter, immer noch teilnahmsvoll: *»Es hat keinen Zweck.«*

Michael starrte die Frau bestürzt an. Eine Porzellantasse zitterte in seiner Hand.

»Mrs. Sutter, aber –«

»Ich habe Clyde gesagt, und er ist absolut derselben Meinung – das Dumont Center muß Maßstäbe einhalten. Mount Orion ist immer ein Gemeinwesen mit Maßstäben gewesen. Also kommen Sie mir nicht mit dieser Persiflage ›künstlerischer Freiheit‹, junger Mann. Ich nehme sie Ihnen nicht ab! Die Freiheit Ihres Künstlerfreundes hört da auf, wo meine Freiheit anfängt, und seine Freiheit, schmutzige, unsäglich pornographische ›Kunst‹ zu verüben, endet da, wo mein Portemonnaie anfängt! Sie wissen es – unterbrechen Sie mich nicht! – dies ist mein Haus! –, und ich weiß es, und *er* weiß es jetzt auch. Und wie ich gesagt habe, Clyde ist *absolut* derselben Meinung.« Mrs. Sutter zog sich den Schal fester um die Schultern. In verändertem Ton sagte sie: »Clyde und Susanne sind so *besonders* nett, finden Sie nicht auch?«

Michael starrte blinzelnd vor sich hin. Er war wie vor den Kopf geschlagen, brachte aber ein wenn auch schwaches Lächeln zustande und sagte: »Ja, das sind sie. Ich –«

»Und Ihre Frau – heißt sie Jean – Gina?«

»Gina. –«

»Dieses hübsche Mädchen mit dem wunderschönen Haar – früher *meine* Farbe. Ist es Natur?«

»Wie – Natur?«

»Sie sind sehr befreundet, nicht wahr, mit Mr. Schatten? – diesem gescheiten jungen – ist er nicht Anwalt? Häusermakler? Ich sehe Sie so oft zusammen, das ist sicher sehr nett.«

Michael versuchte nachzudenken. Schatten? Dwight Schatten – ein Mann Anfang der mittleren Jahre aus Mount Orion, der als ein sehr gewiefter Jurist galt. Aber Schatten gehörte nicht zum Freundeskreis der O'Mearas, und weder Michael noch Gina kannten ihn gut. Michael wußte nicht einmal, ob er noch verheiratet war.

Michael räusperte sich und sagte vorsichtig: »Mrs. Sutter, ich glaube –«

»Bitte ›Julia‹! Sonst komme ich mir steinalt vor!«

»– wenn Sie Lee Roy Sears besser kennen würden, hätten Sie –«

»Gott bewahre!« Mrs. Sutter lachte.

»– Verständnis, glaube ich, für – seine Situation. Er hat es sehr schwer gehabt –«

»Das haben wir alle, aber wir laufen nicht herum und lassen uns Obszönitäten zuschulden kommen, oder!«

»– er war in Vietnam, und er –«

»Er war im Gefängnis, *das* weiß ich.«

»– versucht, ein neues Leben anzufangen, wiedergutzumachen –«

»Man sperrt keinen Menschen ins Gefängnis und verurteilt keinen zum Tod, weil er nichts getan hat, *das* weiß ich.«

Michael holte Atem, um weiterzusprechen, doch Mrs. Sutter fügte koboldhaft hinzu: »Jedenfalls ist das keine Entschuldigung für Obszönitäten. Das ist meine Meinung.«

»Aber der Sachverhalt ist nicht so eindeutig, Mrs. Sutter – Julia. Nach der Gesetzeslage –«

»Ach, Unsinn! Ich weiß, und Sie wissen, und jeder einigermaßen vernünftige Mensch weiß, was obszön ist. Das genügt!«

Das Wort *obszön* löste sich mit scharfem, fast sinnlichem Zischen von Mrs. Sutters Zunge. Es war offenbar ein Wort, das die alte Frau genoß.

Michael stellte seine Teetasse behutsam hin. Um seinen Worten einen Raum zu schaffen, sagte er mit aller Entschiedenheit, die er in dieser schwierigen Situation aufbieten konnte: »Entschuldigen Sie, Julia aber – es gibt wirklich verschiedene Meinungen über diese –«

»Na, das will ich hoffen!« sagte Mrs. Sutter fröhlich.

»– Frage. Und für den Künstler selber, in seinen Augen, sind seine Kunstwerke nicht –«

»›Obszön‹ –? Aber natürlich sind sie das: Warum sollte er sie sonst hervorbringen? Wie diese grauenvollen Serienmörder, die Frauen umbringen, ihre Körper zerstückeln, und wenn sie dann gefaßt werden, so tun, als ob sie kein Wässerchen trüben könnten! – *und ihre Anwälte sind genauso schlimm.*«

»Also, Mrs. Sutter, das ganz bestimmt nicht! Sie meinen doch nicht –«

»Ach, das weiß doch jeder! Das ist wohl kaum ein Geheimnis.«

Michael blickte diese erstaunliche alte Frau starr an. Ein heißer Zornesblitz fuhr durch sein Nervensystem, wurde aber durch den Tranquilizer abgelenkt, bevor er ein Feuer entfachen konnte. Wie halsstarrig, wie voreingenommen, wie unerbittlich – wie unerschütterlich! Die antike Uhr auf dem Kaminsims schlug einen selbstgefälligen, kehligen Ton an.

Er lächelte und sagte, als sei alles in Ordnung, als könne er das Gespräch einfach wiederaufnehmen: »Wie ich schon sagte, in Lee Roy Sears' Augen sind seine Kunstwerke nicht ›obszön‹. Sie sind –«

»Ach, es kann uns doch gleichgültig sein, was *er* behauptet! Noch Tee?«

»N-nein, danke –«

»Sie sind sowieso alle gleich!«

»Wer?«

»Sie.«

Michael versuchte zu lächeln. Sein Herz schlug sehr schnell.

»Wer sind ›sie‹, Mrs. Sutter?«

»Man weiß, wer es ist, wenn man sie sieht«, sagte Mrs. Sutter. »Möchten Sie nicht noch etwas Tee? Er hat schon eine Weile gezogen.«

»Tut mir leid, wirklich nicht –«

»Dann noch einen Keks? Sie sehen besorgt aus.«

Michael sah, wie sich seine Hand nach dem steinharten Gebäck ausstreckte, das er gar nicht wollte. Auf einem kunstvollen Tisch mit Elfenbeinintarsien ein paar Schritt entfernt hatte eine andere Uhr eine Sequenz gebieterischer Schläge angestimmt.

»Ich finde«, sagte Mrs. Sutter und wischte sich ein paar Krümel vom Busen, »daß man weiß, was andere meinen, wenn sie selbstverständliche Dinge sagen; die Leute verstehen verdammt viel mehr, als sie sich anmerken lassen.« Das Wort *verdammt* wurde mit Genuß geäußert. Mrs. Sutter lächelte. »Selbst Sie, Mr. Michael O'Meara! (Ich mag diesen Namen: klingt so melodisch!) *Selbst Sie.*«

Michael, der erkannte, daß seine Mission gescheitert war, daß er Lee Roy Sears im Stich gelassen hatte und daß er, wäre dies eine Gerichtsverhandlung gewesen, auf die Nase gefallen wäre, lachte plötzlich los – lehnte sich auf dem hartgepolsterten Stuhl zurück und lachte.

»Tja, Julia«, sagte er und gab sich mit einem jungenhaften Kopfschütteln geschlagen, »Sie mögen recht haben.«

»Hmmm! Michael O'Meara, ich weiß.«

Die Besuchsstunde endete schnell und freundlich. Julia Sutter hakte sich mit ihrem dünnen, aber kräftigen Arm bei Michael ein, als sie ihn zur Tür begleitete, und sagte herzlich: »Sie kommen mich doch wieder besuchen, ja – und bringen dann Ihre reizende Frau mit?«

Michael sagte: »Sehr gern, Julia.«

Als sei er ein kleiner Junge und sie seine in ihn vernarrte Großmutter, schürzte sie die Lippen, klopfte mit dem Zeigefinger auf sein Handgelenk und sagte fast kokett: »*Versprochen –?*«

»*Versprochen.*«

Sechsundzwanzig Tage später war Julia Sutter tot.

Als Michael O'Meara das erfuhr, hatte er das Gefühl, er bekäme einen Schlag in die Magengrube. Seine Knie wurden weich, er mußte sich gegen eine Tür lehnen. Gina teilte es ihm mit, leise und atemlos. Zu diesem Zeitpunkt wußte sie nur, daß Julia Sutter von einem Einbrecher umgebracht worden war – von den blutigen Einzelheiten wußte sie nichts. Wie immer, wenn sie Michael schreckliche Neuigkeiten oder eine Skandalgeschichte zu berichten hatte, sprach sie, die Augen weit geöffnet und feucht, mit eindringlicher Stimme.

»Was! Julia Sutter! Mein *Gott!* Wann?« schrie Michael.

»Schscht!« Gina legte warnend den Zeigefinger auf die Lippen.

(Sie wollte nicht, daß die Zwillinge, die sich irgendwo im Haus aufhielten, mithörten. In den letzten Monaten hatten sie häufiger verstörende Träume gehabt, durch die beide im selben Augenblick, angstvoll und nach Luft ringend, aufgeschreckt wurden, so daß sie trostsuchend ins elterliche Schlafzimmer flüchteten. Alpträume von sich windenden, ertrinkenden Riesenschlangen? – Michael und Gina waren bestürzt, konnten aber keine Ursache für die Träume entdecken. Michael fand es besonders ironisch und traurig, daß ausgerechnet jetzt, da er selber seinen schuldbeladenen Träumen entwachsen war, seine Söhne Opfer der ihren werden sollten.)

Gina blickte Michael mit einem ahnungsvoll ängstlichen Ausdruck an, der vermuten ließ, ihr sei derselbe Gedanke durch den Kopf gegangen, auf den auch Michael sofort gekommen war: Hatte Lee Roy Sears Julia getötet, um sich an ihr zu rächen?

Keiner von beiden sprach indes seinen Namen aus. Wie sie auch kurz zuvor bei der Nachricht vom Tode Mal Bishops seinen Namen nicht laut genannt hatten.

Im ersten Schock von Julia Sutters Tod hatte Michael O'Meara seinen Besuch bei ihr in dem schön erhaltenen, gleichwohl etwas stickigen Haus noch einmal durchlebt. Mit geschlossenen Augen rief er sich das Wohnzimmer, den zugigen Kamin, den Kaminsims in Erinnerung – mit eidetischer Klarheit sah er die geschnitzte antike Uhr vor sich, die mit unerschütterlicher Ungenauigkeit die Stunden schlug; die Porzellanvase mit den getrockneten wilden Blumen daneben. Wieder schmeckte er den bitteren Tee und die muffigen, widerlich süßen und doch köstlichen Kekse.

Er sah Julia Sutter vor sich, wie sie kerzengerade auf dem Sofa saß, die Teetasse in der kraftlosen Hand, den gedankenverlorenen Blick freundlich auf ihn, den naiven, kühnen Bittsteller, gerichtet. Wie mochte sie, doppelt so alt wie Michael O'Meara, ihn betrachtet haben? Sie hatte ihn an seine Großmutter väterlicherseits erinnert, die schon lange tot war, nicht an seine distanzierte, sich ihm entziehende Mutter, die so selten willens oder fähig schien, ihm in die Augen zu sehen.

Michael empfand es als traurige Ironie, daß er nun, da er die prominente Witwe von Mount Orion zum ersten Mal besucht hatte und wieder eingeladen worden war, nie mehr zurückkehren würde. Und die arme Gina – *sie* würde das Haus überhaupt nie zu sehen bekommen.

Ironie auch, daß Julia Sutter an jenem Sonntagnachmittag nicht hatte wissen können, daß sie so bald sterben würde. Vielleicht hätte sie sonst ihre Unversöhnlichkeit überwunden und Lee Roy Sears aus der Großmut eines christlichen Herzens verziehen.

Dann war da noch die Angelegenheit, die höchst rätselhafte Angelegenheit mit Janet O'Meara.

Obgleich Michael seine Schwester am Abend des 18. Oktober in Begleitung von Lee Roy Sears gesehen hatte, stritt sie es kategorisch ab. Janet stand, ein Glas mit Bloody Mary ohne Gin in der Hand, bei Michael zu Hause in seinem Arbeitszimmer und leugnete strikt – »Mein Gott, Michael, wenn du Sears nachspionieren mußt, dann zieh mich da wenigstens nicht hinein!« Janet sprach in einem Ton ungläubiger Entrüstung, der an Michaels empfindlichen Nerven zerrte.

Michael lächelte oder versuchte zu lächeln. In vernünftigem Ton sagte er: »Ich *beschuldige* dich ja nicht, Janet. Ich stelle nur fest, was ich gesehen habe. Bringe nur meine Besorgnis zum Ausdruck – ich finde, sie ist begründet! –, daß meine Schwester mit einem Mann verkehrt, der einen problematischen Charakter hat. Auch wenn er noch so drangsaliert, schikaniert worden ist – Lee Roy ist –«

»Aber ich war an dem Abend nicht mit ihm zusammen, Michael. Ich war in New York: zu Hause. Spionierst du ihm eigentlich nach?«

»Janet, ich bin sicher, daß ich dich gesehen hab. Euch beide, Lee Roy wirkte etwas unsicher auf den Beinen, als er da auf sein Wohnheim in Putnam an der Eighth Avenue zuging. Es war nur ein paar Stunden nach dem Debakel im Center, und du hast ihn anscheinend getröstet; ihr habt so ausgesehen, als wäret ihr ein Herz und eine Seele.« Michael blickte Janet mit der geduldigen, leicht vorwurfsvollen Miene eines gutherzigen Anwalts an, der weiß, daß der unter Eid stehende Zeuge lügt: der das weiß und weiß, daß der Zeuge weiß, daß er es weiß. Das Protokoll des Gerichtssaals wie jedes zivilisierten Diskurses verbietet jedoch die direkte Beschuldigung, von einer öffentlichen Anprangerung ganz zu schweigen. »Und ich spioniere dem Mann auch nicht nach. Wohl kaum!«

»Sitzt da aber im Wagen und wartest auf ihn? *Stundenlang?*«

»Ich habe dir ja erklärt, daß ich mir Sorgen gemacht habe, weil –«

»Und als er schließlich erschien, hast du nicht mit ihm gesprochen?«

»Weil du dabei warst, Janet. Ich war –« Michael hielt inne; wollte er »erschrocken« sagen? – »entsetzt«? – eine derartige Reaktion könnte Janet urkomisch finden, symptomatisch für das stupide, phantasielose bürgerliche Leben, das ihr älterer Bruder führte –*besorgt*. Zu überrascht, um zu reagieren. Und dann – wart ihr beide weg.«

»Du sagst, du hättest mein Gesicht gesehen?«

»Vielleicht habe ich nicht wirklich dein Gesicht gesehen – ich meine, nicht deutlich. Aber ich habe dich gesehen, und dein Auto. Ich habe dein Auto gleich erkannt, selbst so außerhalb des Zusammenhangs wie da.«

»Wie sieht mein Auto denn aus? Erzähl mal!«

»Es ist ein 89er Volvo, dunkle Farbe, blau, glaube ich – ganz dunkelblau. Und dann noch mit dem New Yorker Nummernschild.«

»Und kennst du auch die Nummer?« fragte Janet ironisch.

»Nein, das nicht. Natürlich nicht.«

»Du hast mich, zusammen mit Lee Roy Sears, am 18. Oktober abends in Putnam, New Jersey, erkannt! So lange ist das her – und du hast mein *Auto* erkannt. Erstaunlich!« Janet musterte Michael streitlustig. Ihre grobporige Haut glühte vor Empörung; die Augen, feucht und blinzelnd, waren kleiner, als Michael sie in Erinnerung hatte. »Aber warum hast du es erst heute erwähnt? Wenn du so besorgt warst, warum hast du es dann so lange hinausgeschoben, mich wie jetzt einzuladen, um deine brüderliche Besorgnis zu zeigen?«

Janets Lautstärke ließ Michael zusammenzucken: Gina war in einem anderen Teil des Hauses, und da sie wußte, daß Michael und Janet etwas Wichtiges, vermutlich unter vier Augen, zu besprechen hatten, hielt sie sich taktvoll zurück (und wollte sich nicht einmischen). Janets Stimme wurde pubertär schrill, und Michael hielt es für zu spät, die Tür zu schließen. Er wollte sie nicht noch mehr gegen sich aufbringen.

Wieder vernahm er jenes trotzig pubertäre Quengeln, das er fast vergessen hatte. Im Lauf der Jahre, in denen sie ihm als reife erwachsene Frau begegnet war, war ihm ihr eigensinniges Verhalten zu Hause, mit dem sie, anscheinend ungewollt, ihre Mutter quälte, allmählich entfallen.

Janet gehörte zu den Mädchen, die Anfang der 70er Jahre volljährig geworden waren, als Kinder aus gutbürgerlichen Vororten häufig den Aufstand um seiner selbst willen probten; eine Nachwirkung der berechtigteren Aufstände der 60er, als Michael volljährig geworden war.

Janet wiederholte ihre Frage und nahm einen Riesenschluck ihres herben roten Getränks.

Michael überlegte, was er ihr antworten sollte, denn er wollte nicht sagen, was ihm vor allem durch den Kopf ging, daß er sich nämlich gerade jetzt, da Julia tot war und man ihren Mörder noch nicht gefunden hatte, größte Sorgen um Janet und Sears machte; daß er die Situation zwar schon früher nicht geheuer fand, aber sich entschlossen hatte, sie zu tolerieren – schließlich war seine Schwester erwachsen und wohl kaum von seiner Meinung abhängig. Das alles wollte er nicht erklären, weil er im Grunde nicht ernstlich glaubte, daß Lee Roy Sears Mrs. Sutter getötet hatte.

(»*Sie* glauben mir doch, Mr. O'Meara, nicht?« hatte Lee Roy Sears gebettelt; und Michael hatte »ja, ja, ja«, gesagt. Inzwischen hatte er es aufgegeben, Lee Roy dahin zu bringen, ihn mit dem Vornamen anzureden.)

Janet blickte über die Schulter und senkte die Stimme: »Ich gebe zu, daß ich ihn seit Juni ein paarmal gesehen habe. Ich hab's dir ja erzählt – es ist nichts Geheimnisvolles daran. Ich habe eine Story über ihn recherchiert, sehr eingehend.« Sie hielt inne. Reichlich spät schloß sie die Tür zu Michaels Arbeitszimmer; sie wirkte nicht mehr so selbstsicher, schien Ausflüchte zu suchen und doch zugleich mit kindlicher Offenheit Michael um Verständnis zu bitten. »Ich will auch zugeben, daß ich ihn auf seine Art attraktiv finde – fand. Diese Art, die so schwer zu – erklären ist.«

Michael sagte verlegen: »Ja, das habe ich mir fast schon gedacht.«

»Aber zwischen uns war nichts Ernstes.«

»Aha, ja.«

»– also, ich habe nicht –« Janet sprach langsam, mit gerunzelter Stirn, ohne Michael anzusehen – »mit ihm geschlafen.« Sie hielt inne, wurde über und über rot und setzte hinzu: »Obwohl das nur mich etwas angeht.«

»Janet, das weiß ich doch.«

»Ich bin fünfunddreißig – mein Leben ist meine Angelegenheit.«

Michael nahm etwas unbeholfen Janets Hand. Er fand sie unvermutet kühl, die Fingerspitzen richtig kalt – wie seine.

»*Ich bin nicht in ihn verliebt.*«

Auf diese verwegene und ungestüme Aussage wußte Michael nichts zu antworten.

Er sagte: »Ich habe dir neulich abend nicht nachspioniert, Janet. Wenn ich zufällig gesehen habe –«

»Aber das *hast* du nicht! Nicht mich, nicht an dem Abend!«

»Bist du denn an anderen Abenden mit ihm zusammengewesen?«

Janet entzog ihm höflich ihre Hand. Sie schien seine Frage nicht gehört zu haben. »Es muß eine andere Frau gewesen sein, an dem Abend«, sagte sie gleichgültig. »Lee Roy hat andere Frauen – das weiß ich.«

Michael spürte einen schmerzhaften Stich irgendwo hinter den Augen. Ruhig sagte er: »Ach so!«

Er hätte das Gespräch jetzt gern beendet. Sie hatten sich festgefahren – Janet wollte nicht mit der Wahrheit herausrücken, und Michael hatte nicht den Mut, sie zu einem Geständnis zu zwingen. *Was schadet es schon, solange ich es weiß.*

Aber Janet hatte noch mehr zu sagen. Sie suchte auf Michaels Schreibtisch tastend nach einem Platz für ihr Glas und blickte ihn nun nicht mehr abwehrend, sondern forschend an. »Ich liebe ihn nicht, aber – ich habe eine Schwäche für ihn. Wenn ich mit ihm zusammen bin, glaube ich an ihn, ohne Vorbehalte; wenn ich von ihm getrennt bin, bin ich nicht mehr so sicher. Ich glaube nicht, daß er etwas mit dem Tod der armen alten Frau zu tun hat, aber ich habe in Hartford ein paar Nachforschungen angestellt, bei Leuten, die ihn schon 1978 kannten oder es zumindest behaupten – und alles das ist sehr – verworren.«

Michael fragte vorsichtig: »Was hast du erfahren?«

»Ich weiß nicht, ob ich etwas ›erfahren‹ habe. Ich habe die Protokolle der Gerichtsverhandlung durchgesehen, wie du wahrscheinlich auch, aber da ist so vieles ausgelassen, daß der Prozeß als eine Art Phantom dessen erscheint, was geschehen sein könnte. Sind Gerichtsverfahren immer so? Mein Gott! Außerhalb des Gerichtssaals kann man mehr erfahren, viel mehr, aber die ›Tatsachen‹ scheinen sich gegenseitig aufzuheben. Zum Beispiel etwas, das du womöglich nicht wußtest, weil du dich auf die Prozeßunterlagen beschränkt hast: als Lee Roy Sears wegen Ermordung des Dealers verhaftet wurde (falls es sich um einen solchen handelt; selbst das steht nicht hundertprozentig fest), wurden ihm noch zwei weitere Morde zur Last gelegt. Diese Anklagepunkte wurden später fallengelassen, also, wer weiß, vielleicht hatte die Polizei sie erfunden, um eine Geständnisvereinbarung zu erzwingen. In der Verhandlung wollte die Staatsanwaltschaft Beweismaterial vorlegen, das der Richter nicht zuließ – die Polizei besaß nach eigenen Angaben eine von Lee Roy Sears handschriftlich aufgesetzte ›Treffer‹-Liste mit den Namen von Männern, die schon getötet worden waren, und anderen, die noch lebten. Ich weiß, Michael, ich weiß«, sagte Janet schnell und legte die Hand auf Michaels Arm, damit er ihr nicht ins Wort fiel, »das Beweismaterial war unzulässig, und das hatte sicherlich seine Gründe. Was mich allerdings am meisten aufregte – und das habe ich von einer Frau, die mit den Opfern befreundet war oder das wenigstens behauptete –, waren die Umstände, unter denen Lee Roy bei dem Versuch, aus Hartford zu fliehen, eine Frau und ihre zwölfjährige Tochter kidnappte. Nach dieser Darstellung hielt Lee Roy, der die ganze Zeit zugekokst war, der Frau eine Schußwaffe an den Kopf, zwang sie, außerhalb der Stadt anzuhalten, vergewaltigte sie und schlug und mißbrauchte die Tochter. Er –«

Michael unterbrach sie: »Janet, das alles ist nie bewiesen worden, man kann nicht wissen, ob es passiert ist oder nicht. In der Hauptverhandlung –«

»– er drohte sie beide zu töten, weshalb die Frau, wie man mir berichtet hat, sich entschloß, nicht gegen ihn auszusagen und die Anzeige eingestellt wurde.«

»– in der Hauptverhandlung lautete die Anklage auf Mord, und die Beweisführung war problematisch, weil die Polizeizeugen offensichtlich logen – weshalb schließlich –«

»Schließlich brachte die Frau sich um; die Tochter wurde drogensüchtig und –«

»– das Todesurteil wurde aufgehoben, und –«

»– und verschwand. Starb wahrscheinlich.«

»– und heute lebt er. Mit dem Leben davongekommen.«

Janet und Michael hatten sich die Köpfe heiß geredet.

Michael betrachtete seine Hände, sie zitterten. Etwas Ungeheuerliches war vor sich gegangen, nur wußte er nicht, was.

In gemäßigterem Ton sagte Janet: »Gut. Es sind ›Gerüchte‹. Die Anklagepunkte *wurden* fallengelassen. Aber hast du und haben die anderen in der »Koalition« Nachforschungen angestellt? Hat euch das überhaupt *interessiert*? Oder haben diese Frauen bei eurem Eifer, Lee Roy Sears Gerechtigkeit widerfahren zu lassen, keine Rolle gespielt, weil es weibliche Opfer waren?«

Michael rieb sich mit beiden Händen über das Gesicht. Er wollte nicht sagen: *Das alles ist lange her.* Auch wollte er nicht sagen: *Ich meinte es doch nur gut.* Statt dessen sagte er leise: »Warum hast du dich eigentlich mit Lee Roy getroffen, wenn er ein Vergewaltiger und Mörder ist?«

»Seit ich diese Informationen bekam, habe ich ihn nicht mehr gesehen.«

»Hast du natürlich doch.«

»Habe ich *nicht.*«

»Dann hast du mit ihm telefoniert.«

Janet blickte unschlüssig umher. Sie sagte jedoch: »Nein. Ich habe Angst vor ihm.«

»Wie willst du dann deine Story schreiben?«

»Ich will noch einmal mit ihm reden«, sagte sie. »Das schulde ich ihm – um seine Version zu hören.«

»Aber warum?« fragte Michael ironisch. »Wenn der Mann ein Vergewaltiger ist, ein Mörder – glaubst du etwa, er sagt die Wahrheit?«

Ohne ein Gefühl für das Egozentrische ihrer Bemerkung sagte Janet in vollem Ernst: »Oh, *mir* hat Lee Roy immer die Wahrheit gesagt, da bin ich sicher.«

Mir auch, dachte Michael O'Meara.

Und fühlte sich wunderbar gerechtfertigt und erleichtert, als er ein paar Tage später erfuhr, daß die Polizei in Mount Orion einen Verdächtigen im Fall Sutter festgenommen hatte – einen bei Julia beschäftigten ehemaligen Gartenarbeiter, auf den die Beschreibung eines Herumtreibers zutraf, den Nachbarn einen Tag vor dem Mord in der Nähe des Hauses von Julia Sutter gesehen hatten und der, als die Polizei ihn verhaftete, im Besitz von ihr gehörenden Haushaltsgegenständen und Kreditkarten war, was ihn schwer belastete.

»Jemand, den Julia kannte«, sagte Gina schaudernd, mit finsterer Miene über den Zeitungsartikel gebeugt, »jemand, dem sie *vertraute*. Aus Newark, und er ist schwarz – genau das, was zu erwarten war, wie?«

3

Gelächter da oben? – lautes, heiseres Lachen? – Michael O'Meara blieb auf der Treppe zu Lee Roy Sears' Atelier im dritten Stock eines heruntergekommenen Lagerhauses in North Putnam stehen und lauschte. Hätte er gewußt, daß noch andere Besucher da sein würden, wäre er nicht gekommen.

Es war Sonnabend nach Thanksgiving. Ein kühler, durchsichtiger Nachmittag. Obwohl Lee Roy nun schon seit Wochen hier arbeitete (die Miete zahlte, wie Michael vermutete, Valeria Darrell; Lee Roy hatte davon natürlich nichts gesagt), hatte Michael bisher keine Zeit gefunden, ihn zu besuchen, wie Lee Roy vorgeschlagen hatte.

Soviel er wußte, auch Gina nicht.

Seit Lee Roys Entlassung aus dem Dumont Center hatte sich die Beziehung zwischen den O'Mearas und Lee Roy Sears lautlos, doch unverkennbar verändert. Gina vermied die bloße Erwähnung von Lee Roys Namen und erfand Entschuldigungen, um ihn nicht zum Abendessen einzuladen; Lee Roy selbst verhielt sich in Michaels Beisein schweigsam. Er meint, ich hätte mich nicht genug bemüht, um ihn im Center zu halten, dachte Michael schuldbewußt.

Er bildet sich ein, daß ich viel mehr Macht habe, als es der Fall ist.

Die ramponierte Tür zum Atelier stand offen; Michael klopfte und trat ein. Zu seiner Enttäuschung mußte er feststellen, daß Valeria Darrell und zwei aggressiv lärmende Gefährten bei Lee Roy waren, die er mit Sicherheit noch nie gesehen hatte. Valeria schenkte mit viel Getue und Geplapper Drinks ein; als sie Michael O'Meara erblickte, verzog sie den Mund zu einem breiten Lächeln und sagte mit gespielter Liebenswürdigkeit: »Na so was! – kommen Sie doch herein! Aber wo ist Ihre entzückende Frau?«

Michael zuckte zusammen.

Er war ziemlich sicher, daß auch Lee Roy zusammenzuckte.

Michael spürte, daß er ungelegen kam, unwillkommen war. Er verbarg indes sein Unbehagen mit dem ihm eigenen herzlichen Lächeln und gab reihum die Hand. (Wie zögernd und flüchtig Lee Roys Händedruck war, obwohl der Mann doch muskulös geworden war und sicherlich kräftige Finger hatte!) Valeria machte ihn mit ihren Freunden aus New York bekannt, »Vargas« und »Mina« – der eine ein Fleischkoloß in den Sechzigern mit rundem Kahlkopf, einem gelben Satinhemd und roten Hosenträgern, die sich über seinen Bauch spannten, anzüglich grinsend sein rosa Zahnfleisch entblößend; der andere groß, dünn, storchenhaft, ein »Mädchen« in den Dreißigern mit dicken glänzenden Lippen und blau glitzerndem Lidschatten. »Vargas und Mina gehört die Avanti Gallery auf der Greene Street«, sagte Valeria aufgeregt, »wo eine Ausstellung von Lee Roy stattfinden wird.« Vargas lachte, als er Michael die Hand schüttelte, und rief: »Michael O'Meara!« als wäre etwas Komisches an dem Namen. Mina lispelte: »Oh! – Hall*öchen*!« wobei sie die vortretenden Augen aufriß und stürmisch zwinkerte. Flirtete sie, so ungeniert? War sie betrunken? Was war hier los?

Michael schoß der bizarre Gedanke durch den Kopf, den er sogleich verwarf, *es sind keine Menschen, es sind Dämonen.*

Und da stand Lee Roy Sears, Michaels Freund, und starrte ihn mit nichtssagendem Grinsen an, als kenne er ihn kaum.

Eine Sekunde lang ließen sich die beiden Männer nicht aus den Augen.

Michaels Augen forschend, freimütig – Lee Roys glasig und trüb.

Valeria schüttete Bourbon in ein rauchiges Glas und

drückte es Michael in die Hand. Die Frau war so übertrieben geschminkt, ihr brünettes Haar so verschwenderisch durch goldene Strähnen aufgehellt, daß man sie kaum als die Person wiedererkennen konnte, die sie jahrelang in der Gesellschaft von Mount Orion gewesen war. *Auch sie ist ein Dämon. Eine Dämonenhure.*

Valerias Nasenbeinbruch war vermutlich verheilt. Aber unter dem dick aufgetragenen Make-up kamen Hautwunden und die Spuren eines Blutergusses zum Vorschein.

Valeria hob ihr Glas und brachte lautstark einen Trinkspruch aus: »Auf Lee Roys neues Atelier! Auf Lee Roys neue Karriere!«

»Prost!« schrie Vargas, und »Prost!« schrie Mina, beide mit hoch erhobenem Glas.

»Prost!« sagte Michael und versuchte sich auf ihre Stimmung einzustellen.

Lee Roy verzog das Gesicht in Verlegenheit oder Wut.

Er sagte nichts, trank nur.

Es war noch früh am Nachmittag, und Michael O'Meara hatte nicht die geringste Lust, Bourbon zu trinken, aber hatte er eine Wahl – bei diesen Leuten?

Valeria fing sofort an, über irgendwas – eine Party, einen Ausflug, die am kommenden Wochenende stattfinden sollten – zu reden, von dem Michael keine Ahnung hatte, aber natürlich zielte solches Geschwätz nur darauf ab, ihn auszuschließen, ihn deutlich fühlen zu lassen, daß er hier unerwünscht sei. Gut, dachte er, ich verstehe. Er warf Lee Roy noch einmal einen Blick zu, aber der ignorierte ihn ebenfalls.

Er ließ sich treiben, das Glas in der Hand. Der Raum war ein riesiges, zugiges Loft im Rohzustand, mit hohen Decken, freistehenden Trägern, verrußten quadratischen Fensterscheiben. In einer entfernten Ecke stapelten sich Schachteln und Kartons. Lee Roys kleiner Arbeitsplatz lag eingequetscht an diesem Ende des Raums neben einem Fenster. In einer Ecke befanden sich ein verdreckter Ausguß und, hinter einem zerbeulten Wandschirm, von der Tür aus deutlich sichtbar, eine verdreckte Toilette. Ein Kühlschrank, Kochplatten, ein mit Krimskrams übersäter Arbeitstisch, Werkbänke, Stühle, Schachteln mit hastig zusammengepackten Künstlerutensilien, auf dem Boden ausgebreitet farbenbekleckstes Zeitungspapier – alles vom kalten Novemberlicht grell erhellt, wie überbelichtet. Dazu der starke Geruch von Ölfarbe und Terpentin, der Michael in die Nase stieg.

Er sah, daß Lee Roys ursprüngliche Tonfiguren, die menschenähnlichen Männchen, wie plötzlich zum Leben erwachende Eidechsen auf den Fensterbrettern aufgereiht standen. Und wo waren die ›obszönen‹ Frauengestalten? Hatte Lee Roy sie alle zertrümmert?

So sind die aus mir rausgekommen.

Kommen die aus mir raus.

Seit seinem Umzug nach Putnam war Lee Roy zur Malerei zurückgekehrt, die er im Gefängnis mit mäßigem Erfolg betrieben oder zu betreiben versucht hatte. Michael sah unordentlich herumliegende befleckte Leinwände, wie im Zorn beiseite geschleudert; auf einer nagelneuen Staffelei stand eine große, teils unberührte, teils mit schwarzen, metallisch blaugrauen und blutig hellroten Streifen beschichtete Leinwand, die an den Stil Jackson Pollocks erinnerte. Dieses Werk erschien Michael O'Mearas unkritischem Auge sorgfältiger gearbeitet als die ausrangierten Entwürfe. Doch was *war* es?

Ein Maschinenchaos möglicherweise. Mittendrin eine Blutexplosion.

Wieder der Vietnam-Alptraum – von dem Michael O'Meara, der nie seinem Land gedient, nie eine Uniform der US Army getragen hatte, verschont geblieben war.

Auf dem Boden neben der Staffelei lag ein Stapel mit Kohle- und Farbskizzen. Michael ging in die Hocke und blätterte sie lässig durch, während hinter ihm die anderen, als sei er nicht vorhanden, ihre Unterhaltung unter schallendem Gelächter fortsetzten.

Flüchtige Entwürfe von Maschinen, Hubschraubern, menschenähnlichen Gestalten. Kohleskizzen von realistischer dargestellten Männern und Frauen. Was sollte man davon halten? Es waren Dutzende von zumeist hastig oder ungeschickt aufs Papier geworfenen Skizzen bloßer Körper, ohne Individualität, nackt und unansehnlich. Doch schon ihre Quantität ließ erkennen, mit welcher Hingabe sich Lee Roy Sears seiner Arbeit widmete.

Unten im Stapel lagen wie versteckt mehrere Blätter, bei deren Anblick Michael innehielt und tief Luft holen mußte.

Das Bild eines männlichen Schweins mit winzigen Genitalien und rundem, selbstgefälligem Gesicht – sollte das Clyde Somerset sein, plump verändert?

Eine feiste Kreatur, ebenfalls männlich, mit eng zusammenstehenden Schweinsaugen, die sich fetttriefend in Flammen zusammenkrümmte – war das Mal Bishop?

Eine ältere Frau, klapperdürr, nackt, auf dem Rücken liegend, mit weißem Haar, geschlossenen Augen, zerhacktem, blutendem Oberkörper – war das Julia Sutter?

Eine füllige Frau mit schweren Brüsten und Hüften, blöde lächelnd auf einem Bett liegend, die pummeligen Knie weit geöffnet – war das Michaels Schwester Janet?

Und dies – dieser Horror –, *konnte das Gina sein, Michaels Frau?*

Michael war starr vor Entsetzen. Seine Augen schwammen in Flüssigkeit, die er wegzuzwinkern versuchte, während er die Zeichnung in der Hand hielt, die so stark zitterte, daß das steife Papier knackte. Voller Verzweiflung sah er darauf – war diese Frauenfigur Gina, oder nur eine Frau, die ihr ähnelte? –unbeholfen, gleichsam in Wut gezeichnet, ja, es sah so aus, als sei der Kohlestift im harten Griff des Künstlers mehrmals abgebrochen. Der dünne, nackte Schlangenleib der Frau war verschmiert, und ihr schönes maskenhaftes Gesicht war verschmiert, wodurch es einen lüstern leprösen Ausdruck bekam.

»Gina. Mein Gott.«

Die folgende Skizze stellte dieselbe Frau dar – knochendürr, doch mit großen Brüsten, grotesk aufgerichteten Brustwarzen, zur Schau gestellter Vulva, die ihr Gesicht karikaturhaft widerspiegelte. Die Zeichnung danach zeigte die Frau auf dem Rücken liegend, an Händen und Füßen gefesselt, Arme und Beine gespreizt, so daß die Vagina ein klaffendes O bildete; der Kopf war zurückgeworfen, der Mund gleichfalls ein O, ein qualvoll verzerrtes. Das letzte Blatt des Stapels zeigte dieselbe Frau stehend, nackt, mit erhobenen, dem Betrachter zugekehrten Armen, als wollten sie ihn umfassen, das Gesicht ein wüstes Gemenge von Schraffuren (Narben? Verbrennungen? Frische Wunden?), das gleichwohl mit zwischen den Lippen vorgestreckter Zungenspitze lüstern lächelte.

Die Zungenspitze war hellrosa koloriert.

Dieser für das Auge erschreckende hellrosa Strich war die einzige Farbe in dem gesamten Skizzenstapel.

Der Mann ist ein Irrer.
Ein Mörder?

Nein. Das sind Werke der Einbildungskraft. Phantasien.
Vielleicht hat er sie absichtlich dort hingelegt, um mich auf die Probe zu stellen?

So wie wir beim Träumen die Träume *sind,* die wir träumen, und ihnen nicht entkommen können, es sei denn durch die metaphysische Unmöglichkeit, ein anderer zu werden, verhielt sich auch Michael O'Meara in dieser entsetzlichen Situation so, als sei – fast – alles in Ordnung. Er richtete sich zitternd zu voller Größe auf, lehnte sich haltsuchend an die Kante eines Tischs und stieß dabei fast eine Flasche Terpentin mit angetrockneten Pinseln um. Er nahm, wiewohl nicht mit vollem Bewußtsein, auch noch ein sonderbares Rasierinstrument wahr; wozu es diente, wußte er nicht – es sah aus, als ob eine Rasierklinge mit Klebestreifen an einem durchgebrochenen Pinselstiel befestigt worden war. Die Klinge glitzerte kalt.

Die anderen bemerkten, wie Michael O'Meara sein Glas mit Bourbon, das er kaum berührt hatte, absetzte und sich zum Gehen anschickte. Lee Roy starrte bedrückt vor sich hin. Valeria, Vargas, die lispelnde Mina sahen dem Aufbrechenden – mit einem Ausdruck der Überraschung? Neugier? des Spotts? – nach, aber er drehte sich nicht um, winkte ihnen nur über die Schulter so etwas wie einen freundlichen Abschiedsgruß zu.

Lee Roy Sears rief schnell: »Mr. O'Meara!«

Michael ging unbeirrt die Treppe herunter. Er wollte nicht mit Lee Roy Sears sprechen; weder wollte er mit ihm reden noch ihn je wiedersehen.

Aber Lee Roy ließ nicht locker und folgte ihm. »Mr. O'Meara – weshalb gehen Sie schon? Sie sind doch eben erst gekommen, häh?«

Michaels Herz klopfte bedrohlich. Das Liloprane in seinem Blut beseitigte das, was man hätte »Angst« nennen können, und ersetzte es durch eine rein physische Reaktion in den Eingeweiden, als sei sein Körper ein sich beschleunigender Mechanismus, den er nicht unter Kontrolle hatte und distanziert, ja gleichgültig hinnahm. Sein Ekel vor Lee Roy Sears war durchaus psychischer Natur.

Michael war auf dem Treppenabsatz des zweiten Stocks stehengeblieben, und Lee Roy hinkte die Stufen behende herunter. Die Männer betrachteten einander mit wachsamen Augen.

Lee Roy wiederholte mühsam lächelnd: »Na, äh, Mr. O'Meara, ich mein, ›Michael‹ – wie finden Sie mein neues Atelier? Echt gut, was?«

Michael sagte leise: »Sehr gut.«

Er sah, daß Lee Roy Sears nicht nur dicker, sondern seltsamerweise auch größer geworden war: drei bis fünf Zentimeter größer jetzt als er, Michael.

Er sah, daß das dunkle goldgeschuppte Mal auf Lee Roy Sears' linkem Unterarm tatsächlich eine Tätowierung war: eine Schlange, die unter dem nachlässig aufgekrempelten Ärmel teilweise zum Vorschein kam. Was für eine Schlange es war und welche Körperstellung sie einnahm, konnte er nicht erkennen; es interessierte ihn auch nicht.

Wie konntest du nur. Meine Frau. Meine Schwester, und meine Frau.

Wie konntest du mich so betrügen.

Michael stand gerade aufgerichtet, beherrscht, und hörte

höflich zu, während Lee Roy Sears nervös von seinem neuen Atelier, seinem neuen Werk, der kommenden Ausstellung in der Avanti Gallery quasselte – »Die machen mich zum Millionär, sagt Valeria, und ich sag, ›Scheiß drauf, ich will ja nur für mich selber aufkommen können‹!« Michael gab keine Antwort oder brummelte eine undeutliche Zustimmung. Lee Roy zog einen farbverkrusteten Stoffetzen aus der hinteren Hosentasche und fuhr sich damit unter die Nase. Auch seine Augen waren feucht, die Haut wirkte unrein wie bei Jugendakne. Er trug sein Haar jetzt länger, es hatte seinen Glanz verloren und fiel ihm in fettigen Strähnen über den Hemdkragen; hier und da war es, wie bei Michael O'Meara auch, grau meliert. *Wie konntest du nur. Nachdem ich dir das Leben gerettet habe.*

Nicht Zorn, nicht einmal Entsetzen, nur kindliches Verletztsein – wie es ein Junge empfinden mag, der von seinem Bruder verraten wurde. Das war es, was Michael O'Mearas Augen ausdrückten.

Lee Roy Sears sagte: »Äh – ich hab gehört, die haben den Typ gefunden, der die alte Dame umgebracht hat? Da hab ich vielleicht Schwein gehabt, Mensch! Jetzt können die Arschlöcher jedenfalls nicht mehr versuchen, *mir* die Schuld zu geben.«

Michael sagte verhalten: »Sie haben es doch nicht getan, Lee Roy?«

»Ääh?« Lee Roy grinste blöd.

»Sie haben Julia Sutter doch nicht getötet, nicht wahr?«

»Was sagen Sie da?«

»Das, was ich sage.«

»Ich hab doch *gesagt:* nein.« Lee Roy verzog das Gesicht und schien zwinkern zu wollen, besann sich dann aber eines besseren. »Sie machen wohl Spaß, äh – ich versteh schon.«

»Natürlich mach ich Spaß, Lee Roy. Das wissen wir beide.«

Zu Lee Roys Überraschung wandte sich Michael um und schickte sich an, die Treppe herunterzugehen. Lee Roy gaffte ihm nach, sagte dann aber schnell: »Äh, warten Sie – sind Sie sauer auf mich oder so was?«

Michael sagte im gleichen ruhigen Ton: »Nein, Lee Roy, natürlich nicht. Warum sollte ich sauer auf *Sie* sein.«

»Sie haben gefragt, ob ich die alte Dame da umgebracht hab. *Ich* hab Grund, sauer zu sein oder beleidigt, häh – was is damit?«

Michael zuckte mit den Achseln. Er warf einen Blick auf seine Armbanduhr und machte Anstalten zu gehen. Lee Roy berührte ihn schüchtern am Arm, um ihn zurückzuhalten.

»Ich hab 'ne Menge Gründe, sauer auf *Sie* zu sein, aber – ich bin es nicht!«

»›Eine Menge Gründe‹ –?«

»Sie haben die Sache mit Somerset versaut, was? Das wissen Sie.«

Michael wurde hochrot. »Ich habe getan, was ich konnte.«

»Und das alte Miststück Sutter – bei *der* haben Sie wahrscheinlich auch alles versaut.« Lee Roy kicherte böse. »Die haben mir'n Tritt in den Arsch gegeben und mich rausgeschmissen, und Sie haben gesagt, Sie wollen mir helfen, und was hat das gebracht? – *Scheiße.*«

»Lee Roy, ich habe Ihnen gesagt, ich habe getan, was ich konnte. Sie überschätzen meinen Einfluß in Mount Orion.«

»Tjä, hab ich wohl!«

»Ja.«

»Okay, scheiß drauf. Hab ich. Na und? Ich hab hier jetzt was Neues und komm weiter. Valeria hat mir den Auftrag gegeben, ein Bild für ihr Haus zu malen, und sie hat Freunde, die meine Sachen kaufen wollen, und, wie ich ja schon sagte, die Avanti Gallery in New York –«

Michael unterbrach ihn ganz ruhig: »Lee Roy, meine Schwester Janet hat mit Ihnen gesprochen, stimmt das? Sie schreibt einen Artikel über Sie? Stimmt das?«

»Einen Artikel?« Lee Roy kniff die Augen mißtrauisch zusammen. »Was für'n Artikel?«

»Schreibt sie keinen Artikel? Ein Interview mit Ihnen?«

»Herrgott noch mal, ich hab ihr gesagt, ich will das nicht – da kommt immer nur Blödsinn raus. Irreführender Quatsch mit Soße.«

»Aber Sie haben sich mit ihr getroffen, oder?«

Lee Roy zuckte die Achseln. Er stand nervös, gereizt, aber in Abwehrhaltung auf den Fußballen, als erwarte er einen Angriff; mit der rechten Hand umklammerte er die linke und spannte dabei die Arm- und Schultermuskeln an. Michael schätzte, daß Lee Roy seit Beginn seines Trainings über fünfzehn Kilo zugenommen hatte. Er hatte sich vermutlich jeden Tag gewaltige Mengen an Kalorien zugeführt.

»*Haben* Sie sich denn mit ihr getroffen?« fragte Michael. »Sie brauchen nur die Wahrheit zu sagen, Lee Roy.«

Lee Roys fleckiges Gesicht verfinsterte sich. »Was soll das hier sein, ein Verhör? Wer will das wissen?«

»*Ich*. Ich will es wissen.«

»Ha, Scheiße, wer sind Sie denn?« fragte Lee Roy. Dann sagte er unvermittelt, schuldbewußt: »Okay, Mr. O'Meara, also ja, und ich bin dankbar – Ihnen und Mrs. O'Meara, Sie waren echt nett zu mir. Ja, ich hab mich mit Ihrer Schwester getroffen, so was Ähnliches. Da war nicht viel.«

»*Wie*viel? Was Ernstes?«

Lee Roy blickte flüchtig zur Treppe hoch, als fürchte er, Valeria könne mithören. Mit gesenkter Stimme sagte er feierlich: »Äh, also Ihre Schwester is 'ne echt nette Frau, nich? Echt nett, Klasse. Nur daß sie immer *Fragen* stellt. Und ich soll ihr dann *Antwort* geben.«

»Sehr ihr euch oft? Habt ihr ein Verhältnis?«

Lee Roy wand sich und sah weg. Als habe er die Frage nicht gehört, sagte er: »Ich hab ihr gesagt, ›Janet‹, sag ich, ›du bist zu gut für mich‹. Ich sag, ›Du willst dich doch nicht mit einem Kerl wie *mir* abgeben, dir die Hände an so einem schmutzig machen‹.«

»Das haben Sie gesagt? Wirklich?«

»Klar, hab ich.«

»Wie ein – Gentleman.«

»Ach Quatsch, ich hab ihr nur klargemacht, was Sache ist. Sie ist 'ne nette Frau, wie gesagt. *Ich* will sie nicht verkorksen.«

»Aber habt ihr ein Verhältnis?«

Lee Roy schüttelte vieldeutig den Kopf. »Wenn Sie das wissen wollen, fragen Sie sie. Wenn sie will, daß Sie das wissen, sagt sie's Ihnen.«

»Dann *habt* ihr also ein Verhältnis?«

»Ich hab doch gesagt – *fragen Sie sie.*«

Michael umklammerte das Treppengeländer. Wieder tauchte vor seinem inneren Auge jenes drastische Bild seiner Schwester auf, mit gespreizten Beinen auf dem Rücken liegend. Leeres Lächeln. Das O'Meara-Lächeln.

Und was ist mit meiner Frau. Hast du gewagt, sie zu berühren?

Als könne er Michaels Gedanken lesen, taumelte Lee Roy Sears zurück, stieß gegen die Wand; sagte in kindlich quengelndem Ton: »Sie haben kein Recht, mir die ganze Zeit Fragen zu stellen, Mr. O'Meara. Sie nicht und auch sonst keiner! Nur weil ich 'n Ehemaliger bin, ich bin auf Bewährung, niemand hat das Recht, mich wie irgendso'n Verrückten zu behandeln. Wie Mrs. O'Meara, sie –«

Es entstand eine Pause. Michael sagte ruhig: »Ja? Was ist mit Gina?«

»– wie sie mich ansieht! Mich angesehen hat«, nuschelte Lee Roy. Dann lachte er heiser. »Hab sie 'ne ganze Zeit nich zu sehen gekriegt, hä!«

»Gina ist immer sehr nett zu Ihnen, Lee Roy. Ich weiß nicht, was Sie meinen.«

Damals, in jener spiegelartigen Fläche. Gina in der Umarmung dieses Mannes.

Aber nein: es war nie geschehen. Er hatte es sich nur eingebildet. Oder?

Wie konntest du es wagen.

Lee Roy sagte in seinem quengelnden, beleidigten Ton: »Thanksgiving war ich mit Valeria zusammen. Ihre Kinder konnten nicht, und deshalb« – er hielt inne, schnüffelte und funkelte Michael trotzig an. »Es gab ein großes Abendessen bei ihr mit Truthahn. Nur wir beide.«

»Ach! – wie nett.«

Michael furchte jedoch die Stirn, um seine ungünstige Meinung über Valeria Darrell zum Ausdruck zu bringen.

Auch, weil er dachte, Lee Roy Sears habe von den O'Mearas eine Einladung zu einem Thanksgiving-Essen erwartet: als gehöre er zur Familie.

Nicht entschuldigend, sondern lediglich feststellend sagte er: »Wir haben Thanksgiving mit Ginas Familie in Philadelphia gefeiert. Das ist bei uns Tradition.«

Lee Roy grunzte etwas, das wie »Ähä!« klang.

Aus dem Atelier oben kam schallendes, betrunkenes Gelächter. Schwere Fußtritte – zweifellos die von Vargas.

Valerias Stimme, schrill, neckisch, als riefe sie ein Kind: »Oh, Lee Roy! – Lee Royyy!«

Michael wandte sich zum Gehen, und Lee Roy, Schweißperlen auf der Stirn, versperrte ihm den Weg. Er ballte und öffnete in einem fort die Fäuste. Seine dunklen Augen funkelten. Er sagte: »Sie können Ihrer Schwester sagen, daß sie mir vom Leib bleiben soll! Ich mach das nicht! Und daß sie ja keinen Dreck über mich ausgräbt, weil, ich hab das nicht gern, wenn Leute mir nachspionieren, verstanden – häh? Mein Leben geht nur mich was an. Is meine beschissene Sache! *Sie,* Sie sehen mich an, als ob ich Scheiße bin! Da haben Sie kein Recht zu!«

Michael wollte gerade protestieren, Lee Roy zu verstehen geben, daß er ihn in keiner Weise verächtlich ansähe, er hatte sich tatsächlich völlig in der Gewalt, als wieder Valerias kippender Sopran ertönte, der seine Nerven zum Zerreißen spannte – »Lee Roy, wo bist du, huhu, Leee Royyy, wir warten!«

Eine Stimme, die von Vargas, rief etwas Unverständliches, das sofort in dröhnendem Gelächter unterging: Worte, die Michael O'Meara beleidigten, das wußte er.

Es war diese Beleidigung, die den Streit zwischen Michael und Lee Roy entfachte, denn plötzlich sagte Michael, ohne darauf zu achten, wie laut er sprach und mit welchem Abscheu in der Stimme: »Diese Leute da oben – diese Kreaturen! Wie können Sie sich bloß mit *denen* einlassen! Einer Frau wie

Valeria Darrell!« Michael spürte, wie sich sein Mund beim Aussprechen des Namens verzog.

Lee Roy sagte wie betäubt: »Häh – was für'n Scheiß? Jetzt krieg ich noch von Ihnen zu hören, ich soll keine *Freunde* haben?«

Monatelang hatte Michael sich geschworen, Lee Roy derartige Dinge nicht zu sagen. Aber jetzt, in der Hitze des Gefechts, stürzten die Worte nur so aus ihm heraus.

»Es sind keine Freunde, Lee Roy. Es sind – Dämonen!«

»Häh?« Lee Roy beugte sich vor, als habe er nicht richtig gehört.

»Sie haben schon verstanden: *Dämonen!*«

Einen Augenblick lang starrte Lee Roy keuchend, mit verschwitztem Gesicht Michael sprachlos vor Empörung an. Seine Nasenlöcher waren geweitet, dunkel. Wie Michael auch schien er in diesem Moment erleichtert, nein, begeistert, daß die Spannung zwischen ihnen greifbare Gestalt gewonnen hatte: Hier gab es etwas, über das die Männer sich streiten konnten, und zwar heftig.

Aber Michael war schon auf dem Weg nach draußen, er hatte genug.

Lee Roy folgte ihm die Treppe herunter, packte ihn am Arm, stieß ihn gegen das Geländer, kein sehr stabiles Geländer, und schrie wütend: »Wer bist denn *du!* – ausgerechnet du willst mir sagen, was ich zu tun hab! – *du* hast mich doch hängenlassen! – du und *sie!* – ich bin wohl nicht gut genug für euch, häh? – Mr. Klugscheißer-Anwalt! – Mr.-und-Mrs.-Klugscheißer-Anwalt – Arschlöcher! – *mir* sagen, was ich für Freunde hab! – was für'n Leben ich führen soll! – wo ihr nur auf mich scheißt, häh! – *du und sie!*«

Michael versuchte sich zu verteidigen, sich an Lee Roy festzuhalten, um nicht zu fallen, aber der andere war zu stark, er hatte plötzlich die Kraft eines Wahnsinnigen, und da schoß aus Lee Roys muskulösem linkem Unterarm *eine Schlange* auf ihn zu: *eine dunkelschimmernde goldgeschuppte Schlange.* Oben schrie gellend eine Frau, als Lee Roy Sears mit zusammengebissenen und gebleckten Zähnen Michael so heftig gegen das Treppengeländer stieß, daß das Holz brach, durchbrach und zersplitterte und Michael O'Meara, unversehens hilflos, höchst überrascht, wild um sich schlagend fiel – ins Leere fiel.

Er hat es nicht so gemeint, es war ein Unfall.
Er hat es so gemeint: mein Feind. Schließlich und endlich.

»Mein Gott, Michael! – ist Ihnen was passiert?«

Valeria beugte sich besorgt über ihn, ihr gealtertes Mädchengesicht leichenblaß unter dem Make-up: Nicht Lee Roy, Valeria war zu ihm gelaufen, um ihm auf die Beine zu helfen.

Michael war vielleicht vier Meter fünfzig tief gefallen und, eine weitere schmachvolle Kränkung, seitlich auf einem Stapel gebrauchter Pappkartons auf dem letzten Treppenabsatz gelandet. Wäre er auf dem nackten Holzfußboden aufgeschlagen, hätte er sich mit Sicherheit verletzt, aber die Kartons, die nach allen Seiten umkippten, wegrutschten, hatten seinen Sturz abgefangen.

Keine Gehirnerschütterung, keine gebrochenen Knochen, keine angeknackste Rippe, ja, er war sicher. Keine inneren Verletzungen.

Nur seine verletzte Würde: sein O'Mearascher Stolz.

Mr. Klugscheißer-Anwalt landet mit dem Hintern auf einem Stapel dreckiger Pappkisten.

Lee Roy Sears hatte ihn durch das Geländer gestoßen, ohne seinen Tod zu wollen, nicht wahr? *Oder?*

Und rannte wieder die Treppe hoch.

Rannte wieder die Treppe hoch und ließ Michael liegen.

Es war Valeria Darrell, die, atemlos, tief erschrocken, nach Bourbon und Arpège riechend, Michael zu Hilfe kam; schwankend in ihren Wildlederschuhen und fast selber am Umfallen: Valeria, die er, Michael, soeben verleumdet hatte.

Plötzlich war sie nüchtern, verantwortungsbewußt. Schaute ihn mit dem sorgenvollen Blick einer Ehefrau ins Gesicht.

»Mein Gott, Michael! Ist alles in Ordnung? Ist Ihnen was *passiert*? Haben Sie sich was gebrochen?«

Hinterher erinnerte sich Michael, daß er und Valeria Darrell, beide in Mount Orion wohnhaft, während dieser aufregenden Minuten wie durch eine Art Blutsverwandtschaft verbunden waren. Die Feindseligkeit zwischen ihnen hatte sich verflüchtigt.

Denn Valeria wußte, jetzt wußte sie bestimmt, daß Lee Roy Sears ein Wahnsinniger war und gefährlich. Einige Monate später sollte sie freiwillig, gegen innere Widerstände, vor dem Staatsanwalt über diesen Vorfall aussagen.

Michael versicherte Valeria mit vor Wut zusammengebissenen Zähnen, daß ihm nichts fehle, gar nichts, während sie sich mit nervös zupfenden Fingern an seiner Kleidung, ja sogar an seinem Haar zu schaffen machte und ihm die letzten Stufen nach unten folgte –»Oh, Michael, es *war* doch ein Unfall, ja?«

Keuchend, zerzaust, wankte sie hinter Michael her, der aus dem Lagerhaus stürmte und mit langen Schritten zu seinem auf einer pfützenreichen Zufahrtsstraße geparkten Auto eilte. Schamlos bettelnd sagte sie, wobei sie mit den Augen seinen Blick auf sich zu lenken suchte: »Sie zeigen ihn doch nicht an, Michael? Bitte!?«

Michael sagte: »Lee Roy Sears kann meinetwegen zur Hölle fahren.«

Mein Feind. Schließlich und endlich.

Michael blickte beim Wegfahren nicht zurück; und zeigte Lee Roy Sears nicht bei seinem Bewährungshelfer an.

Dachte, ich bin jetzt fertig mit dem Mann. Ich kann ihn jetzt vergessen.

Dachte, ich brauche ihn nie mehr wiederzusehen.

Welch sonderbares, ekstatisches Gefühl der Freiheit er an diesem Samstagnachmittag Ende November empfand, nachdem er nur um Haaresbreite mit dem Leben davongekommen war, aber immerhin davongekommen war! – seine Sinne waren bis zum äußersten geschärft, Adrenalin strömte durch seinen Körper. Er fühlte sich stark, männlich, wie schon seit Monaten nicht mehr. Ihm war, als sei ihm ein bisher unvermutetes verhaßtes Gewicht von den Schultern genommen worden. Er fühlte sich leicht wie ein Luftballon, der in den Himmel entschwebt.

Erneut sprach er aus, was sich seit langem in ihm vorbereitet haben mußte: »Lee Roy Sears kann meinetwegen zur Hölle fahren.«

TEIL VII

1

Wie du dich täuschst, Michael O'Meara – und was für ein Dummkopf du bist!

Weißt du denn nicht, wie dicht, wie unerbittlich ich dir auf den Fersen bleibe – bis hin zu deinem Zufluchtsort?

2

Jetzt, da der Dezember sich in Dunkelheit hüllte, der Winter hereinbrach, nahm der Alptraum noch handgreiflichere Dimensionen an.

Als wollte er Michael O'Mearas Euphorie an jenem Tag trotzen.

Als wollte er ihn da verhöhnen, wo er am verletzlichsten war.

Häufig, allerdings ohne erkennbares System, läutete das Telefon, ohne daß sich jemand meldete. Es konnte am frühen Morgen oder spät in der Nacht klingeln. Störte den Schlaf der Zwillinge. Störte Michaels Schlaf.

Merkwürdigerweise jedoch nicht Ginas Schlaf: Denn wenn einer der mysteriösen Anrufe nachts kam und es Michael gelang, den Hörer beim ersten Klingelzeichen abzunehmen, schlief Gina ungestört weiter und behauptete am nächsten Morgen, das Telefon hätte *nicht* geläutet.

Michaels Schlaf war leicht, flach, unbefriedigend. Er schien auf die Belästigung zu warten. Er schien zu wissen, was der andere von ihm und Gina dachte; berechnend; verfolgend. Einmal griff er schon beim ersten Läuten nach dem Telefon. Er setzte sich im Bett auf, lauschte auf das Schweigen am anderen Ende der Leitung, lauschte auf die hörbaren, spöttischen Atemzüge seines Feindes, die dieser nicht zu verbergen suchte. Aber Michael O'Meara wollte nicht anklagen und schon gar nicht drohen. Als Anwalt wußte er, daß man einen psychisch instabilen Menschen nicht gegen sich aufbringt.

Leise fragte er: »Hallo? Hal*lo*? Ist da jemand?«

Gina regte sich wohlig im Schlaf, wachte indes nicht auf; wenn sie vor dem Zubettgehen mehrere Gläser Wein getrunken hatte, schlief sie besonders tief. Jedenfalls hielt sich Michael den Hörer dicht ans Ohr und an den Mund, drehte sich von der Schlafenden weg, wie um sie mit seinem kräftigen, stämmigen Körper abzuschirmen. Sagte: »Hallo? Sind Sie das, Lee Roy?« Pause. Atmen und das Spüren dieses Atems – feucht, stickig. »Lee Roy, warum tun Sie das? *Wir wünschen Ihnen doch alles Gute.*«

Es war ein Nervenkrieg, oder? Aber der andere konnte nicht sehen, wie Michael O'Mearas Hand zitterte.

Schließlich brach Michael die Verbindung wortlos ab und legte den Hörer für den Rest der Nacht neben den Apparat.

Bald nahm er den Hörer jede Nacht ab, bevor er und Gina ins Bett gingen, und ließ ihn neben dem Telefon liegen.

Warum beantragte er nicht eine Geheimnummer bei der Telefongesellschaft? – Michael hatte es vor, doch Gina weigerte sich wochenlang, aus dem einfachen Grund, weil O'Mearas so viele, so sehr viele Freunde und Bekannte hatten, daß es lästig gewesen wäre, allen eine neue Nummer mitzuteilen. Gina sagte pikiert: »Wenn es wirklich Lee Roy ist, der sich so gemein benimmt, warum sollen wir dann nachgeben? Ich habe keine Angst vor ihm, und ich will nicht, daß wir uns von ihm manipulieren lassen.«

»Es ist Lee Roy«, sagte Michael. »Niemand anders als Lee Roy. Und ich glaube, es wäre für uns alle am besten, die Nummer ändern zu lassen.«

»Ich kann es kaum glauben, daß er sich so schnell gegen uns wendet!« sagte Gina. »Es kommt mir so selbstsüchtig und kurzsichtig von ihm vor.«

»Aber er haßt uns jetzt, Gina, begreifst du das nicht?« fragte Michael.

Gina schüttelte langsam den Kopf. Ihr Gesicht drückte irritierte Verständnislosigkeit aus, nicht Angst, nicht Beunruhigung. »Oh, ich bezweifle, daß er uns *haßt,* Michael«, sagte sie. »Übertreibst du da nicht?«

Gina war eine so schöne und selbstsichere, von Männern

so bewunderte Frau, daß sie sich nicht ernstlich vorstellen konnte, es gäbe einen Mann, der sie trotz aller Bewunderung auch hassen könnte.

Weshalb Michael sie schützen mußte.

Gerade diese Ahnungslosigkeit, diese Eitelkeit mußte Michael schützen.

Und seine Söhne? – Michael mußte auch sie schützen.

Er hatte Gina von dem Auftritt mit Lee Roy im Lagerhaus erzählt, aber die Einzelheiten abgemildert, um ihre Bestürzung auf ein Minumum zu reduzieren. In dieser Version hatte Lee Roy ihm einen Stoß versetzt, und er war gestürzt, weil das Treppengeländer so alt und brüchig war, daß es sofort nachgegeben hatte. In dieser Version kam Valeria Darrell gar nicht vor. Lee Roy war selber heruntergelaufen, um Michael zu Hilfe zu kommen.

In dieser Version stellte sich Michael als eine komische Figur dar, als den typischen Tölpel, der wie in einer Karikatur auf einem in alle Richtungen rutschenden Pappkartonstapel landet. Es war ihm sogar gelungen, sie zum Lachen zu bringen.

Aber so komisch war es nicht gewesen, denn jetzt hinkte er etwas auf dem rechten Bein.

Dem Knie. Er hatte sich das Knie angeschlagen. Das war alles.

Wich Gina seinem Blick aus, wenn er von Lee Roy Sears sprach? Gab es eine heimliche Beziehung zwischen ihnen, oder hatte es sie gegeben?

Nein. Es sind Werke der Einbildungskraft. Der Phantasie. Was aus mir rauskommt.

Ob die blödsinnigen Anrufe kamen, wenn Gina zu Hause war, und ob sie auf ihre Weise damit fertigwurde, wußte Michael nicht, denn dann war er wohl im Büro. Daß sie bei ihrer Beliebtheit, ihrer Beteiligung an zahlreichen Wohltätigkeitsorganisationen und Gruppentreffen, ihren vielen Clubfreunden und ausgedehnten Streifzügen durch die Läden von Mount Orion und New York meistens nicht zu Hause war, das wußte Michael natürlich, und während ihrer Abwesenheit war der Anrufbeantworter eingeschaltet. Also blieb sie verschont: Denn wenn der Anrufer Michaels aufgezeichneten Ansagetext zu hören bekam, legte er prompt auf.

Eines Morgens jedoch, als Michael bei Pearce, Inc., war und annehmen konnte, daß Gina noch zu Hause sei, rief er an, um zu testen, wie sie reagieren würde. Als sie den Hörer abhob und »Hallo? Hal*lo*? sagte, klopfte ihm das Herz bis zum Hals, aber er gab, die Hand auf die Sprechmuschel gepreßt, keinen Laut von sich. *Sie denkt, es ist Lee Roy, was wird sie zu ihm sagen?* Gina war unerwartet kurz angebunden, unängstlich, und fragte: »Wer ist da? Ist es derjenige, den ich vermute?« Pause. Dann: »Wenn ja, dann ist es eine Schande. Eine Schande! Ein erwachsener Mensch! Sich so kindisch zu benehmen!« Michael lauschte, den Hörer umklammernd, mit fast schmerzhafter Intensität, sah Ginas Gesicht vor sich, die wütenden Augen, den verächtlichen Mund. »Ich habe dir gesagt, wenn du derjenige bist, was ich glaube, daß ich dich dann nicht wiedersehen kann und nicht wiedersehen will und daß ich mich nicht einschüchtern lasse, verstanden?« Sie knallte den Hörer so heftig auf die Gabel, daß Michael zusammenzuckte.

Michael saß an diesem Morgen lange Zeit an seinem Schreibtisch, den Kopf in die Hände gestützt. Wußte nicht, wie er das, was er gehört hatte, entschlüsseln sollte – oder ob es überhaupt etwas zu entschlüsseln gab.

Jedenfalls stimmte Gina nicht lange danach, Mitte Dezember, zu, statt der bisherigen eine Rufnummer ohne Eintrag einrichten zu lassen. Denn plötzlich kamen die Anrufe zu Zeiten, wo Joel und Kenny ans Telefon gehen konnten, es manchmal auch taten, obwohl man es ihnen untersagt hatte.

Eines Abends nahm Michael beim Läuten des Telefons zufällig oben den Hörer ab, als Joel, oder war es Kenny, mit kindlich erwartungsvoller Stimme sich gerade am Apparat unten mit »H'llo?« gemeldet hatte, und zu seiner Überraschung und seinem Entsetzen hörte Michael jemanden antworten, das wochenlange Schweigen wurde durch eine männliche, offenbar verstellte Stimme, belegt, rauh, lüstern fröhlich, gebrochen: »He! He ihr da! Ihr kleinen Arschlöcher, äh? Seid ihr das, äh? Welcher von euch kleinen Arschlöchern? Hört ihr mich, äh? Ihr hört mich doch, wa'? Ihr wißt doch, wer hier is? Ihr kleinen Ärsche –«

Noch entsetzlicher: Joel kicherte.

Kicherte, als würde er derb gekitzelt.

Michael rief wütend dazwischen: »Geh aus der Leitung! Ich kenne dich, Lee Roy Sears! Du gottverdammtes perverses Schwein, du kranker Mistkerl, laß meine Söhne in Ruhe!«

Am nächsten Morgen ließ Michael, ohne daß Gina weitere Einwände erhob, eine Rufnummer ohne Eintrag einrichten.

Und die verhaßten Anrufe hörten auf. Zumindest vorläufig.

Es wurde Winter, die Tage schwanden, glitten schlitternd in die Nacht, die Feiertage bildeten eine willkommene Abwechslung, viele Partys, viele Geschenke, viele Essen, viele aufmunternde Worte, doch Michael O'Mearas Angst nahm zu.

Denn er wußte, daß sein Feind *da* war, stets und ständig *da*, auf der Welt, ja, nur wenige Kilometer entfernt von ihm – wie sollte er ihm entkommen, wie sollte er seine Familie schützen?

Sein rechtes Knie schmerzte, er hinkte jetzt auffällig, und daher dachte er fast fortwährend an Lee Roy Sears.

Wenn Freunde, die sein Hinken zum erstenmal bemerkten, Überraschung, Mitleid bekundeten – »Michael, was in aller Welt ist dir passiert? Hinkst du tatsächlich?« –, tat er ihre Fragen leichthin ab, indem er sagte: »Oh, ist nicht schlimm, ich hab mir neulich das Knie angeschlagen« oder »Oh, ist nicht schlimm, eine alte Footballverletzung, die sich mal wieder meldet.« Auf die Frage, ob er zum Arzt gehen würde, zuckte er die Achseln und sagte: »Mal sehen, vielleicht. Wenn ich Zeit habe.«

Auch Gina drängte ihn, einen Arzt aufzusuchen, denn solche Probleme würden nur schlimmer, nicht wahr? – wenn man älter wird?

Michael lachte und sagte: »Das ist es ja gerade, die Befriedigung gönne ich ihm nicht.«

»Ihm? Wem?«

Gina starrte ihn verblüfft an. Hatte sie den Urheber seiner Knieverletzung vergessen?

Michael sagte nachgiebig: »Natürlich gehe ich noch zum Arzt, Gina. Wenn ich Zeit habe.«

Wie dicht, wie unerbittlich ich dir auf den Fersen bleibe. Bis hin zu deinem Zufluchtsort.

Als Michael eines Abends zu seinem Wagen im Parkhochhaus neben Pearce, Inc., ging, entdeckte er, daß die Reifen seines Mazda aufgeschlitzt waren. Kein anderes Auto im Parkhaus war angetastet worden.

An einem strahlenden Wintermorgen in den Weihnachtsferien kamen Joel und Kenny zum Haus gerannt und schrien, daß »etwas Totes« auf dem zugefrorenen Teich läge – der übel zugerichtete, blutige Kadaver eines Hundes, der überfahren worden war.

Anfang Januar erhielt Gina einen Anruf vom Direktor der Riverside School, der ihr besorgt mitteilte, daß Joel und Kenny entgegen den Vorschriften während der Mittagszeit und Pause das Schulgelände verließen. Manchmal kämen sie spät zurück und weigerten sich, über ihren Verbleib Auskunft zu geben; bedrängte man sie, wurden sie wütend und unverschämt. Ein Lehrer hatte sie in einem Park in der Nähe der Schule in Begleitung eines »dunklen Mannes« gesehen, doch nach dem Mann befragt, leugneten sie strikt alles ab.

Wie sie auch ihren Eltern gegenüber strikt alles ableugneten.

Ein Rätsel war auch Marita, die plötzlich, an einem Wochenende, die Arbeit bei O'Mearas aufgab, sich weigerte, zurückzukehren, und sich weigerte, den Grund dafür anzugeben.

»Als ob wir in einem Boot ohne Motor, ohne Segel, ohne Ruder sitzen und von der Strömung eines Flusses getrieben werden, den wir nicht kennen«, sagte Gina in ärgerlicher Erregung, die ihr eine bei ihr sonst nicht übliche poetische Ader verlieh, »und es ist dunkel, und wir werden immer schneller, und – was sollen wir machen?«

Michael sagte leise: »Ja, *was* sollen wir machen? Solange er am Leben ist, ist er gefährlich.«

Er hatte der Polizei natürlich das Aufschlitzen seiner Reifen gemeldet und mitgeteilt, wen er für den Übeltäter hielt; doch da es keine Zeugen gab und keine Beweise, die auf eine Verbindung zwischen Lee Roy Sears und dem Tatort oder auch nur dessen Umfeld schließen ließen, war die Polizei machtlos.

Dasselbe galt für den toten Hund. Die O'Mearas riefen sofort die Polizei, die zu ihnen herüberkam und Ermittlungen anstellte, und, ja, der Hund war schon tot, als er zum Teich gezogen wurde, er hatte sich nicht von selbst dorthin geschleppt, aber wie sollte man beweisen, daß Lee Roy Sears ihn zu der Stelle geschleift hatte, wenn niemand ihn gesehen hatte und es nicht den geringsten Anhaltspunkt dafür gab, daß er ihnen diesen üblen Streich gespielt hatte?

Der Kriminalbeamte, der mit Michael und Gina sprach, war voller Mitgefühl und ihretwegen erbost über den Schreck, den man der Familie eingejagt hatte, aber er konnte ihnen nur raten, was Michael bereits wußte: Sie sollten mangels Beweisen von einer Anzeige Abstand nehmen. Er sagte: »In solchen Fällen von Schikane wartet man am besten ab. Manchmal machen die Kerle einen Fehler und werden gefaßt, aber häufig verlieren sie einfach das Interesse und hören allmählich damit auf. So oder so, Sie müssen abwarten.«

Gina sagte ungehalten: »Und was ist mit unseren Söhnen? Müssen wir warten, bis auch sie zu Schaden kommen?«

Joel und Kenny behaupteten weiterhin steif und fest, sie hätten Lee Roy Sears nicht getroffen – »Mr. Sears war aber lange nicht hier!« sagten sie mit großen Augen, fast vorwurfsvoll. Michael hatte sie sich einzeln vorgenommen; er fand, daß die Jungen getrennt voneinander folgsamer, nicht so aufgeregt waren und vertrauensvoll mit ihm reden konnten, wenn der andere nicht zuhörte. Aber Joel schwor, er habe Mr. Sears *nicht* getroffen, und Kenny schwor, er habe ihn nicht getroffen. Michael sagte freundlich, wer der Mann gewesen sei, den ein Lehrer der Riverside School als »dunklen Mann« beschrieben habe, und jeder der beiden sagte, ohne zu zögern: »Niemand! Da war keiner!«

Daddy versuchte ein Lächeln, Daddy war sehr geduldig.

»Niemand? Wirklich keiner?«

Joel mit seinen schönen blaugrünen Augen, dicht bewimpert wie die einer Puppe, dem blonden Haar: »Niemand, Daddy! *Keiner!*«, als sei Daddy schwerhörig.

Und Kenny mit den schönen blaugrünen Augen, dicht bewimpert wie die einer Puppe, dem blonden Haar, nur eine Spur schalkhafter als sein Bruder: »Niemand, Daddy! *Keiner!*« fast schreiend in Daddys erschrecktes Gesicht.

Hinterher berichtete ihm Gina, daß die Jungen oben in ihrem Zimmer vor Lachen gekreischt hätten: Hatte er sie verwechselt? Joel mit Kenny, Kenny mit Joel?

»Du mußt da ein bißchen mehr aufpassen, Liebling«, sagte Gina, wobei sie Michael liebevoll betrachtete. »Du weißt doch, daß sie dann nicht mehr zu halten sind.«

Ebenso weigerte sich Marita zu erklären, warum sie gekündigt hatte. Als Gina ihr eine Gehaltserhöhung und, aus lauter Verzweiflung, kürzere Arbeitszeit anbot, sagte Marita rasch:

»Vielen Dank, Mrs. O'Meara. Aber *das* ist es nicht.«

»Was ist es dann?« fragte Gina.

Es war ein Telefongespräch, daher konnte Gina das Gesicht der jungen Frau nicht sehen. Sie spürte Widerwillen, Angst. Abneigung.

»Mrs. O'Meara, ich muß jetzt auflegen.«

»Sind – hat – Sie hier jemand belästigt? – verfolgt? – bedroht?«

Marita murmelte jedoch nur etwas, das sich wie eine Entschuldigung anhörte, und legte auf.

Gina kam in Tränen zu Michael. Er war gerührt, daß Maritas Abtrünnigkeit sie so bekümmerte: Sie nahm dies offenbar tragischer als die anderen Vorfälle.

»Es ist so schwer zu verstehen«, sagte sie, sich auf die Lippe beißend und Michael flehentlich anblickend, »daß Lee Roy uns nicht mehr mag!«

Michael hielt sie in den Armen und tröstete sie. Arme Gina! – Selbst angesichts solcher Beweise brachte sie es nicht über sich, das Wort *Haß* auszusprechen.

Diese Alptraumzeit.

In der Michael O'Meara wie jeder normale Mann in der Phantasie seinen Feind angriff, ihn schlug, bis er sich ergab.

Ihn tötete? – vielleicht.

»Um Gina zu schützen, um die Jungen zu schützen – was würde ich dafür nicht alles tun!«

Wie die Polizei geraten hatte, beschloß er abzuwarten; absichtlich nichts zu unternehmen, was Lee Roy Sears' Feindseligkeit weiter schüren könnte. Vom Hörensagen wußte er, daß Lee Roy noch immer mit Valeria Darrell zusammen war, daß man die beiden häufig in irgendwelchen Jazzclubs in den Vorstädten gesehen hatte; man erzählte ihm, daß Lee Roy ein paar seiner Kunstwerke verkauft hatte – an wen, für wieviel, blieb unklar. »Wie schön für ihn«, sagte Michael. Dachte: Vielleicht läßt er uns dann in Ruhe.

Es kam jedoch zu weiteren Vorfällen: Michael war sich sicher, daß ihm einmal abends, als er von der Arbeit nach Hause fuhr, in einem unauffälligen Auto jemand folgte, dessen Gesicht er nicht erkennen konnte. (Hatte Lee Roy Sears jetzt einen Wagen – einen Führerschein?)

Und trotz ihrer nicht eingetragenen Rufnummer erhielten die O'Mearas hier und da mysteriöse Anrufe, ohne daß sich am anderen Ende der Leitung jemand meldete. (Natürlich, vielleicht *war* der Anrufer gar nicht Lee Roy Sears? Wer konnte das wissen?)

Michael blieb mit H. Sigman in Kontakt, den Lee Roy alle

zwei Wochen aufsuchen mußte und der zuweilen überraschend bei Lee Roy im Wohnheim auftauchte. Soweit der Bewährungshelfer wußte, verlief Lee Roys Sozialisation recht befriedigend; hinzu kam die Aussicht auf seine Karriere als Künstler. Und was noch wichtiger war, es gab einen stabilisierenden Faktor in seinem Leben – »Diese Freundin, die er hat, ich vermute, sie hat Vermögen?«

Es war ein Telefongespräch. Michael lächelte ironisch. »Hat sie«, sagte er.

»Es heißt, sie wollen heiraten, stimmt das?" fragte Sigman.

»Ach, *stimmt* das?«

»Lee Roy hat es ein paarmal angedeutet. Es geht ihm wohl ganz gut.«

»Wie schön. Wunderbar. Ich meine – daß es ihm gut geht.«

»Dank Leuten wie Ihnen, Mr. O'Meara. In meinem Beruf, das kann ich Ihnen sagen, gibt es nicht viele Leute so wie Sie, die bereit sind, diesen Typen eine Chance zu geben. Wenn Leute wie Sie nicht wären, Mr. O'Meara«, sagte Sigman überschwenglich, übermannt von seiner eigenen Rhetorik, »hätten diese armen Schweine keine Chance!«

»Na ja«, sagte Michael.

»So isses aber. Der Durchschnittsmensch, der würde doch einen Knacki, egal was für einen, nicht mit der Feuerzange anfassen. Aber das wissen Sie ja wohl.«

So munter wie möglich fragte Michael: »Wenn es mit seiner Karriere klappt, kann Lee Roy Sears dann nicht nach New York übersiedeln? Er und seine neue Frau, beide?«

»Mit Sicherheit, das kriegt er genehmigt«, sagte Sigman gefühlvoll, als ob ihm nichts eine größere Freude machen könnte. »Gibt eigentlich keinen Grund, weshalb er dann noch in Putnam bleiben sollte.«

»Eigentlich keinen Grund!« sagte Michael.

Eine Illusion. Aber eine schöne Illusion.

Lippen auf den seinen – die ihn weckten! Herrlich.

Er schlug die Augen auf und sah Gina, die liebliche Gina,

die sich mit großen, erweiterten Katzenpupillen, rosa Zungenspitze zwischen den geschürzten Lippen, über ihn beugte.

»Schatz, wach auf! Du mußt ja todmüde sein! Warum gehst du nicht ins Bett, wenn du müde bist? Du brauchst doch nicht *meinetwegen* aufzubleiben.«

Es war ein schneereicher Abend Anfang Februar. Michael O'Meara war, erschöpft von einem langen Tag bei Pearce, in seinem Ledersessel im Arbeitszimmer irgendwann zwischen neun und – wieviel Uhr war es jetzt? – halb zwölf eingeschlafen.

Gina hatte unbedingt weggemußt – man hatte sie gerade in den Vorstand oder war es der Spendenausschuß oder das Veranstaltungskomitee der Freunde des Dumont Center oder vielleicht der Freunde des Symphonieorchesters von Mount Orion gewählt.

Sie klagte selber über Erschöpfung, als sie nach Hause kam, obwohl sie wie stets selbstsicher, kühl, quicklebendig, schön aussah. Schalt, wobei sie mit der Hand rasch Michaels warme Wange liebkoste: »Ich liebe dich, Schatz, ich kann's nicht ausstehen, dich so wegdösen zu sehen wie, ach, ich weiß nicht, wie so ein Obdachloser auf dem Bahnhof! Laß uns ins Bett gehen.«

Michael rappelte sich schlafbenommen hoch und kam nach.

Es schien lange her, daß er das von dem neuen Mädchen Clara zubereitete Abendessen zu sich genommen und ihr geholfen hatte, Joel und Kenny zu Bett zu bringen.

Sehr lange her.

Nach seinem einsamen Mahl hatte Michael wie fast jeden Abend in seinem Arbeitszimmer am Schreibtisch gesessen, hatte an Pearces ausführlicher Erwiderung in der 50-Millionen-Dollar-Klage wegen Peverol gearbeitet, Schriftstücke, fotokopiertes Material gesichtet und heute abend auch Waffenkataloge von Versandgeschäften mit Erläuterungen zum AK-47 Schnellfeuergewehr durchgeblättert, der Waffe, mit der sieben Menschen sowie der Schütze selber in Memphis getötet worden waren. Trotz der neuen Lesebrille (auf Rezept) verschwamm ihm alles vor den Augen; er war wohl, ohne es richtig wahrzunehmen, in Schlaf gesunken, wie man in warmes, wohltuendes Wasser sinkt.

Gina führte ihn an der Hand nach oben, die Finger in seine verschränkt. »Mein armes Schätzchen! Es bricht mir das Herz, wenn ich sehe, wie *müde* du bist«, sagte sie. »Ich hoffe, du denkst nicht an – *ihn.*«

»Überhaupt nicht«, sagte Michael schnell. »Ich glaube, wir haben die Sache im Griff.«

»Alle heute haben nach dir gefragt und gesagt, daß du ihnen fehlst. Stan sagt, er sieht dich gar nicht mehr beim Squash, und Jack und Pam sind *so* enttäuscht wegen nächsten Freitag, und – auch Marvin Bruns, den wir doch kaum kennen, hat nach dir gefragt. Du siehst also, Michael O'Meara, wie beliebt du bist! – selbst wenn du nicht da bist.«

Es traf zu, Michael hatte an gesellschaftlichen Veranstaltungen kaum noch teilgenommen. Er wollte nicht wahrhaben, daß die Arbeit oder gar das Denken an Lee Roy Sears bei ihm zur Obsession geworden war, denn im Grunde war er kein Zwangscharakter; es beunruhigte ihn, daß andere das falsch verstehen könnten.

»Sobald dieser Memphis-Fall entschieden ist, kehre ich ins normale Leben zurück. Das verspreche ich.«

»Natürlich! Das sagst du immer.«

Aber Gina verzieh ihm und küßte ihn mit einem raschen, spielerischen Vorstoß ihrer rosa Zunge.

In dieser Nacht, in der er absurderweise nicht schlafen konnte, wo er doch schlafen wollte, erhob sich Michael urplötzlich von Ginas Seite (*sie* schlief selig wie ein Säugling!), ging wie ein Schlafwandler, doch hellwach, barfuß auf leisen Sohlen die Treppe herunter, weil er das Bedürfnis hatte, etwas herauszufinden, etwas aus seiner Vergangenheit in die Hand zu nehmen.

Er begann in alten Büchern, meist Taschenbüchern, zu stöbern, in die er jahrelang, seit seiner intensiven, hoffnungsvollen Zeit im theologischen Seminar keinen Blick mehr geworfen hatte. Mit Vierzig hungerte er nach moralischer Anleitung – in der Welt, in der er jetzt lebte, fehlte ihm offenbar ein Muster, ein Vorbild.

In einem von Gina selten als Gästezimmer benutzten Schlafzimmer auf der Rückseite des Hauses blätterte er ungeduldig in seiner mit zahlreichen Randbemerkungen versehenen Taschenbuchausgabe von Tolstojs *Was ich glaube,* die er zuletzt 1969 zu Rate gezogen hatte. Diese hypnotische Kraft, die – für Michael O'Meara wie für Tolstoj – von der im Evangelium des Matthäus bewahrten Weisheit Jesu ausging:

Ihr habt gehört, daß da gesagt ist: Auge um Auge, Zahn um Zahn. Ich aber sage euch, daß ihr nicht widerstreben sollt dem Übel.

Wortgewaltig beschreibt Tolstoj, wie er mit Fünfundfünfzig, nach Jahrzehnten des Nihilismus, durch diesen ganz einfachen, unmittelbaren Matthäus-Vers eine innere Bekehrung erfuhr. Die Richtung seines Lebens, sein Streben, der Kern seiner Persönlichkeit – sie alle wurden machtvoll und unwiderruflich verwandelt.

Ihr habt gehört, daß da gesagt ist: Auge um Auge, Zahn um Zahn. Ich aber sage euch, daß ihr nicht widerstreben sollt dem Übel.

Michael hockte ungelenk vor dem Bücherbord und las; als er sich aufrichtete, zuckte er vor Schmerz zusammen – sein rechtes Knie war angeschwollen.

Wie rätselhaft der Vers des Matthäus war, verstörend, faszinierend.

Ihr habt gehört, daß da gesagt ist: Auge um Auge, Zahn um Zahn. Ich aber sage euch, daß ihr nicht widerstreben sollt dem Übel.

Michael überlegte. Was bedeutet es eigentlich? Hatte Tolstoj es verstanden? »Nicht widerstreben dem Übel«.

Tags darauf verschloß Michael O'Meara auf seiner Fahrt zur Arbeit Tolstojs *Was ich glaube* im Handschuhfach des Mazda. Er sollte nie wieder in das Buch hineinsehen, aber das hatte er auch nicht nötig.

TEIL VIII

1

Nie wird sie das Gesicht des Angreifers sehen.
Nie wird sie die Stimme des Angreifers hören.

So geschickt! So schnell! Ein Arm, der sich von hinten um ihren Hals schlingt.

Und die Klinge, die blitzartige, schreckliche Klinge, die Rasierklinge, oder sind es Klingen, viele Klingen, die ihr Fleisch zerfetzen, aufschlitzen, zerreißen. Oh! Oh! *Oh!*

Irgendwann nach Einbruch der Dunkelheit, eine naßkalte Dämmerung mit Schneeregen. Der Geruch nach feuchtem Zement, dieser Stadtgeruch nach Schotter, aber auch romantisch: wie Parkhochhäuser neben luxuriösen Hochhaushotels heutzutage eben romantisch sind.

So romantisch! – ihr wurde regelrecht schwach ums Herz.

So romantisch! – sie denkt an gewisse Dinge, frische Erinnerungen, sie ist einer Ohnmacht nahe.

Ich liebe dich, ich bin verrückt nach dir, o Gott.

Und ich liebe *dich.*

Nein hör doch zu, mein Gott, ich meine es ernst.

Ich meine es ernst.

Strampeln, Getrommel mit den Fäusten, Lachen. Seine Lippen wie ein Preßlufthammer.

O Gott, dieses süß prickelnde Gefühl im Schoß.

Selbst jetzt noch könnte sie schreien, schreien … *schreien.*

Wie Glut, langsam vergehende Glut, so süß. Sie wird stundenlang in ihr bleiben, stundenlang, tiefinnen warm und heimlich verwahrt, im seidigsamtenen Täschchen.

Zurück nach Mount Orion, Glenway Circle, nach Hause.

Zurück zu *ihnen*. Die sie kaum kennen.

Also jetzt: schnell zum Fahrstuhl.

Schnell, überhaupt nicht ängstlich, in diesem öden Gebäude.

Rasches Klopfen der Absätze, klopf klopf auf den fleckigen Zementboden.

(Warum ist sie nicht ängstlich, zumindest vorsichtig? Eine Frau allein, eine schöne Frau allein in einem rostroten Fuchspelz, zu dieser abendlichen Stunde, im Schneeregen, und noch eine halbstündige Fahrt auf dem Parkway vor sich? Weil sie mit ihren ausschweifenden Gedanken woanders ist.)

(Und dann hatten sie eine ganze Flasche Champagner geleert und eine mächtige Portion Beluga-Kaviar verschlungen, dreihundert Dollar das Viertelpfund: warum nicht? Grund zum Feiern hatten sie!)

Sie nimmt den Fahrstuhl (übelriechender kleiner Käfigwürfel) zum Deck C des Parkhauses. Die Tür öffnet sich schwerfällig: Wenn sie nun in die Falle tappt: Sogleich verwirft sie den Gedanken, denn so ist es ja nicht.

Wie sie in der Badewanne, dem duftenden rosafarbenen Schaumbad, lächelnd auf ihren weißen Körper mit seinem rosaroten blutrosa Schattenschimmer heruntergesehen und im selben Augenblick den Gedanken verworfen hatte, denn *so eine Frau ist sie ja nicht.*

Ihre hübsche Armbanduhr, die sie hastig über ihr dünnes Handgelenk gestreift hatte, sitzt verkehrt herum! Sie überlegt, wie spät es ist, als sie draufschaut, sie nimmt es nicht auf, aber das macht nichts.

Ironie, seltsam, aber vielleicht ist es nur Zufall: Noch nie hat sie irgendeine ihrer Uhren verkehrt herum übergestreift, soweit sie sich entsinnen kann.

Selbst nicht in größter Eile.

Oh! – verdammt noch mal, du hast mich *einschlafen* lassen.

Ich *dich*? Was ist mit *mir*?

Ich habe Familie, nicht du!

Also: wer hat schuld?

Ihr Haar ist noch feucht an den Enden. Ringellocken der Feuchte. Frösteln.

Sie hatte mit dem Föhn herumhantiert, der immer nah dran war, ihr aus der Hand zu fliegen, hoch in die Luft, so kam es ihr vor. Sein lachendes Gesicht im Spiegel neben ihrem, die olivbraune Haut, kräftige grinsende Zähne. Umschlingt sie unterhalb der Brüste mit dem sehnigen dunkelbehaarten Arm.

Beide in diesen weißen Frotteebademänteln, die zu solchen Zimmern gehören, in den besseren neueren Hotels.

Kannst du das auf dein Spesenkonto setzen?

Kann ein Fisch schwimmen? Kann ein Vogel fliegen?

Ach, du bist – unmöglich!

Du bist herrlich.

Weißt du – in der Hirnforschung – die neueste Entdeckung – die linke Hirnhälfte denkt sich Theorien, Geschichten aus für Sachen, die die rechte erlebt – also – also! – laß uns tun, was wir wollen, und denken wir uns die Gründe dafür später aus!

Das hab ich immer gewußt!

Schiebt die Hände in ihren Bademantel. Drückt ihre schon wunden Brüste.

Oh, verdammt! Das tut *weh*.

Ach ja?

Deck C, und da stehen nur noch ein paar Autos. Es ist ein offenes Parkgebäude, naßkalte böig-belebende Luft streift ihr Gesicht. Nicht weit entfernt Hochhauslichter, Scheinwerfer von Fahrzeugen, im bewegten Himmel blinkende Lichter von Verkehrsflugzeugen.

Und das kribbelnde erotische Pochen in ihrem Schoß, o Gott *das*.

Das und der schwindelerregende Champagner haben sehr wahrscheinlich ihr Urteilsvermögen getrübt.

1. März. Sie wird sich stets daran erinnern.

Jetzt, wo sie ihr Auto entdeckt (sie hatte verdammt noch mal vergessen, wo sie es geparkt hatte; wenn alles voll ist, sieht das Deck ganz anders aus), könnte sie weder das Datum noch die Uhrzeit angeben, ach, wen kümmert das schon, ihr Mann ist sowieso noch nicht da, wenn sie nach Hause kommt.

Arbeitet bis spät in den Abend. Arbeitet, arbeitet bis spät in den Abend. Spät noch, so *spät*.

Er ist ein toller Typ, ich bewundere ihn richtig. Also verdammt noch mal, ich meine – er ist *nett*.

Ja. Ist er.

Du liebst ihn, nehme ich an?

Ich liebe ihn. Nehme ich an.

Du bist verheiratet – wie lange schon?

Mein Leben lang.

Als sie auf ihr Auto zugeht, ja das ist ihr Auto, ganz hinten geparkt, in einer Ecke, sie hatte irgendwie vergessen, daß sie es in einer Ecke geparkt hatte, aber sie war auch in Eile gewesen, in Panik, sich zu verspäten.

Nur ein Zufall – sie denkt nicht wirklich daran –, Schlüssel in der behandschuhten Hand, sie beugt sich herunter, um die Tür aufzuschließen (hat sie denn die Türen zugeschlossen? – weiß sie nicht mehr), ihr Atem bildet Dampfwölkchen um ihren Mund, nur ein Zufall, ohne Zusammenhang, sie denkt plötzlich an den armen Clyde Somerset, der vorige Woche auf dem Parkplatz hinter dem Dumont Center überfallen worden ist, schrecklich! unglaublich! ein Überfall! mitten in Mount Orion! – was für ein Pech für Clyde, daß es keine Zeugen gab, der Arme, so brutal zusammengeschlagen, Kiefer gebrochen, Zähne ausgeschlagen, Rippen angeknackst, Clyde, der nicht in bester körperlicher Verfassung ist (so rot im Gesicht, man kann sehen, daß er zu hohen Blutdruck hat, kann Susanne ihn nicht auf Diät setzen?), hatte also noch Glück, daß er am Leben geblieben ist, Glück, daß der Herzanfall nicht tödlich endete.

Nein. Leider. Er hat das Gesicht seines Angreifers nicht gesehen.

Die Stimme seines Angreifers nicht gehört.

Armer Clyde, konnte den Täter nicht identifizieren.

(Ja, natürlich, der Polizei wurde der Name eines Tatverdächtigen genannt, der sich womöglich gern an Clyde Somerset gerächt hätte, aber wie den Verdächtigen mit dem Verbrechen in Verbindung bringen, wenn es keine Beweise gibt? –

wenn er offensichtlich zum fraglichen Zeitpunkt woanders war und jemand das beschwört?)

Aber daran denkt sie nicht wirklich. Nicht in ihrer glückseligen Stimmung.

Sieh mal, warum eigentlich nicht, ich verdiene doch auch ein bißchen Glück, Himmel noch mal, ich bin schließlich nicht nur Ehefrau und Mutter, wenn du das meinst, dann kennst du mich eben nicht. Und ich bin noch jung.

Sie läßt sich auf den Fahrersitz gleiten, liebt den Geruch des neuen Wagens, glatte schwarze Ledersitze, sie hatte sich seit Jahren einen Mercedes gewünscht und nun: hier ist es, ihr Weihnachtsgeschenk von Michael.

Sie hatten den Honda, das langweilig spießige Ding, dafür in Zahlung gegeben.

Wenn es das ist, was ihr alle von mir denkt, kennt ihr mich eben nicht.

Oh! – wunderschön. Herr-lich.

Unter Gelächter gierig Kaviar von den hellen geschroteten Kräckers gelöffelt. Die winzigen gallertartigen Eier, die auf seine Brust gefallen waren, abgeleckt. Auch die auf *seinen* Brustwarzen.

Sie muß sich immer kringeln, vor Kichern kringeln, daß auch Männer Brustwarzen haben. Daß es die in ihrem Körper (diesen Körpern, die manchmal so *nett* sind) gibt, einfach so gibt – wie bei uns.

So irgendwie – eingeschlossen?

Sagen wir lieber umgrenzt.

Ist der Körper umgrenzt?

Umgrenzt er Fleisch, Knochen, Blut – *uns*?

Und wenn nicht der Körper – was dann?

Fummelnd versucht sie den Schlüssel in die Zündung zu stecken, nicht daß sie betrunken wäre (sie ist *nicht* betrunken! – obwohl man einen hohen Alkoholgehalt in ihrem Blut feststellen wird), aber ihr verdammter Glacéhandschuh erschwert es ihr, und sie ist mit dem neuen Auto noch nicht richtig vertraut, und sie nimmt aber nimmt auch nicht – jemanden auf dem Rücksitz? – wahr, der sich erhebt, als wolle er sie umarmen? – als habe er seit langem auf sie gewartet, um sie zu umarmen? – und sollte sie erstaunt in den Rückspiegel blikken, würde sie wohl nur ein maskiertes Gesicht, einen exotisch in etwas Dunkles, Wolliges gehüllten Kopf sehen, einen langen, turbanartig um den Kopf gewickelten Schal, aus Wolle wahrscheinlich, der fast das ganze Gesicht, die Augen fast ganz verdeckt, die Augen sind nur Gucklöcher, die Augen! – die feucht funkeln vor Gekränktheit! vor Wut! vor Verzückung! vor Entschlossenheit! aber sie hat keine Zeit, es fängt sofort an und hört innerhalb von sechzig Sekunden auf, der blitzschnelle entsetzliche Arm, der sich um ihren Hals schlingt, sie erstickt, sie fest auf den Sitz drückt, das Blinken der Klinge, die schneidende reißende bohrende säbelnde Rasierklinge, ihre Wangen, ihre Stirn, ihr Kinn, ihre Nase, ihr schreiender Mund, das qualvolle O! dieses Mundes, und überall das heiße warme Blut, sie schlägt um sich, versucht den Kopf von einer Seite zur anderen zu drehen, aber er hält sie eisern fest, kein Entkommen, die blutige Klinge schneidet springend, sausend, blitzend, reißend in ihr Fleisch wie die wahnsinnig gewordene Liebkosung eines Mannes, wahnsinnig vor Lust, und dann, und dann, und *dann* – der Guß Terpentin in ihr Gesicht, in die blutig klaffenden Wunden, in die Augen – zum Reinigen?

WAS AUS MIR HERAUSKOMMT.

2

So war es geschehen: Sein Feind hatte zugeschlagen. Als er am 1. März gegen 19.45 Uhr durch die Küche ins Haus trat und sah, wie das neue Mädchen Clara am Telefon sprach und Joel und Kenny bleich neben ihr standen – sie sah, seine Söhne sah, wußte Michael O'Meara fast schon Bescheid – o Gott, Gina ist etwas geschehen: Er wußte es.

Clara, ein stämmiges Mädchen, normalerweise eine robuste, fröhliche, tüchtige Person, riß bei seinem Anblick die Augen auf und rief: »Oh! Mr. O'Meara! Gott sei Dank!« und übergab ihm den Hörer, als stünde er in Flammen.

Daher wußte er Bescheid.

Er hatte einen Tag mit einem knappen Zeitplan hinter sich. Einen seiner gekonnt eingeteilten Tage. Ein Tag, der den Alptraum eine Zeitlang in Schach halten konnte.

Er war mit der 10-Uhr-Pendelmaschine nach Boston geflogen. Hatte eine Besprechung zum Mittagessen, eine recht befriedigende Besprechung, und war mit der 15-Uhr-Maschine zum Flughafen Newark zurückgekehrt. Dort erwartete ihn ein Wagen, der ihn zu Pearce, Inc., brachte, wo er eine weitere Besprechung hatte oder zwei, und dann hatte er sich in sein Büro zurückgezogen, hatte sich, während andere nach Hause gingen, in seinem Büro versteckt und gearbeitet und war gegen 19 Uhr mit einem Aktenkoffer voll Arbeit auf dem Parkway Drive nach Hause gefahren, konnte sich nicht erinnern – hatte Gina gesagt, sie wäre da oder nicht da, wenn er heimkäme; hatte Gina gesagt, sie würden oder würden nicht abends zusammen essen; dachte an die Arbeit, die er noch zu erledigen hatte, empfand absurderweise einen sonderbar zornigen Stolz auf die bloße Tatsache: *Ich kann sie erledigen: Ich werde sie erledigen: Herrgott noch mal, ja!*

Michael O'Meara wußte, daß die Topmanager bei Pearce, Inc., ihn zur Zeit sehr genau im Auge behielten. Ihn und sein Team dynamischer junger Anwälte. Er gab ihnen zu denken, gab ihnen auf beunruhigende Weise zu denken (denn trotz seiner Loyalität zu Pearce, Inc., traten gelegentlich andere Firmen mit unverbindlichen Angeboten an ihn heran: Noch nie stand er beruflich so hoch im Kurs); sie waren sowohl auf ihn angewiesen als auch entschlossen, das Äußerste an Leistung aus ihm herauszuholen – o ja. Und um diesem unaufhörlichen Druck, diesem allwissenden Auge von oben standzuhalten, hatte Michael Euphomine, den beliebten »Stimmungsaufheller« von Pearce, für sich entdeckt, der, in vernünftiger, in geringer Dosierung eingenommen, sehr hilfreich war. Sehr!

Nicht daß er an Amphetamine glaubte – das tat er nicht. Und nicht daß er Liloprane aufgegeben hätte, das so wohltuend und beruhigend wirkte wie ein alter Freund – Liloprane blieb er treu. Doch dann und wann, nie mehr als ein paarmal in der Woche, zum Beispiel wenn er für eine Besprechung wirklich topfit sein mußte, wie heute, vor 8 Uhr im Büro, mittags in Boston, wo es darauf ankam, daß er hellwach und auf Draht und optimistisch war und *voller Schwung,* wie man es von Michael O'Meara aufgrund seines guten Rufs erwartete – nun, in solchen Fällen war Euphomine hilfreich.

Ironischerweise war dies also einer der noch nicht einmal wirklich mühseligen Tage Michael O'Mearas gewesen. Er hatte wie ein schnellfließender Wasserlauf seinen eigenen drängenden Rhythmus gehabt, der ihn vorwärtstrug, ihn weitertrieb, ohne ihm Zeit zu lassen, an die Gefahr zu denken, die seiner Familie drohte, ohne ihm Zeit zu lassen, darüber nachzugrübeln, daß Lee Roy Sears sein Feind war und ihm schaden wollte.

Da stand er nun wie vom Donner gerührt in der Küche und

ließ sich von einer fremden Person aus einer Klinik in Ridgewood, New Jersey, berichten, daß Gina auf der dortigen Unfallstation gerade operiert wurde; daß ein unbekannter, bisher noch nicht festgenommener Täter brutal über sie hergefallen sei, ihr Gesicht und Hände mit einem Rasiermesser zerfetzt, Geld, Kreditkarten und Schmuck gestohlen und sie bewußtlos und nah am Verbluten hinter dem Steuer ihres Wagens in einem mit dem Marriott Inn verbundenen Parkhochhaus in der Nähe vom Parkway liegengelassen habe – aber warum in Ridgewood, so weit weg?

Michael konnte zuerst nicht begreifen, was er da hörte.

Weder die Worte als solche noch ihre Bedeutung.

Mit versagender Stimme fragte er: »Ridgewood? Sind Sie sicher? *Ridge*wood?«

Ja, gab die Stimme Auskunft: Ridgewood, New Jersey. Ob er wisse, wie er dort hinkomme?

Ja, meinte er, mehr oder weniger. Ja. Natürlich. Er habe eine Karte des Bundesstaates, er könne es finden.

Etwa fünfundfünfzig Kilometer nordöstlich von Mount Orion.

Eine uncharakteristische Vorstadt nördlich von Paterson, nur ein Name auf der Landkarte. Michael O'Meara konnte sich nicht erinnern, je in Ridgewood gewesen zu sein, aber nein, natürlich würde er es ohne Schwierigkeiten finden.

Michael hatte nach dem Anruf, wiewohl benommen, als hätte er einen Schlag auf den Kopf bekommen, noch genug väterliche Geistesgegenwart, seine verstörten Söhne zu trösten, die leise, hilflos zu weinen angefangen hatten, sich an seine Beine drückten und ihn an den Ärmeln zupften. Joel und Kenny hatten sich in letzter Zeit zu stämmigen kleinen Jungen entwickelt, doch jetzt wirkten sie sehr klein, sehr jung, verletzlich. »Ist Mommy was Schlimmes passiert? Muß Mommy sterben? – wo ist Mommy?« wimmerten sie. Michael hockte sich hin, zog sie an sich, nahm jeden in einen Arm, umarmte sie fest, hielt seine Tränen blinzelnd zurück, erzählte ihnen, daß es Mommy bald wieder gut gehen würde – »Daddy kümmert sich um sie, und Daddy kümmert sich um euch, ihr braucht keine Angst zu haben, nie mehr, das *versprech* ich euch.«

Er fuhr nach Ridgewood, indem er vom Parkway abbog, die Route 208 nach Norden nahm und ständig, immer und immer wieder und wieder dachte: Laß sie nicht sterben, laß sie nicht sterben, bitte, Gott, laß sie nicht sterben, dann werde ich zeitlebens an Deine Barmherzigkeit glauben.

Dachte: Aber ich werde ihn töten. *Muß* ihn töten.

Tastete in seiner Tasche fast unbewußt nach einer der dikken Euphomine-Kapseln, um sie sich auf die Zunge zu legen, aber sie rutschte ihm aus den zitternden Fingern und ging verloren.

Also gab er es auf. In seinem Zustand brauchte er keine weitere Anregung.

»Terpentin? *Terpentin?* Er hat sie mit *Terpentin* übergossen?«

Ungläubig, mehrmals stellte Michael O'Meara dem Arzt von der Notaufnahme diese ungläubige Frage. Er wirkte so extrem erregt, daß er selber medizinische Behandlung zu benötigen schien.

Der Arzt schlug ein Beruhigungsmittel vor, aber Michael O'Meara lehnte ab: »Nein! Nein danke, Herr Doktor! Ich nicht! Nicht jetzt!«

Während man Gina operierte, um ihr furchtbar zugerichtetes Gesicht wiederherzustellen oder dies zumindest zu versuchen, wartete Michael O'Meara nicht passiv ab, sondern hielt sich in dauernder Bewegung, schritt mit gesenktem Kopf, in einem fort blinzelnd, blicklos auf und ab, hinkte, schnitt vor Schmerz Grimassen (wegen seines schlimmen Knies? – er schien kaum zu merken, daß er hinkte). Ihm war anzusehen, daß er ein Angehöriger der gehobenen Berufe war, in seinem eleganten, wenngleich etwas in Unordnung geratenen Nadelstreifenanzug, der gelösten Krawatte, dem aufgeknöpften Hemdkragen; er hätte Ende Vierzig sein können mit seinem verhärmten, vor Müdigkeit aschfahlen Gesicht. Seine Haut sah ausgetrocknet und fleckig aus, fiebrig. Er roch nach Männerschweiß, nach Frustration. Und während er mit großen Schritten auf und ab ging, ballte und öffnete er fortwährend die Fäuste.

Jedesmal wenn jemand in Weiß auftauchte – mochte es sich nun um eine sehr junge Schwester oder um einen Pfleger handeln –, blickte Michael O'Meara angstvoll, eindringlich hoch. Fuhr sich mit der Zunge über die ausgedörrten Lippen und fragte: »Ist sie –?«

Gina O'Meara sollte zweieinviertel Stunden im Operationssaal bleiben.

Während dieser Zeit telefonierte Michael O'Meara zweimal, beide Male nach Hause. Er sprach mit seinen Söhnen und versicherte ihnen: »Mommy wird wieder gesund – ja wirklich, ganz bestimmt.«

Drei Polizeibeamte vernahmen Michael O'Meara, und es gelang ihm, höflich wenn auch zerstreut, Antwort zu geben. Er versuchte sich zu erinnern, welche ihrer Uhren Gina wahrscheinlich getragen hatte, versuchte ihren Ehe- und ihren Verlobungsring zu beschreiben und herauszufinden, welche Kreditkarten sie normalerweise in ihrer Brieftasche bei sich trug. (Der Täter hatte Geld und Kreditkarten aus Ginas Brieftasche genommen und diese sowie das Portemonnaie auf dem Rücksitz des Mercedes liegengelassen. Beide waren mit Ginas Blut durchtränkt.) Die Polizeibeamten stellten fest, daß sich Michael wie jeder Ehemann einer auf so grauenhafte Art überfallenen und beraubten Frau verhielt, außer daß er im Hinblick auf die Identität des Täters sonderbar lakonisch, resigniert wirkte. Bisher gab es weder Zeugen noch Tatverdächtige. Der Überfall hatte auf Deck C, dem höchsten Geschoß des Parkhauses, am frühen Abend stattgefunden, zu einer Zeit, wo das Gebäude relativ leer war; der diensttuende Wächter im ersten Stockwerk konnte sich nicht erinnern, zur Zeit des Überfalls eine verdächtige oder auffallende Person gesehen zu haben, die das Gebäude betreten oder verlassen hätte. (Gina war von einem Paar gefunden worden, das etwa zwanzig Minuten nach der Tat zu seinem Wagen zurückgekehrt war. Zu diesem Zeitpunkt lag sie, durch Blutverlust unter Schock, bewußtlos ausgestreckt auf dem Vordersitz des Mercedes, wo alles – ihr Fuchspelzmantel, ihre Kleider, das Lederpolster der Sitze, der Teppichboden –blutdurchtränkt war.)

Die Polizei ging natürlich von der Annahme aus, daß es sich um einen mehr oder weniger planlosen anonymen Überfall mit dem Hauptmotiv Raub handelte. Michael O'Meara schien dieser Theorie zuzustimmen; jedenfalls erhob er keine Einwände. Selbstverständlich erwähnte er den Namen »Lee Roy Sears« nicht.

Der Chirurg erklärte Michael nach der Operation, daß Gina zahllose tiefe Schnitte im Gesicht hatte – Wangen, Stirn, Kinn, Mund; ihre Unterlippe war nahezu weggeschnitten, ihr linkes Ohrläppchen abgetrennt worden. Der rasiermesserschwingende Angreifer hatte jedoch offensichtlich darauf geachtet, ihr nicht die Kehle durchzuschneiden. Er hatte auch ihre Augen nicht mit der Klinge berührt – allerdings waren sie durch das Terpentin gefährlich verätzt worden.

Der Chirurg, jünger als Michael O'Meara, sprach mit umflorter Stimme; er schien erschüttert.

Möglicherweise dachte er darüber nach, ob die Frau, an der er die Notoperation vorgenommen hatte, attraktiv gewesen sei.

Hinterher sollte er sich erinnern, wie angespannt der Ehemann, Michael O'Meara, zugehört hatte; wie glasig seine Augen wirkten, wie zwanghaft er sich in einem fort die Lippen leckte. Mehrmals fragte er mit fast brechender Stimme: »Aber sie bleibt doch am Leben, Doktor, ja? – ja?« Der Chirurg sagte: »Ja, Mr. O'Meara, sie bleibt am Leben. Sie muß sich aber noch einigen Operationen unterziehen. Wiederherstellungsoperationen. Ihr Gesicht ist schwer« – er hielt inne, suchte nach dem taktvollsten Wort – »verletzt.« Und Michael O'Meara sagte mit derselben kaum beherrschten Inbrunst wie zuvor: »Aber die Hauptsache, Doktor, ist, daß sie *lebt*.«

Unmittelbar nach der Operation kam Gina auf die Intensivstation, wo sie aus der Narkose erwachen sollte. Als Michael von einer Schwester zu ihr geführt wurde und sie sah – die grotesk verbundene Gestalt, die sie geworden war –, stieß er, ins Herz getroffen, einen Schreckensschrei aus.

Ihr Kopf war wie bei einer Mumie weiß umwickelt – nur Schlitze statt Augen, Nase, Mund. Ein durchsichtiger Plastikschlauch führte in ein Nasenloch und blähte es auf; ein weiterer Schlauch lag an einer Armvene. Die langen Bahnen Verbandsmull ließen den Kopf aufgedunsen erscheinen, wohingegen ihr Körper klein, flach, geschrumpft wirkte wie der eines kranken Kindes. Und wie still sie dalag, nur ihr heiseres, mühsames, schluchzendes Atmen war zu hören.

Michael ergriff ihre kalte, feuchte, leblose Hand.

Flüsterte: »Gina? Liebling? *Ich liebe dich.*«

Sie kam erst nach Stunden wieder zu Bewußtsein. Inzwischen wurde Michael O'Meara gebeten zu gehen, denn die Station war nachts für Besucher geschlossen.

NICHT WIDERSTREBEN DEM ÜBEL.

3

Und wieder! Wie in einem Traum! Der dickbäuchige Hispano im dreckigen Unterhemd schoß aus seinem Zimmer, die Augen funkelten in seinem dunkelhäutigen Gesicht, als Michael O'Meara gegen Lee Roy Sears' Tür hämmerte! Diesmal zog er sich, als er den Ausdruck des anderen sah, ohne ein Wort zurück.

Und schloß die Tür.

Leise.

Er ist rücksichtslos genug, arrogant genug, um da zu sein.

Und richtig, er war da, der gottverdammte Saukerl: Im dritten Stock des Lagerhauses brannte Licht.

Mitternacht. Ein trüber Schein, der die verrußten Fensterscheiben des Gebäudes von innen erleuchtete.

Da. Wartete.

Michael O'Mearas Herz klopfte heftig, schnell, gleichmäßig. Er hatte anscheinend keine Angst. Er hatte anscheinend nicht einmal einen Plan, wie er vorgehen würde; und was er danach tun würde – wenn es ein Danach gab.

Also lief er die Treppe rauf. In der feuchten, ungelüfteten Dunkelheit, die durch eine einzige nackte Glühbirne schwach erhellt wurde.

Aus Lee Roy Sears' Atelier drangen krächzende Radiogeräusche – schrille, heisere Rockmusik. Und dieser Geruch, dieser höhnische Gestank von Terpentin.

Michael O'Meara stieß die Tür auf. Lee Roy Sears stand an

seiner Staffelei, Pinsel in der Hand, Zigarette zwischen die Zähne geklemmt, das Gesicht gegen den Rauch zusammengekniffen. Während sich die Männer fixierten, wurde Sears ganz starr; Michael zögerte eine Sekunde, behielt ihn nur scharf im Auge. Er dachte nicht, *da: mein Feind*. Er dachte nicht, *diesen Mann muß ich töten*. Seit er von Gina weggegangen war, hatte er, im üblichen Sinn des Wortes, überhaupt nichts gedacht.

Er war vom Krankenhaus Ridgewood nach Putnam und zu diesem Lagerhaus in einer heruntergekommenen Gegend von North Putnam gefahren, ohne zu wissen, was er tat; ohne deutlichen Plan, ohne klares Bewußtsein.

Wußte nur, daß er dazu verurteilt war, seinen Feind zu töten oder von ihm getötet zu werden. Und wußte auch dies nicht eigentlich, sondern spürte es, ertastete es, wie ein blind in der Erde wühlendes Tier sich dennoch heraufwühlt ans Licht.

»Du! – du Arschloch! – was willst *du* hier!«

Lee Roy Sears blickte Michael O'Meara dreist, schuldbewußt an.

Der Pinsel, den er in der Hand hielt, glänzte ölig rot wie aus Plastilin nachgemachtes Blut. Die Leinwand auf der Staffelei hinter ihm zeigte einen grellen spinnwebartigen Farbstrudel aus Rot, Grau und Schwarz: eine stilisierte Grimasse: wie die laute Rockmusik, die aus dem Radio plärrte, als wollte sie sich mit hämischem Lachen über Michael O'Mearas Kummer und Wut lustig machen. Sears schmiß den Pinsel auf den Boden, daß die rote Farbe verspritzte. Er spuckte die Zigarette aus, gab ein Geräusch zwischen Lachen und Jodeln von sich, *er* hatte keine Angst, *er* wollte sich amüsieren, zog einen Stuhl heran und schwang ihn auf Michael zugehend wie eine Waffe, sagte höhnisch: »Du bist hier, äh? – und wo ist *sie?* – wie geht's der Fotze, häh? – Mr. und Mrs. Klugscheißer-Anwalt-Fotze, häh? Okay, du Arsch, komm her, ich mach dich alle!«

War das der Mann, dem Michael geholfen hatte, nach Mount Orion zu kommen, den er freundlich aufgenommen und an seinem und Ginas Leben hatte teilnehmen lassen?

Sears hatte zugenommen, seit Michael ihn zuletzt gesehen

271

hatte, besonders am Oberkörper. Sein muskulöser Hals wirkte verkürzt, so daß der Kopf direkt auf den Schultern zu sitzen schien. Seine Augen glänzten glasig hell vor Spott, als sei er betrunken oder high. Sein indianerschwarzes graumeliertes Haar war nachlässig zu einem Pferdeschwanz zurückgebunden und mit einem Bindfaden zusammengehalten; die aufgekrempelten Ärmel ließen die sehnigen Unterarme frei, auf dem linken kam die lüsterne aufgerollte Schlange zum Vorschein, öligschwarz, goldgeschuppt – wie lebendig die Tätowierung aussah, wie tückisch, vibrierend vor Angriffslust! Michael starrte das Ding wie gebannt an und wäre, als Sears schon den Stuhl hob, um ihn ihm auf den Kopf zu schlagen, wie angewurzelt stehengeblieben, wenn er sich nicht im allerletzten Augenblick durch eine gewaltsame Willensanstrengung einen Ruck gegeben hätte.

Sich einen Ruck gegeben hätte und mit einer Geschwindigkeit, die er sich nicht mehr zugetraut hatte, zur Seite gesprungen wäre: als stünde er wieder auf dem Footballfeld und spränge beiseite, um einem Tackling auszuweichen.

Der Stuhl krachte neben ihm auf den Boden und brach in Stücke.

Sears ächzte und fuhr auf ihn los.

Wieder fixierten sich die Männer. Beide atmeten schwer.

Michael flüsterte: »Warum – warum – warum hast du das getan?«

Sears höhnte: »*Was?* – verdammt noch mal? – Ich tu was ich will, Mann! – was *ich* will! – kapiert?«

»Meine Frau –«

»Scheiß auf deine Frau! Die Fotze!«

Michael sprang Sears wutentbrannt an, der mit seiner Rechten zu einem Schwinger ausholte, sein Ziel um Zentimeter verfehlte und, durch die Wucht des Schlags nach vorn gerissen, das Gleichgewicht verlor, so daß Michael, ohne zu wissen was er tat, nur die rechte Faust nach oben bringen mußte – um einen unbeholfenen Aufwärtshaken zu landen, der den anderen an der Kinnspitze traf und ihn rückwärts taumeln ließ.

Die Staffelei, das grellfarbige Spinnennetzbild, das plärrende Radio – alles flog durcheinander. Die krächzende Musik brach ab.

Der Kinnhaken hatte Sears anscheinend völlig überrascht und einen Augenblick benommen gemacht. »Du verdammtes Arschloch! – ich bring dich um!« Er packte eine leere Bierflasche, ging wieder auf Michael los, der sich duckte und erneut auf ihn stürzte und, seine Schultern umklammernd, mit ihm rückwärts taumelte.

Sie fielen gegen Sears' überladenen Arbeitstisch und rissen dabei die meisten Sachen runter; fielen gegen einen an die Wand gelehnten Leinwandstapel; krachten in den klapprigen Wandschirm aus Sperrholz vor der Toilette, der sofort umkippte. Sears stieß Michael mit dem Knie so heftig in den Bauch und zwischen die Beine, daß er vor Schmerz aufschrie, allerdings nicht heftig genug, um seinen Griff zu lockern. »Laß los! – verdammt noch mal! – du bist ja verrückt!« ächzte Sears.

War Michael O'Meara wahnsinnig? – Er war leichenblaß geworden, als sei ihm alles Blut aus dem Gesicht gewichen, und hatte die Augen zugekniffen, die Züge zur Fratze eines Wasserspeiers verzerrt. Er wollte Lee Roy Sears um keinen Preis loslassen, hielt ihn in einer rabiaten, erdrückenden Umarmung gefangen.

Sears' Haar hatte sich aus dem Pferdeschwanz gelöst und hing ihm und Michael ins Gesicht.

Der eine in farbfleckigen (blutbefleckten?) Kleidern, mit der vor Leben sprühenden grausigen Schlangentätowierung auf dem Arm, der andere im jetzt zerrisssenen, verschmutzten grauen Nadelstreifenanzug.

Fluchend, keuchend, fast schluchzend.

Wie viele Minuten? – verzerrte Gesichter, tränende Augen. Von den Geräuschen ihres Kampfes abgesehen, war es still im Atelier, war das Lagerhaus leer und still. Als gäbe es jenseits dieser Mauern keine Stadt, keine Welt.

Sears riß eine der menschenähnlichen Tonfiguren vom Fensterbrett und knallte sie Michael an den Kopf: Sie brach sofort in Stücke, machte Michael jedoch benommen; für einen Augenblick lockerte er die Umklammerung, in der er Sears hielt, so daß sich Sears mit einem Ruck befreien konnte.

Er rannte zu seinem Arbeitstisch, öffnete die Schublade, wühlte wie ein Rasender in ihr herum, fand dann, was er suchte: eine mit Klebestreifen an einem abgebrochenen Pinselstiel befestigte Rasierklinge: Diese hielt er wild gestikulierend Michael entgegen. Es war ein unheimliches Werkzeug, mit rostroten Flecken auf der Klinge.

»Willst du das hier? – willst du? – willst du? Komm, hol's dir!«

War es möglich? – Michael O'Meara stürzte auf ihn los.

Mit gesenktem Kopf, wutverzerrtem Gesicht.

Ungläubig schlug Sears mit der Klinge nach ihm und schlitzte ihm die Stirn auf, hatte aber keine Zeit für einen Rückhandschlag. Michael packte ihn um die Taille, wobei er ihm das Rasiermesser aus der Hand schlug, und wieder torkelten sie wie Betrunkene rückwärts.

Sears schrie wie wahnsinnig. »Du bist verrückt! – laß mich los!«

Sie kämpften an einer Wand miteinander – bei einem Fenster – an der Tür zur Feuerleiter. Es gelang Sears, die Tür zu öffnen, sich aus Michaels Umklammerung zu winden und taumelnd auf die Feuerleiter zu entweichen, wobei Michael ihm blindlings nachsetzte.

Was dann genau passierte – daran sollte sich Michael nicht mehr erinnern.

War es ihm passiert und durch ihn oder einem anderen und durch einen anderen – dessen Gesicht er nicht als das eigene erkennen konnte?

Es *war* natürlich sein eigenes. Er hätte es in jenen entsetzlichen Augenblicken existentieller Not freilich nicht erkennen können.

Anscheinend hatte Lee Roy Sears die Absicht, Michael O'Meara zu töten, und doch wollte er ihm gleichzeitig auch entkommen: Denn er versuchte ihn zu erwürgen und stieß seinen Kopf mit aller Wucht gegen das Eisengeländer der Feuerleiter, doch einen Moment später, als sich Michael als zu stark oder zu stur oder zu abgehärtet gegen Schmerz erwies, ließ er ihn los und kletterte die Leiter herunter.

Die Feuerleiter, die vom dritten Stock des alten Lagerhauses zu einem ungepflasterten Weg herunterführte, war verfallen und verrostet.

Michael versuchte den in Panik herunterstolpernden Sears von oben am Haar, am Hemd, am Arm festzuhalten.

Ihr Atem dampfte ihnen vermutlich um den Mund, denn es war eine bitterkalte Nacht. Daran konnte sich Michael später nicht mehr erinnern.

Auch nicht daran, ob Sears immer noch über ihn fluchte oder, nun auf Flucht bedacht, keinen Ton von sich gab.

Woran er sich erinnerte – undeutlich, flirrend wie etwas, das man durch gewelltes Glas oder wogendes Wasser sieht –, das war die unter Sears' tastendem Fuß durchbrechende Leitersprosse; die weißen Knöchel seiner Hände, die sich an der Leiter festklammerten; der Ausdruck, nicht panischer Angst, sondern verblüffter Empörung auf seinem schweißüberströmten Gesicht, als seine Beine hilflos, zwecklos in der Luft schlenkerten.

»Hilf mir!«

Instinktiv faßte Michael nach Sears' Handgelenken, um ihn vorm Fallen zu bewahren; aber Sears war zu schwer für ihn und rutschte ihm aus den Händen und stürzte mit einem hellen kindlichen Klagelaut zwei Stockwerke tief auf den Boden.

Wo er auf Erde, aber auch auf Schutt und scharfkantige Zementbrocken aufschlug.

Wo er flach und reglos wie eine Flickenpuppe im Dunkeln liegenblieb.

Wo er schwach atmend mit einer blutenden Wunde am Kopf sofort gestorben sein muß: Denn als etwa acht Minuten später der Krankenwagen eintraf, war Lee Roy Sears tot.

TEIL IX

1

Janet O'Meara versuchte, sich den Ärger und besonders die Beunruhigung nicht anmerken zu lassen. Sie wußte aus Erfahrung, daß das nichts Gutes bewirkte.

»Aber Mutter, warum sagst du, daß du sie besuchen willst, wenn du es gar nicht möchtest? Warum bist du hergeflogen, wenn du es nicht über dich bringen kannst, noch mal achtzig Kilometer mit mir nach Mount Orion zu fahren?«

»Ich – ich will sie ja sehen. Ich möchte es ja.«

»Ja, Mutter, aber wann? Du bist jetzt seit fünf Tagen hier.«

Mrs. O'Mearas kleine, eng zusammenstehende Augen schwammen plötzlich in Tränen. Gekränkt sagte sie: »Ach – möchtest du, daß ich wieder nach Hause fahre? Ist die Wohnung zu klein für uns beide? Willst du das damit sagen?«

Auf diese Weise versuchte sie, Janet vom eigentlichen Thema des Gesprächs abzubringen.

»Das sage ich doch gar nicht, Mutter, und das weißt du auch. Ich sage –«

»Oh – du klingst wie im Fernsehen, wenn du deine Interviews machst!«

»– sage, daß ich es sehr merkwürdig finde, das ist alles. Und wie soll ich es Michael erklären? Wie soll *er* es Gina erklären?«

Mrs. O'Meara suchte nach ihrer Handtasche, die sich nie dort wiederfand, wo sie sie hingelegt hatte.

»Sag ihnen – ach, bitte, sag ihnen – erklär es, Liebes –, daß ich mich nicht wohl fühle. Ich – wirklich – ich fühle mich so schwach auf der Brust. Meine Migräne –«

»Weißt du, sie werden denken, daß du ihnen aus dem Weg gehen willst. Ich lüge nicht sehr gut.«

»Würde Gina mich wirklich sehen wollen, wenn ich hinginge? Wir haben uns nie sehr nahegestanden. Würde die Arme *mich* zu sich lassen?«

Die zaghafte Frage schwebte im Raum, als sei sie nicht zu beantworten.

Janet sagte nüchtern pragmatisch: »Michael ist ja da. Deine Enkelsöhne sind da.«

»Ich – ich möchte sie ja sehen. Habe ich gesagt.«

»Ja, aber wann? Sonnabend?«

Es war ein Mittwoch: der 27. März. Ein Tag mit dahinjagenden Wolkenfetzen. Mit einem finsterbleichen Himmel hinter den Fenstern im dreißigsten Stock von Janet O'Mearas Wohnung an der East 86th Street, New York City.

»Vielleicht. Ja. Sonnabend.«

»Gut! Dann rufe ich Michael an und sage es ihm. Wir fahren also Sonnabend hin.«

Mrs. O'Meara zerrte ein Taschentuch aus ihrer Handtasche. Ihre Augen schimmerten wieder bedenklich von Tränen, die, falls sie kullern dürften, ihre sorgfältig gepuderte Gesichtsfassade beschädigen würden.

Mit ihrer kindisch-bockigen Stimme murmelte sie fast unhörbar: »Oh, aber nichts *versprechen.*«

Dies war der Besuch, dies das geheimnisvolle, frustrierende Intermezzo, bei dem Janet O'Mearas Mutter mit diesem oder jenem ihrer monogrammbestickten Taschentücher herumhantierte.

Keine Papiertaschentücher für Constance O'Meara: Hier handelte es sich um reinleinene portugiesische Taschentücher, blütenweiß, spitzenumsäumt und bestickt mit dem Monogramm CJO.

Wenn sich Mrs. O'Meara die Augen betupfte, die sonderbar wimpernlosen rosa Lider, geschah es mit einer extravaganten Geste, als gehöre das Taschentuch zum Instrumentarium eines Magiers und könne unter Umständen auch dazu benutzt werden, Dinge verschwinden zu lassen.

Diese Gedanken drängten sich Janet O'Meara auf, als sie ihre Mutter beobachtete – während ihre Mutter *sie* über den Rand des portugiesischen Leinentaschentuchs beobachtete.

Sie möchte, daß ich verschwinde. Oder jedenfalls aufhöre, ihr Fragen zu stellen, die sie nicht beantworten will.

Zum Beispiel solche: warum benahm sie sich so seltsam; so extrem seltsam selbst für *ihre* Verhältnisse – eine siebenundsechzigjährige Frau mit exzentrischen, eigenwilligen Gewohnheiten?

Warum brachte sie, nachdem sie die Anstrengung (und für Mrs. O'Meara war es eine beträchtliche Anstrengung) auf sich genommen hatte, ihre gemütliche Eigentumswohnung in Palm Beach zu verlassen und in den winterlichen Norden zu fliegen, um ihren Sohn Michael und ihre Schwiegertochter Gina in Mount Orion, New Jersey, zu besuchen – *warum* brachte sie nun alle möglichen Entschuldigungen vor, um einem Wiedersehen aus dem Wege zu gehen?

Zunächst hatte es ganz plausibel geklungen: Mrs. O'Meara war von der Reise »erschöpft«.

Dann, einen Tag später, hatte sie »Atemnot« vorgeschützt.

Am nächsten Tag »Übelkeit«.

Und dann gab es immer noch die alte verläßliche Migräne.

Janet sagte seufzend: »Ich verstehe dich nicht, Mutter. Ich habe dich nie verstanden und werde es vermutlich auch nie tun.«

Wie verletzt, wie unschuldig störrisch Mrs. O'Meara in solchen Momenten aussah! – das blaßgepuderte, weichfaltige Mondgesicht ihrer Tochter zuwendend, die ihr oberflächlich ähnelte.

Ihr das Gesicht mit großen Augen zuwendend, um anzuzeigen, daß sie sich, obwohl verletzt, vielleicht sogar beleidigt, nicht ködern lassen würde: Sie war schließlich eine *Dame*.

Mit dem Ausdruck einer, die ehrwürdige mütterliche Weisheit austeilt, sagte sie verhalten: »Es ist nicht immer das Allerschlimmste, jemand anderen nicht zu verstehen. Eines Tages, Liebes, wirst du's erkennen.«

Und was, dachte Janet O'Meara, soll *das* nun bedeuten?

Am Samstagmorgen klagte Mrs. O'Meara über Atemnot, Übelkeit und Migräne. Also kam es nicht in Frage, mit Janet nach New Jersey zu fahren.

Also machte sich Janet in ihrem Volvo allein auf den Weg. Es traf zu, obwohl sie dies ihrer Mutter gegenüber nicht einmal andeutungsweise erwähnen konnte, daß die Wohnung mit den zwei Schlafzimmern für sie beide, die soviel Zeit dort zusammen verbrachten, ziemlich beengt war.

Janet genoß es zu fahren, wenn sie außerhalb der Stadt auf Bundesautobahnen fahren konnte, die ihr zumindest eine gewisse Geschwindigkeit ermöglichten und damit die Illusion und den Trost, entscheidend voranzukommen. In ihrem Beruf als auch, leider Gottes, in ihrem persönlichen Leben fehlte dieses entscheidende Element häufig.

In letzter Zeit hatte sich Janet O'Meara darauf verlegt, sich scherzhaft, wenn auch mit einem Anflug von Wehmut als »Junggesellin« einzuführen: Auf diese Weise ordnete sie sich mutig und präzise in eine demographische Kategorie ein, die sie jedoch wie alle solche Kategorien durch ihre Haltung widerlegte. Denn war sie nicht trotz allem eine *eigenständige* Person? Janet Elizabeth O'Meara, gescheit, fröhlich, fleißig, ehrgeizig? Mit jetzt Sechsunddreißig immer noch jugendlich und von ihrem Beruf fasziniert?

Wie auch immer, sie legte großen Wert auf ihre Arbeit beim Fernsehen, weniger unter den gegenwärtigen Bedingungen, als vielmehr im Hinblick auf das, was eines Tages daraus werden könnte, wenn man ihr eine ihrer Fähigkeit und Intelligenz angemessene Position anbieten würde; zum Beispiel als Produzentin ihrer eigenen Sendung. Als Koordinatorin einer Sendereihe.

Was für Träume, was für mädchenhafte Hoffnungen sie noch immer hegte!

Solche Angebote kamen jedoch nicht. Janet O'Meara arbeitete, arbeitete schwerer als fast alle ihre Kollegen, und doch –!

Es ist der Konkurrenzkampf, hatte Gina weise gesagt. *Tausendmal schlimmer als im Leben.*

Wenn Janet tatsächlich Angebote erhielt oder jene unverbindlichen Anfragen, die, falls man ihnen nachging, zu Angeboten führen konnten, kamen sie aus entlegenen Gebieten des Landes, wohin sie ungern umziehen wollte ... Städte, die ihr unbekannt waren, wie Omaha, St. Louis, Minneapolis, Portland, selbst Anchorage in Alaska. Wo Janet O'Meara natürlich niemanden kannte und wo sie sicherlich noch viel isolierter und einsamer sein, sich erst recht *un*verheiratet vorkommen würde.

Was Liebe, Liebeleien, »Beziehungen« zu Männern betraf –, schon vor der häßlichen Episode mit Lee Roy Sears hatte Janet sich sonderbar und unfair benachteiligt gefühlt.

Lee Roy Sears! – »Bitte, Janet. Nicht *das*.«

Sie hatte laut, tadelnd gesprochen.

Denn warum sollte sie sich ihre Fahrt nach Mount Orion verderben, deren spektakulärste Etappe die Überquerung der windgepeitschten oberen Fahrbahn der George-Washington-Brücke war, auf der sie in diesem Augenblick, die Sonnenbrille vor den Augen, in ihrem dunkelblauen Volvo entlangjagte?

Hatte sie gelogen, ja also, gelogen hatte sie nicht – innerlich.

Als sie Michael gegenüber behauptete, daß sie kein Liebesverhältnis mit Lee Roy Sears gehabt hätte.

Im technischen, rein klinischen Sinn des Wortes.

Es war allerdings fast wahr, denn Sears hatte den Liebesakt (obwohl man das kaum als Liebesakt bezeichnen konnte) so schnell, so grob, so egoistisch, physisch so bedrohlich vollzogen, und Janet O'Meara hatte solche Angst gehabt, daß die Geschichte, die im August in einem anonymen Zimmer eines erstklassigen Motels außerhalb von Mount Orion passiert war, ihr in der Rückschau sehr bald so vorkam, als sei sie nicht *ihr* geschehen.

Er hatte sie nicht einmal geküßt. Oder ihre Hand gehalten.

Er hatte nichts Zärtliches oder auch nur Beruhigendes zu ihr gesagt.

Er hatte an ihrem Kleid gezogen und gezerrt und hätte es zerrissen, wenn sie sich nicht schnell ausgezogen hätte.

Sie hatte mit hämmerndem Herzklopfen gedacht, *Mein Gott: was tu ich denn – und warum?*

In einer feuchtschwülen Augustnacht, angetrunken oder richtig betrunken, allein in einem Motelzimmer mit einem Mann, den sie überhaupt nicht kannte; einem Mann, den sie in ihrer Naivität für schüchtern, jungenhaft, gehemmt, also für leicht zu beeinflussen gehalten hatte.

Einen Mann, den sie in ihrer Naivität nicht für einen Mörder, sondern für ein Opfer gehalten hatte.

O ja: Janet O'Meara hatte gedacht, Lee Roy Sears sei *lieb.*

War das nicht das Wort, das abgeschmackte fade, trügerische Wort, mit dem man sich selbst etwas vormacht und das Gina so oft benutzt hatte, wenn sie von ihm sprach? *Lieb?*

Lee Roy Sears hatte Janet fasziniert. Der Mann selbst und seine Vorgeschichte dazu. Denn niemand aus ihrer Bekanntschaft hatte auch nur die geringste Ähnlichkeit mit ihm. Sie wollte einen Artikel über ihn schreiben, doch im Grunde genommen wollte sie ihn kennenlernen; als ob ihn *kennen* ihr eine Art Besitzrecht einräumen würde.

Ein wildes Geschöpf, den Eindruck hatte er gemacht. Wie der ausgesetzte, ungezähmte Knabe – war es nicht Kaspar Hauser, dessen tragisches Schicksal in die Literatur einging? –, das Findelkind ohne Sprache, unzivilisiert und unverdorben.

Das war es höchstwahrscheinlich auch, was ihren Bruder Michael zu Lee Roy Sears hingezogen hatte. Michael O'Meara und die anderen in der »Koalition«. Liberale, gute und anständige Leute, wohlmeinende Leute, die sich der Aufgabe widmeten, andere zu retten. Die in anderen Spiegelbilder ihrer selbst, Rettungsbedürftige sahen.

Janet hatte mitfühlend gesagt: »Laß mich deine Geschichte erzählen, Lee Roy, damit die Welt sie erfährt: vertrau mir!«

Und: »Niemand versteht dich so gut wie ich: Du wirst schon sehen!«

Erschauernd, als er sie berührte.

Die Schwäche begann in der Magengrube und breitete sich über den ganzen Körper aus, machte sie kraftlos, verschlug ihr den Atem.

Er hatte sich das Hemd ausgezogen und ihr den Unterarm ins Gesicht gestoßen – »Hier ist Schlangenauge, Süße.«

Janet O'Meara verging das verträumte Lächeln. Sie wich einen Schritt zurück.

»Hast du was, Süße? Magst du Schlangenauge nicht, Süße? Häh?«

Mehrere Schritte zurück. Starrte das Ding auf dem Unterarm dieses Mannes an, die Schlange, eine lebendige Schlange, ein öligschwarzer Glanz, goldgeschuppt, goldfunkelnde Augen, auf *sie* gerichtete Augen – während sie plötzlich zu Tode erschrocken zurückwich.

Lee Roy Sears hob in gespieltem Zorn, höhnisch die Stimme: »Was ist los, Süße, magst ihn nicht? Kommst dir wohl zu gut vor für ihn? Weißes Miststück, häh? Weiße Fotze? *Häh?*«

Nackt hatte sich Janet zuerst eingebildet, sie hätte die Situation unter Kontrolle, hatte sich eingebildet, ihre weibliche Schönheit, ihre Besonderheit, das Geschenk, das sie darstellte, würde Lee Roy Sears, den armen Lee Roy Sears überwältigen. Wie selbstgefällig und überlegen sie gewesen war, wie entzückt von ihrer Freigebigkeit! – ohne sich richtig darüber im klaren zu sein.

Bis jetzt.

Wo es zu spät war.

Nicht Bewunderung, nicht Ehrfurcht, nicht Liebe, nicht Zuneigung, nicht einmal herzliche oder freundliche Rücksichtnahme sah sie in Lee Roy Sears' harten gläsernen Augen, sie sah dort nur Spott und Verachtung.

Dachte: *Er wird mich verletzen.*

Dachte: *Bin ich deshalb hier? Um verletzt zu werden?*

»Denkst wohl, du bist zu gut für Schlangenauge? Nee, niemand ist zu gut für Schlangenauge!«

Lee Roy Sears packte Janet am Arm, wie sie noch nie gepackt worden war, warf sie aufs Bett, auf die Bettdecke, stieß ihr sein hartes Knie zwischen die Knie, um sie aufzubrechen, wie man eine Muschel aufbricht, ihren schwachen Widerstand überwindet, die Schale mit einem Knacken öffnet – und stach und zwängte und wühlte seinen aufgerichteten Penis mit ebensowenig Gefühl in sie hinein, als hätte er sie beim Gehen durch eine Tür beiseite geschoben.

»Oh! *Oh!*«

Der Schmerz, der trockene, stechende Schmerz! Sie biß sich auf die Lippen, um nicht zu schreien.

Sein muskulöser Unterarm auf ihrer Kehle mit der Drohung, den Druck zu verstärken.

Das Stakkato seiner Stöße, tierhaft, pragmatisch, ohne die geringste Zärtlichkeit – oder was man »Seele« nennen könnte.

Sein im Orgasmus verzerrtes Gesicht, eine schrecklich anzusehende Grimasse, die die klobigen verfärbten Zähne freilegte.

»Oh! – oh! – *oh!*«

Janet O'Meara hatte sich nicht gewehrt, Janet O'Meara war wie hypnotisiert von der Aussicht auf ihr Sterben gewesen.

Sie hatte nicht geschrien. Nicht ein einziges Mal. Wollte ihren Liebhaber nicht erzürnen. Wollte seine Aufmerksamkeit nicht auf sich lenken.

Sein blutgeschwellter Penis, ein Marterinstrument! – und sein Gewicht, sein bleicher schweißbedeckter Körper, Muskelpakete, die sie erdrückten! – und wenn er sie nun absichtlich erstickte und sie in diesem anonymen Zimmer, alle viere von sich gestreckt, leblos auf dem befleckten Bett liegenließ! Janet O'Mearas weicher fleischiger Frauenkörper, den sie immer für einen schönen Körper gehalten hatte, Brüste, Bauch, Hüften, Schenkel – einfach liegengelassen, weggeworfen, wie man einen abgenagten Knochen wegwirft.

Aber das war nicht geschehen, er hatte sie verschont.

In seiner Gleichgültigkeit hatte er sie verschont.

Er fickte sie schnell und effizient (als Liebesakt konnte man das nicht bezeichnen), rollte von ihr weg und fiel betrunken schnarchend in einen Dämmerschlaf, und Janet ließ sich in Todesangst vorsichtig nach und nach vom Bett heruntergleiten, warf sich in einer Zimmerecke die Kleider über und floh.

Kein Wunder also, daß sie ihrem Bruder Michael nicht hatte beichten wollen, daß Lee Roy Sears, ja, genau genommen, in der eigentlichen Bedeutung des Wortes, ihr Liebhaber gewesen war; daß sie so etwas wie eine »Liebesaffäre« gehabt hatten.

»Ich würde vor Scham in die Erde versinken – ich könnte es nicht ertragen.«

Deshalb hatte sie, allerdings sehr ungeschickt, gelogen. Und er hatte es gewußt. Oder? Hatte sie mit seinen fragenden, forschenden braunen Augen, die den ihren ähnelten, betrachtet und die feinsten Modulationen ihrer Stimme sensibel registriert.

Denn schließlich waren sie Geschwister: Janet O'Meara und Michael O'Meara. Abgesehen von ihrer Mutter, die nicht ganz das zu sein schien, was man eine Mutter nennen könnte, waren sie alles, was von der Familie übrigblieb.

Wie seltsam freilich, wie tief beunruhigend, daß Michael beharrlich behauptet hatte, er habe sie Wochen später mit Lee Roy Sears gesehen, zu einer Zeit, als sie mit Sicherheit *nicht* mit Lee Roy Sears zusammen war.

Sie hatte den Artikel über Lee Roy Sears zu Ende bringen wollen, das stimmte. Selbst nach der demütigenden Episode im Nobelmotel war sie fest, beinahe fanatisch entschlossen gewesen, dieses Projekt nicht aufzugeben. Wie ein guter Reporter hatte sie Aufzeichnungen, Unterlagen, auf Band aufgenommene Interviews mit Sears und Leuten, die ihn von früher kannten, gesammelt. Allerdings verlagerte sich ständig der Schwerpunkt. Einmal sollte der Artikel »Lee Roy Sears: Von der Todeszelle nach Mount Orion, New Jersey« heißen. Später dann »Lee Roy Sears: Von der Todeszelle nach SoHo« – als es so aussah, als sei Sears tatsächlich ein Künstler mit Zukunft.

Jetzt sollte der Titel »Schlangenauge« lauten.

Die Überquerung der George-Washington-Brücke hoch in der Luft war der Höhepunkt von Janet O'Mearas Fahrt: Der Rest war bloß Autofahren, hauptsächlich auf dem Parkway, mit Angstgefühlen, die sich steigerten, je mehr sie sich ihrem Ziel näherte.

»Arme Gina – und armer Michael!«

In welchem Zustand mochte sich Gina sechsundzwanzig Tage nach dem Überfall befinden? Als Janet sie zuletzt im Allgemeinen Krankenhaus in Mount Orion gesehen hatte, falls man das so nennen kann, trug sie einen Verband um den Kopf, der ihr entstelltes Gesicht vollständig verbarg. Grauetöne, an einem grotesken Drahtgestell befestigte Plastiklinsen schützten ihre Augen vor Licht. Sie hatte sich einer zweiten Operation unterzogen, um die Verunstaltungen teilweise »reparieren« zu lassen. (Das Wort »wiederherstellen« wurde, wie Janet feststellte, anscheinend nicht benutzt. In den folgenden Monaten sollten abhängig vom Zustand des Narbengewebes und Ginas psychischer Verfassung weitere kosmetische Eingriffe erfolgen.) Gina hatte, in sich versunken, auf die resolut optimistische Konversation ihrer Schwägerin undeutlich mit einsilbigen Wörtern geantwortet. Nachher hatte sich Janet gefragt, ob Gina überhaupt wußte oder sich dafür interessierte, daß sie sie mit einer großen Azalee besucht hatte. Sie war sich wie ein alberner Eindringling vorgekommen.

Michael war für ihren Besuch dankbar gewesen, wie er auch für die vielen Menschen dankbar war, die ins Krankenhaus kamen, um ihre Anteilnahme und Unterstützung zu bekunden: Denn in dieser nervenaufreibenden Zwischenzeit mußte er zu allem übrigen auch noch die Entscheidung der Staatsanwaltschaft abwarten, ob hinsichtlich des Todes von

Lee Roy Sears Anklage (wegen Totschlags oder fahrlässiger Tötung?) gegen ihn erhoben werden würde.

Ein solches Verfahren sei eine reine Formalität. Wurde ihm versichert. Er war jedoch besorgt, mehr als besorgt; immer wieder sagte er, wenn auch verwundert, in seinem ruhigen, vernünftigen Ton zu Janet und, wie sie vermutete, wahrscheinlich auch zu anderen: »Ich konnte nichts anderes tun, um mich zu verteidigen. Ich hatte keine Wahl. Ich mußte meine Familie schützen. Mir blieb nichts anderes übrig.«

Mit Tränen in den Augen hatte Janet ihren Bruder in die Arme genommen. »O Gott, Michael, natürlich! Das weiß doch jeder. Du hast getan, was du tun mußtest.« Sie hatte daran gedacht, ihm von »Schlangenauge« zu erzählen, sich dann aber dagegen entschieden.

Die Ungewißheit hatte ein Ende gefunden: Aufgrund der Tatsache, daß er in Notwehr gehandelt hatte und Lee Roy Sears durch einen »Unfall« ums Leben gekommen war, wurde gegen Michael O'Meara keine Anklage erhoben.

Das gerichtliche Beweismaterial bestätigte Michaels Beschreibung dessen, was sich in der fraglichen Nacht in Sears' Atelier ereignet hatte: Da war die verrostete Leitersprosse, die unter Sears' Gewicht nachgegeben hatte, und die Schürfwunden an Sears' Händen, die erkennen ließen, daß er sich unmittelbar vor seinem Sturz an der Leiter festgeklammert hatte. Natürlich hatte auch Michael O'Meara Verletzungen davongetragen: die tiefe Rasiermesser-Schnittwunde auf seiner Stirn, ein geschwollenes Auge, angebrochene Rippen, ein gebrochener Finger.

Und das mit Michaels Blut bedeckte üble Rasierinstrument, das auf dem Fußboden des Ateliers gefunden wurde.

Ferner brachte eine polizeiliche Durchsuchung der Räumlichkeiten Ginas Armbanduhr, ihren Verlobungs- und ihren Ehering sowie ihre zahlreichen Kreditkarten zum Vorschein, alles in einen schmutzigen Lappen gewickelt und im Spülkasten der Toilette versteckt.

Die Polizei verhörte mehrere mit Lee Roy Sears bekannte Personen, unter ihnen H. Sigman (der sich ziemlich abfällig über seinen Klienten äußerte, als habe ihn der Mann persönlich hintergangen) und Valeria Darrell (die, so der Klatsch in Mount Orion, der plötzliche Tod ihres Liebhabers zugleich »erschüttert« und »erleichtert« hatte), und nach kurzer Beratung nahm der Staatsanwalt, der Mitglied im Tennis Club von Mount Orion und ein Bewunderer Gina O'Mearas war, davon Abstand, Anklage gegen Michael zu erheben.

Der im Fall Julia Sutter verhaftete Schwarze hatte von Anfang an behauptet, er hätte Julias Haus nie auch nur betreten, sondern die gestohlenen Gegenstände und Kreditkarten auf einem ein paar Kilometer entfernten Weg gefunden; abgesehen von diesen Gegenständen gab es nichts, was ihn mit dem Mord in Verbindung brachte, und die öffentliche Meinung in Mount Orion hielt Lee Roy Sears für Julias Mörder – denn wer sonst hatte ein Motiv – ein *persönliches* Motiv? Was den gemeinen Überfall auf Clyde Somerset betraf, von dem dieser sich gerade erst erholte – Clyde hatte seinen Angreifer nicht gesehen, behauptete aber steif und fest, es sei ebenfalls Lee Roy Sears gewesen, er müsse es gewesen sein.

Mit der Zeit wurden die polizeilichen Ermittlungen in dieser geheimnisvollen Sache eingestellt. Denn aller Wahrscheinlichkeit nach wußte man an maßgeblicher Stelle wie in ganz Mount Orion: Lee Roy Sears war der Mann.

Als Janet O'Meara jetzt in der Einfahrt zum O'Mearaschen Haus atemlos aus dem Auto stieg, lief ihr Bruder Michael ihr entgegen, um sie zu begrüßen und sie zu umarmen. Wie glücklich er war, sie zu sehen!

Wie enttäuscht, als er sah, sie war allein.

Janet küßte ihn, wobei sie seine Enttäuschung spürte und seinen Versuch, sie sich nicht anmerken zu lassen, und sagte stockend: »Mutter läßt sich sehr entschuldigen, Michael. Es ist so schade! Sie wollte kommen, sie hatte es wirklich vor, aber – sie fühlt sich nicht wohl. Sie –«

Michael fiel ihr ins Wort: »Ich verstehe es ja, Janet. Ist schon in Ordnung.«

Janet ließ jedoch nicht locker, als sei ein Mehr an Unwahrheit nicht so skrupellos unwahr. »Sie wollte *wirklich* kommen, und sie hat mich gebeten, dich zu fragen, ob du sie morgen anrufst.«

»Natürlich«, sagte Michael. Er lächelte Janet an; und abgesehen von seinem angestrengten Ausdruck, der Narbe auf seiner Stirn und seinem metallisch ergrauten Stoppelhaar war er – fast – der alte, liebenswürdig wie stets. Ihm gelang sogar ein Lachen, ein etwas trauriges. »Sicher, ich ruf Mutter an, sehr gern, aber erst morgen!«

Sie betraten das weiße Kolonialhaus durch den Hintereingang, während sie sich zerstreut über ihre Mutter unterhielten, vielleicht um nicht über Gina zu sprechen. In der Küche fuhr Janet beim Anblick einer Frauengestalt in der Tür weiter hinten nervös zusammen: Es war aber das neue Au-pair-Mädchen Clara, das, klein, rundlich und dunkelhaarig, nicht die geringste Ähnlichkeit mit Gina hatte.

Dann setzten sich Bruder und Schwester ins »Familienzimmer« (einen mit Teakholz- und Backsteinwänden und Kamin schön ausgestatteten Raum, der durch Glastüren den Blick auf den umwaldeten Teich am Fuß des Hügels freigab) und sprachen ernst über vieles, jedoch nicht über die entscheidenden Dinge, wofür Janet jedenfalls im Augenblick dankbar war.

Das Haus war in seiner äußeren Gestalt unverändert geblieben. Doch seine Atmosphäre, sein Wesen hatten sich total verändert – es wirkte düster, angespannt, beunruhigend.

Wie ein Gespensterhaus, dachte Janet. Wenn es so etwas tatsächlich gäbe.

Und es war beklemmend, sich vorzustellen, gleich käme Gina mit fröhlichen, unaufrichtigen Entschuldigungen für ihre Verspätung durch die Tür auf sie zugeeilt, obwohl man doch wußte, daß sie es *nicht* tun würde.

Nachdem eine Stunde vergangen war und Janet und Michael eine Reihe relativ unverfänglicher Gesprächsthemen abgehandelt hatten, fragte Janet zögernd: »Und wie geht es Gina? Möchte sie mich sehen?«

Michael antwortete sofort: »Ja. Auf jeden Fall. Sie hat mir sogar gesagt, daß sie dich vermißt.« Das kam unerwartet, denn Janet und ihre Schwägerin hatten sich nie sehr nahegestanden, sich selten etwas anvertraut.

»Geht es Gina – gut? Ich meine – im allgemeinen?«

»O ja, es geht ihr gut. Ihr Gesicht heilt schon wieder. Die Sehkraft auf einem Auge ist beeinträchtigt, und wir tun alles, was wir können, um sie zu erhalten. Sie sollte diese Woche einen Psychiater aufsuchen, aber es ist gerade jetzt schwer für sie, das Haus zu verlassen. Ich fahre sie natürlich zu den Ärzten. Noch kann sie nicht selber Auto fahren. Wir wollen auch nichts übereilen – wir haben Zeit genug.« Michael wählte seine Worte vorsichtig, als gäbe er eine vorbereitete Erklärung ab. Er versuchte zu lächeln. »Janet, die Hauptsache ist, daß Gina *lebt*. Dafür bin ich unendlich dankbar.«

Janet, die Sodawasser trank, drückte sich das kühle Glas mit einer Gebärde entsetzter Resignation an die Stirn. »O Gott, Michael! Ich kann es noch immer nicht glauben! Dieser Mensch! Lee Roy! Wie konnte er das tun! Etwas so Grausiges!«

Michael, der ebenfalls ein Glas in der Hand hielt, auch Sodawasser, setzte es behutsam auf den Tisch. Janet sah, daß seine Hand zitterte, und sie bereute, daß sie sich so impulsiv geäußert hatte.

»Ja. Es war schrecklich. *Ist* schrecklich. Aber er ist tot und wir leben, und es hat uns *nicht* umgeworfen. In sechs Wochen hat Gina einen Termin für eine weitere Hauttransplantation, in der Kessler-Macon-Klinik in Chicago. Hast du von der schon gehört?«

»Ich bin mir nicht sicher«, sagte Janet, die spürte, daß Michael unbedingt über das Thema sprechen wollte. »Erzähl mal.«

Also erzählte Michael angeregt, beinahe aggressiv von den herausragenden Leistungen der kosmetischen Chirurgie in der Kessler-Macon-Klinik; von den »Wundern«, die dort an durch Fahrunfälle oder Feuer grauenhaft entstellten Patienten vollbracht wurden – »Selbst tragischere Fälle als Gina.«

Es ging in erster Linie um Hauttransplantationen. Das Ersetzen von abgestorbenem Gewebe, das entfernt werden mußte, durch »lebendes« Gewebe. Natürlich würden Narben zurückbleiben. Das war bei solchen Gesichtsverletzungen unvermeidlich. Doch immerhin geschahen dort wahre Wunder, und Ginas seelische Verfassung würde sich sicherlich bessern, wenn sich ihr früheres Aussehen zum Teil wiederherstellen ließe.

Janet wußte, ohne daß man es ihr sagen und ohne daß sie erst danach fragen mußte, daß Gina suizidgefährdet war. Zu Hause eingekapselt, die meisten Besucher abwehrend, auf sich selbst und eine Unzahl von Medikamenten zurückgeworfen – wie sollte sie es da nicht sein?

Schönheit ist nur äußerlich, behauptet das alte Klischee. Aber, wie Wilde gesagt hat: *Wer unter die Oberfläche gräbt, tut es auf eigene Gefahr.*

Während ihr Bruder von Ginas Zukunft sprach, von dem, was nur aus Schmerzen, Schmerzen und wieder Schmerzen bestehen würde, dachte Janet an die erschreckenden Gerüchte, die nach Ginas Beinahe-Tod in Mount Orion und bis nach Manhattan in Umlauf gesetzt worden waren. Dasjenige, das am einleuchtendsten schien, besagte, daß Gina und Lee Roy Sears ein Liebespaar gewesen seien und daß Sears sie vorsätzlich aus Eifersucht oder Haß entstellt habe, um sie wegen ihrer Beziehung zu einem anderen Mann zu bestrafen. Einmal hieß es, es habe sich bei dem anderen Mann um Marvin Bruns, einen Geschäftsmann aus Mount Orion, gehandelt, den Janet, wie sie sich erinnerte, im Juni bei dem Empfang im Dumont Center getroffen hatte: eine starke Persönlichkeit mit einem sinnlich anzüglichen Lächeln, aber, ja, ein attraktiver Mann. (Nach dieser Version hatte Marvin Bruns am fraglichen Tag unter einem anderen Namen ein Zimmer im Marriott Inn genommen.) Dann wieder hieß es, Ginas Liebhaber sei Clyde Somerset oder Stan Deardon oder Jack Trimmer gewesen; oder ein ortsansässiger Anwalt namens Dwight Schatten, den Janet nicht kannte und der als ein »charismatischer, finsterer Mensch« galt.

Anfangs hatte sich Janet über dieses häßliche Gerede, das gleich nach Ginas Einlieferung ins Krankenhaus die Runde machte, maßlos geärgert: Denn es entbehrte doch sicherlich jeder Grundlage?

Als die Gerüchte sich dann verdichteten, sich überlagerten und gegenseitig stützten, mußte Janet in Betracht ziehen, daß an einigen vielleicht doch etwas Wahres war ... aber, so hoffte sie, nicht an dem Gerücht, daß Gina und Lee Roy Sears eine Liebesbeziehung gehabt hätten.

Unvorstellbar! Die schöne Gina, Michaels Frau, und »Schlangenauge« –!

Nein, *daran* wollte Janet nicht denken.

Als Michael von den Operationen sprach, die Gina bevorstanden, berührte er unbewußt seine etwa zehn Zentimeter lange Narbe, einen grellrosa flimmernden Wellenstreifen direkt über den Augenbrauen. Noch zwei Zentimeter, und Lee Roy Sears hätte ihm die Augen zerschnitten.

Janet überlegte, wagte aber nicht zu fragen, ob die Narbe bleiben würde.

Denn sie sah unheimlich aus, wie eine Miniaturschlange. Der Gedanke ließ sie erschauern!

Michael entschuldigte sich, um nachzusehen, ob Gina für einen kurzen Besuch bereit sei; ging nach oben und kam ziemlich schnell mit der Erklärung zurück, daß sie noch ein wenig Zeit brauche. »Vielleicht nach dem Mittagessen, Janet? Du *bleibst* doch zum Mittagessen?«

»Liebend gern, ja«, sagte Janet. »Natürlich.«

Ihr Bruder hatte sie ängstlich angesehen, als fürchtete er, sie würde sich aus diesem düsteren Haushalt wegstehlen.

In diesem Augenblick schlug ihm ihr Herz entgegen. Ihrem so erfolgreichen älteren Bruder, der jetzt *sie* brauchte.

»Hallo, Tante Janet.«

»Hallo, Tante Janet.«

Joel und Kenny, ermuntert, Janet zu begrüßen und sich ihre energischen Umarmungen und Küsse gefallen zu lassen (wie passiv sie diese über sich ergehen ließen!), sprachen mit fügsamer, kleinlauter Stimme.

»Tante Janet ist gekommen, um Mommy und uns zu besuchen«, sagte Michael, »– ist das nicht nett, Kinder?«

Joel nuschelte etwas kaum hörbar Zustimmendes, und Kenny nuschelte etwas kaum hörbar Zustimmendes. Schüchtern oder mißmutig wandten sie die Augen vom lächelnden Gesicht ihrer Tante ab.

Janet hatte den Zwillingen eine eben erst herausgekommene Videokassette für Kinder mitgebracht, die sie mit einem gemurmelten Dankeschön in Empfang nahmen. Sie zeigten ein so minimal taktvolles, so flüchtiges Interesse, daß sich die Vermutung aufdrängte, die Kassette sei für sie zu kindlich oder ihnen schon bekannt.

Joel und Kenny hatten sich offenbar den ganzen Vormittag in ihrem Zimmer oben aufgehalten und kamen, als Clara sie rief, nur widerwillig zum Mittagessen herunter. Zweifellos reagierten sie auf Tante Janets Besuch im besten Fall mit gemischten Gefühlen; normalerweise hätten sie nicht zu einer förmlichen Mittagsmahlzeit im Eßzimmer erscheinen müssen. Wenn sie auch zu wohlerzogen waren, um ihren Verdruß zu zeigen, ließen ihre bewußt ausdruckslosen Mienen und ihre vergeblichen Versuche, über Daddys und Tante Janets Bemerkungen zu lachen, ihre Gefühle doch erkennen.

Clara, das dunkelhäutige Au-pair-Mädchen mit den schwarzen Augenbrauen, das ebensogut achtzehn wie achtundzwanzig hätte sein können und das sehr süß, scheu und verlegen war, wurde von Michael O'Meara genötigt, sich mit der Familie an den Tisch zu setzen, und fühlte sich gar nicht wohl dabei.

Sie sprang dauernd auf, um mehr Essen hereinzubringen oder gebrauchtes Geschirr herauszutragen. Das Mittagsmahl bedrückte durch seine eher einem Dinner angemessene anspruchsvolle Üppigkeit. Als Janet ihre Hilfe anbot, sagte Clara erschrocken: »O nein, Miss. Sie sind der Gast.«

Joel und Kenny saßen die ganze Zeit lammfromm und unbeteiligt da. Wären sie in Tränen ausgebrochen, hätte sich Janet nicht gewundert.

Michael war ein liebevoller, aufmerksamer Vater; genaugenommen vielleicht zu liebevoll und zu aufmerksam. Er schien nicht zu merken, daß er seine Söhne befangen machte, indem er ihnen fortwährend Fragen stellte und sie in die Unterhaltung der Erwachsenen einzubeziehen versuchte. Wie war es in der Schule? Ging es mit ihrem Raumfahrtprojekt voran? Könnten sie Tante Janet nicht von ihrem neuen Freund Tikki erzählen? Die Jungen antworteten einsilbig, zogen den Kopf ein, beugten sich über ihren Teller und aßen schnell, um bald das Weite suchen zu können. Janet fiel auf, wie *identisch* sie sowohl im Äußeren als auch im Gehabe waren: Seite an Seite sitzend, hatten sie, ohne sich auch nur anzusehen, die gleichen mimischen Eigenheiten, den gleichen Ausdruck in den schräggestellten Augen, die gleiche Art zu kauen.

Sie waren gewachsen, hatten sich körperlich verändert. Ihre einst zarten Gesichter waren voller geworden. Die Augen schienen in die Höhlen eingesunken, frühreif verwirrt und sorgenvoll.

Weil Gina, die sich während der Genesung im Schlafzimmer oben aufhielt, ihre Kinder selten sah, vermutete Janet. Und keinen ihrer Freunde in Mount Orion sah.

Wie die Eltern O'Meara miteinander auskamen, wußte Janet natürlich nicht. Am Telefon gab sich Michael stets optimistisch, zuversichtlich. Gina mache »Fortschritte«. Gina gehe es »eigentlich gut«.

Natürlich war es noch sehr früh. Der Irre hatte sie vor noch nicht einmal einem Monat überfallen.

Und nun war er tot, der Irre, endgültig aus der Welt geschafft – *das* könnte ein Trost sein.

»Daddy, kann ich aufstehn?« und »Daddy, kann ich aufstehn?«

Es war eine spürbare Erleichterung, als die Zwillinge mit einem genuschelten »Wiedersehn!« für Tante Janet verschwanden. Mit der Ausgelassenheit junger Tiere, die aus der

Gefangenschaft befreit werden, rannten sie in einen anderen Teil des Hauses; als sie um die Ecke bogen, sah Janet, wie einer den anderen vergnügt in die Rippen knuffte. Ihr Getrappel über die Stufen hallte durchs Treppenhaus.

Die Videokassette, Tante Janets Geschenk, hatten sie auf einem Tisch in der Halle liegengelassen, vergessen.

Michael sagte, wobei er sich mit den Fingerspitzen unbewußt über die Narbe auf seiner Stirn strich: »Es war natürlich sehr schwer für sie. Gina ist immer in ihren Kindern aufgegangen, gehörte so sehr zu ihrem Leben, und jetzt ist es, als ob« – er hielt durch seine eigenen Worte ernüchtert inne – »sie weg sei. Aber nur vorübergehend weg, wie ich ihnen klarzumachen versucht habe.«

Janet sagte: »Michael, ich finde, sie tragen es mit großer Fassung. Und du auch.«

»Schatz? – Janet muß bald fahren. Sie möchte dir nur guten Tag sagen.«

Stille.

»Gina? Bist du wach?«

Stille.

Michael lehnte an der geöffneten Tür zu Ginas Schlafzimmer und sprach leise. Janet, die hinter ihm stand, versuchte nicht hineinzusehen, nahm jedoch schattenhafte Konturen wahr, undeutliche Formen, die zarten Umrisse von Vorhängen an einem Fenster, dessen Jalousie heruntergelassen war. Augenscheinlich lag oder saß Gina unbeweglich im Bett. In Janets Nase drang ein traurig abgestandener Geruch von Medizin, überdeckt von einem entschieden fröhlichen Lavendelduft.

Wie deprimierend: die vor kurzem noch so schöne, temperamentvolle, umtriebige Gina O'Meara versteckt in diesem verdunkelten Zimmer!

Wenn Janet je den Stachel weiblicher Eifersucht oder eine Abneigung gegen ihre Schwägerin gespürt hatte, bereute sie es jetzt. Und wollte sie wirklich Ginas versehrtes Gesicht sehen?

Verlegen flüsterte sie: »Ich komme ein andermal, Michael. Wir wollen sie nicht stören.«

»Aber Gina *möchte* dich sehen, das weiß ich.«

»Ach, aber –«

In dem dunklen Zimmer regte sich etwas, eine leise, rauhe Stimme murmelte etwas Unverständliches. Michael fragte erwartungsvoll: »Ja?« und trat hastig ein, eilte zu Gina ans Bett. Die beiden sprachen gedämpft miteinander, dann kam Michael zurück und schloß die Tür. Er schien tief bewegt. »Gina sagt, sie fühlt sich heute einfach nicht in der Lage, mit irgend jemandem zu reden. Sie hat eine schlechte Nacht hinter sich. Und, Janet, die Hauptsache ist« – Michael nahm zuvorkommend ihren Ellbogen und lenkte sie nun freundlich-besorgt zur Treppe –, »daß Gina nicht bemitleidet werden möchte. ›Sag Janet, sie soll mich nicht bemitleiden‹, hat sie gesagt. ›Das ist das einzige, was ich nicht ertragen kann.‹«

Janet stammelte: »Oh – natürlich, ja. Ich weiß. Ich meine, ich – bemitleide sie nicht. Ich – sie tut mir nur so leid.« Sie war selbst überrascht, daß sie zu weinen anfing. Michael legte ihr rasch den Arm um die Schultern.

»Ihr tut mir alle so leid.«

Michael sagte: »Aber *warum* denn, Janet? – wenn du bedenkst, wir alle – Gina, Joel, Kenny, ja, auch du – und ich – wir haben verdammt viel Glück, daß wir noch leben.«

Ein Schauer durchrieselte Janet. Das hatte sie eigentlich noch nicht bedacht.

Es war Zeit für Janet, sich zu verabschieden, und Michael begleitete sie zum Auto. Nun, da sie den schwierigen Besuch hinter sich hatte, empfand sie zugleich Erleichterung und Bedauern. Im Tageslicht draußen sah Michael älter aus; sein freundliches, ernstes Gesicht war schmaler geworden, schmaler als Janet es seit seiner Kindheit je gesehen hatte. Und wie schnell war sein rotbraunes Haar zu diesem harten metallischen Grau verblaßt.

Dennoch lächelte er. Sagte philosophisch: »Na ja! Im

Grunde ein Glück, daß Mutter nicht mitgekommen ist. Gina hätte sich *ihr* bestimmt nicht gewachsen gefühlt.« Janet, die gleichzeitig dasselbe gedacht hatte, sagte: »Vielleicht nächste Woche ...« Ihre Stimme verlor sich wenig überzeugend. Michael lachte.

Es war ein sonnengesprenkelter windiger Tag, noch Winter, doch mit einem Hauch von Frühling in der Luft. Wie unreif die ältere Mrs. O'Meara mit ihren hypochondrischen Zwangsvorstellungen den Kindern erschien!

Bei Janets Auto verstummten sie plötzlich vor Verlegenheit: als bliebe noch Ungesagtes zu sagen. (Janet hatte die Frage nach Michaels Situation bei Pearce, Inc., vor sich hergeschoben: Sie fürchtete zu erfahren, daß er seinen Job verlieren würde. Aber jetzt war nicht die Zeit, danach zu fragen.) Michael drückte ihr die Hand und sagte stirnrunzelnd in seinem früheren, eher bedrückten Ton: »Janet, ich hatte keine Wahl. Ich mußte – dem Mann gegenübertreten. Um mit der Sache ins reine zu kommen. Ich –«

Janet schlang die Arme um ihren Bruder und sagte leidenschaftlich, als hätte jemand dies bestritten: »Du hast getan, was du tun mußtest, Michael, und das weiß jeder. Du bist ein *Held*.«

Dieser scharfe, klebrig-süße Geruch, was war es? – Cognac?

Und warum, vermischt mit ihrem Schlaf, ihren abwegigen Träumen, etwas so Unerwartetes wie – Cognac?

Aus einem Traum erwachend, in dem ein Gesicht heranschwebte, ein Netz aus Narben mit blinden, leeren Augen, die sie anstarrten, roch Janet plötzlich Cognac. Wie das?

Sie schaltete die Nachttischlampe an: Es war erst 2 Uhr 30. Sie hatte gedacht, es sei viel später.

Sie hatte gehofft, es sei viel später, weil sie so unruhig geschlafen hatte.

Dem schwachen Cognacgeruch folgend, ging sie in ihrem Flanellnachthemd barfuß in die Diele und sah zu ihrem Erstaunen ihre Mutter im Wohnzimmer mit einem Glas in der

Hand bei einer Lampe sitzen; die grüne Cognacflasche stand auf dem Tisch neben ihr.

»Mutter, was in aller Welt –?«

Mrs. O'Meara wandte Janet ihr mildes Mondgesicht ohne ein Zeichen der Überraschung zu. Sie hatte sich die schlaffe Haut mit einer weißlichen Creme eingerieben, so daß es aussah, als fehlten ihr die Augenbrauen. Sie schien in gelöster Stimmung zu sein. »Komm nur, Liebes«, sagte sie, »ich muß dir etwas erzählen.«

»... es war ein Unfall. Ein Unfall. Es war tatsächlich ein Unfall in nur sechzig Zentimeter tiefem Wasser. Ich habe das immer geglaubt, und dein Vater hat es immer geglaubt. Bis zu seinem Lebensende. Wir wollten nur nicht darüber reden, das ist alles.

Es gibt Dinge, über die man nicht spricht, die keiner hören will. Es passierte am 9. August 1953. Vor langer Zeit. Die Sandfliegen haben gestochen. Es war furchtbar heiß in der Sonne. Ich bin seitdem nie mehr an den Strand gegangen, nirgends, das gestehe ich mir zu. Und wir sind innerhalb eines Jahres umgezogen, nach Darien, und haben *nie* mehr zurückgeblickt. Ich hatte da Freundinnen in Manchester, junge Mütter wie ich, die meinetwegen todtraurig waren, aber ich habe jede Verbindung zu ihnen abgebrochen. Das muß man einfach tun. Als ob man eine Wunde ausbrennt. Eine Entscheidung treffen und dabei bleiben. Weißt du, der kleine Sean ertrank, und der kleine Michael ertrank nicht. Das war die Realität. Das *ist* die Realität. Sean liegt in Manchester, New Hampshire, begraben, aber wir zogen weg. Ich glaube nicht an die Unsterblichkeit der Seele, also weiß er nichts davon. Michael weiß es nicht – er hat's vergessen. Wir haben das Vergessen gefördert, das muß man tun. Sie waren zweieinhalb Jahre alt und hingen so aneinander. Ich erinnere mich, wie sie zusammen in ihrem Bettchen schliefen, so tief und fest schliefen, wie es Kleinkinder eben tun, so daß man denkt, sie wachen nie wieder auf. Wenn der eine zuckte und sich regte, zuckte und regte sich auch der andere, und ihre Haut war feucht, aber heiß, wie etwas Glühendes, und merkwürdig anzufühlen. (*Du* warst ganz anders, als du auf die Welt kamst: ein fröhliches Kind! Und nur *ein*mal da.) In meiner Familie hatte es noch nie Zwillinge gegeben, aber später fanden wir heraus, daß in der Familie deines Vaters im Lauf der Generationen Zwillinge vorgekommen sind, eineiige und zweieiige – o ja! Nicht daß ich deinem Vater die Schuld gegeben habe, das natürlich nicht. Man bekam ja keinen Hinweis. Damals war man nicht auf so etwas vorbereitet. Also, es gab keine Röntgenuntersuchung. Keine Am-ni-o-sko-pie: heißt das so? Und auch keinen Schwangerschaftsabbruch. Damals nicht. Selbstverständlich nicht. Heute sieht die Welt für Frauen anders aus, nicht wahr? Ach, wie ich schon sagte, warum zurückblicken. Es war ein Unfall, sie waren zweieinhalb Jahre alt, warum soll man ständig über die Vergangenheit nachdenken und sich grämen. Ich konnte nichts sehen, die Sonne blendete mich. Auch der Rettungsschwimmer hat nichts gesehen. Und wenn wir etwas gesehen hätten, wäre das arme Kind dann wieder lebendig geworden? *Nein,* bestimmt nicht. Das andere spielte und plantschte herum. Oh, das gelbe Plastikseepferd! Wenn *das* doch Zwillinge gewesen wären! Aber na ja, in meinem jetzigen Freundeskreis, Witwen wie ich, glaubst du, es gäbe da irgendeine, die keinen Kummer hätte? keine schmerzliche Erfahrung? kein Leid? keine Tragödie? – und das in Florida. In Palm View Villas. In unserem Alter. Und ich bin nicht alt. In unserem Bridge-Zirkel werde ich manchmal wie ein Baby behandelt – weil ich mit Karten so schußlig bin. Na ja, du weißt schon. Wir haben alle unsere Schwächen. Ich verweile bei den schönen Erinnerungen, denn davon gibt es viele. Du beim Fernsehen, du kannst dir denken, daß ich stolz auf dich bin. Und auf Michael und seine reizende Familie. Wir dachten, daß es Michael war. Natürlich hätte es auch … Sean sein können. Der Überlebende. Oh, der arme Sean: in sechzig Zentimeter Wasser, stell dir das vor! Der Badebereich für Kinder war mit einem Seil abgeteilt. Es waren auch andere da, dachte ich jedenfalls. Und natürlich der Rettungsschwimmer. Ich war ein Stück den Strand raufgegangen, aber nicht weit. Ich hielt Ausschau, meine Augen sahen und sahen doch nicht. Im Grunde hatten sie keine Namen – wenn sie geboren werden, wenn sie aus dir herauskommen, über und über blutig, und nach Luft schnappen, haben sie keine Namen: Selbst später, wenn du ihnen Namen gibst, verändert sie das nicht. Das war es, was ich, glaube ich, in all dem Geplantsche im Wasser gesehen habe. Der Rettungsschwimmer sah es im selben Augenblick auch. Ich habe geschrien, und er hat laut gepfiffen. Das eine Kind trieb mit dem Gesicht nach unten auf dem Wasser (ganz flaches Wasser!), und das andere war dicht daneben, auch das gelbe Plastikseepferd, so groß wie sie beide, an dem sie herumgezerrt, um das sie sich gezankt … nein, nicht richtig gezankt: mit dem sie gespielt hatten. Ich sah hin und habe geschrien.

Der Sand versengte mir die Füße. Die Sonne brannte mir wie Feuer auf den Schädel. Deshalb war ich den Strand hinaufgegangen. Ich habe geschrien, aber es war zu spät. Er spielte da bei seinem Zwillingsbruder einfach weiter mit dem Seepferd. Der Rettungsschwimmer rannte zu ihnen, aber es war zu spät. Alle starrten wie gebannt hin. Einer dieser Hubschrauber kreiste mit einem Reklameband im Schlepptau über uns, und ich schwöre, der Pilot starrte auch hin! Wir liefen hin und zogen das Kind aus dem Wasser, und der Rettungsschwimmer machte eine Mund-zu-Mund-Beatmung, aber es war zu spät. Ich rannte über den brennendheißen Sand, aber es war zu spät. Ich fand mich so hübsch in meinem zweiteiligen Badeanzug, du meine Güte! – achtundzwanzig Jahre alt und eine nette, wohlgeformte Figur und lockiges Haar wie du, ich dachte, ich sei was Besonderes, wie man das in dem Alter eben tut. Später lernt man dazu. Man lernt schnell dazu. Ach, in meinen Träumen, selbst jetzt noch, spielt es sich ganz anders ab: Da kann ich trotz der Sonne deutlich sehen, da laufe ich zum Wasser und ziehe ihn heraus, sechzig Zentimeter tiefes Wasser, so flach und so *warm*. Man kann in fünfzehn Zentimeter Wasser ertrinken. Die tragischsten Unfälle passieren zu Hause. Am hellichten Tag. Man kann nie wissen. Man kann nicht vorsorgen. Man *muß* vorsorgen. Wenn wir doch nur ein zweites Seepferd gekauft hätten. Wenn ich meine Strohsandalen doch nur nicht in der Badehütte gelassen hätte. Vielleicht wäre dann ... o Gott, vielleicht. Ich weiß es nicht, und es ist auch besser so. Wir haben nie darüber gesprochen. Dein Vater und ich. Er hatte sein Geschäft, ein gutes Geschäft, aber es nahm ihn völlig in Anspruch. Es fraß ihn auf. Wie die Gerber, die den wunderschönen Wildtieren das Fell und die Haut abziehen, um Mäntel draus zu machen, so wurde deinem Vater das Leben abgezogen ... die Seele umgab gleichsam seinen Körper von außen, war ungeschützt. Aber was rede ich da? Bin ich betrunken? Na ja, warum auch nicht? Wir haben danach nie darüber gesprochen. Der Umzug von New Hampshire nach Connecticut war richtig. Das stellte sich bald heraus. Ich gab meine Freunde auf, aber was sind Freunde? – Freunde schwinden dahin. Man kann sich nicht auf sie verlassen, und sie sollten sich nicht auf dich verlassen. Wir haben aus Rücksicht nicht darüber gesprochen, aus Rücksicht auf den, der überlebte. Also auf Michael. Der andere war Sean. In den paar Minuten, in sechzig Zentimeter Wasser, und für immer weg. Das kommt einem doch unmöglich vor, oder? Als wenn man ein Flugzeug verpaßt, stell ich mir vor. Eine Sache von Minuten. Vielleicht von Sekunden. Als ob sie dir Blut aus dem Arm nehmen und keine Vene finden können, und wenn sie schließlich eine finden und es zwanzig Sekunden dauert, sagt die Schwester: zwanzig Sekunden, eine lange Zeit. Dir kommt es nicht so vor, aber es ist so. Ich war sechsundzwanzig, als sie geboren wurden, und achtundzwanzig, als sie starben.

Als Sean starb, meine ich. Michael hat überlebt. Michael war nie in Gefahr, zu ertrinken. Er wurde später ein guter Schwimmer, ein guter Sportler in der Footballmannschaft. Wir hatten furchtbare Angst, wenn wir ihm auf dem Platz zusahen. Dein Vater hat das nie zugegeben, und ich habe es auch nie zugegeben, aber ich wußte es. Dieser Ausdruck im Gesicht. Am Kinn, am Mund. Man sieht es an der Mundpartie. Ein High-School-Junge und so lieb, außer auf dem Footballplatz, dann konnte man's sehen. Dann wußte man's. Oh, was sag ich bloß? Bin ich betrunken? Ich bin *nicht* betrunken! Wir werden uns mit der Zeit alle fremd. Ich meine, uns selbst. Ich kann mich an diese achtundzwanzigjährige Frau nicht mehr erinnern, und sie hätte wahrscheinlich nie gedacht, daß ich so werden könnte: so alt! So anders! Aber ich bin nicht wirklich alt, bin ich alt? Siebenundsechzig? Ist das alt? Mein Gesicht, meine Hände. Sie verraten einen, wenn man nicht aufpaßt. Wenn man es nicht klug anstellt. *Er* ist klug, dein Bruder. Deshalb ist er ja auch Anwalt. Einundvierzig Jahre alt, und sein armer Bruder ist erst zwei. Die Toten sind immer tot. Die Toten altern nicht. Sie sind all das, was sie sein könnten, während wir Lebenden nie all das sind, was wir sein könnten. Ist das nicht merkwürdig? Warum ist das so? *Er* hat es natürlich vergessen. Vielleicht hat er es nie gewußt. Es muß ganz schnell gegangen sein. Oder jedenfalls, ohne daß er sich quälen mußte. Es kann in fünfzehn Zentimeter Wasser passieren. Die Wassertiefe spielt keine Rolle. Nur die Absicht. Jahre später kam es zu einem anderen Unfall, im Schwimmbad, in der Junior High-School, aber der andere Junge ertrank nicht. Er und Michael stießen, glaube ich, mit den Köpfen aneinander. Es war schlimm, aber nicht tödlich. Michael hat vielleicht sogar geholfen, den Jungen rauszuziehen. Schuld hatte eigentlich keiner. Beide schluckten sie Wasser – ah, dieses gräßliche Chlorwasser! Der Turnlehrer nahm ihn zur Strafe aus der Mannschaft. Das war unfair, aber wir haben nichts dagegen unternommen. Er spielte Football für die High-School, und durch ihn kam die Mannschaft nach vorn. Er wuchs schnell, nahm zu. Er war sehr kräftig. Er ist kräftiger, als er aussieht. Man kann es an seiner Mundpartie sehen und manchmal an den Augen. Nicht immer, aber manchmal. Wenn man die Anzeichen erkennt. *Du* erkennst das natürlich nicht. Gina auch nicht.

Es hat wohl im Alter von etwa achtzehn Monaten angefangen. Etwas, das ich nicht benennen konnte und auch jetzt nicht benennen kann. Bis dahin hatten sie friedlich zusammen geschlafen, an der Flasche genuckelt, gespielt und gelacht, und nun wurde es anders. Man könnte es als ›Haß‹ bezeichnen, aber es war kein ›Haß‹. Man könnte es als etwas ›Böses‹ bezeichnen, aber es war nichts ›Böses‹. Bloß, der eine Zwilling versuchte den anderen zu beherrschen, und der andere leistete Widerstand. Mal war es Sean (wir dachten, es sei Sean!), mal war es Michael (wir dachten, es sei Michael!) – aber sie waren identisch, wie Spiegelbilder, und meistens konnten wir sie nicht unterscheiden. Natürlich tat ich so, als wüßte ich Bescheid, ich war ihre Mutter, ich liebte sie beide, es wäre allen sehr seltsam vorgekommen, wenn ich ein Kind nicht vom anderen hätte unterscheiden können! Es heißt, daß Männer sich nur deshalb bekämpfen, weil einer meint, er könnte gewinnen. Staaten bekriegen sich, weil einer meint, er könnte gewinnen. Es gibt keinen anderen Grund. O ja, es gibt *Anlässe,* aber nur diesen einen *Grund.* Nach heute nacht, Liebes, brauchen wir nie wieder darüber zu reden. Das gelbe Plastikseepferd hat vielleicht keine Rolle gespielt. Der 9. August 1953 hat vielleicht keine Rolle gespielt. Dann wäre es eben ein anderer Tag gewesen. (Das meinte dein Vater. Wir haben nie darüber gesprochen, aber er hat es mir gesagt, nur einmal.) Als der, der nicht ertrunken ist, sah, wie sein Bruder auf dem Sand lag und der Rettungsschwimmer ihn von Mund zu Mund beatmete, als er mich sah, meine Hysterie, hat er wohl auch selber vergessen, wer er war. Natürlich, er war ja so jung. In dem Alter verstehen sie nicht, was der Tod bedeutet – die Endgültigkeit des Todes. Sie können sterben, und sie können den Tod eines anderen verursachen, aber sie verstehen nicht, was sterben heißt. Vielleicht war es Sean, der starb, und vielleicht war es Michael, der uns weggenommen wurde. Ich habe hysterisch geschrien. Warum hat man mich beim Wort genommen? Ich habe ›Sean! Sean!‹ geschrien. Deshalb stand Sean auf dem Totenschein. Deshalb war der andere Michael. Hätte es was geändert? Sie hatten das gleiche Gesicht, sie waren das gleiche Kind, sie sind beide aus meinem Körper gekommen, und ich liebte sie beide. Ich habe geschrien und bekam Beruhigungsmittel.«

Es war drei Uhr morgens, dann vier Uhr. Während Mrs. O'Meara in ihrem gleichmäßigen, friedfertigen Tonfall, wie ein Boot, das in ruhigem, geschütztem Gewässer schaukelt, zu Janet sprach. Während Janet, starr vor Entsetzen, zuhörte. Hörte, was sie nicht fassen konnte. Unfähig, zu erfassen, was sie hörte.

Janet O'Meara hörte sehr lange zu, ohne ihre Mutter zu unterbrechen. Sie hatte sie noch nie auf solche Weise und derart ausführlich sprechen hören.

Sie saß, die eiskalten Zehen unter sich, auf dem Sofa. Das lange Flanellnachthemd umgab sie wie ein aufgeschlagener Fächer. Während die nächtliche Stadt draußen vor dem Fenster an Bienenschwärme funkelnder Lichter erinnerte – eine kühle Sternenschönheit. Während sie von Zeit zu Zeit hörte, wie ihre Mutter tief Luft holte, als wolle sie einem Schluchzen oder einem Schluckauf vorbeugen. Und hin und wieder berührte die grüne Cognacflasche mit leisem Klicken Mrs. O'Mearas Glas.

Auch Janet hatte sich ein Glas geholt und trank. Mit langsamen Schlucken. Dachte, wenn wir uns beide betrinken, können wir vielleicht vergessen.

Endlich schien Mrs. O'Meara aufgehört zu haben. Ihre letzten Worte verloren sich in einer Stille, die mit der Nacht jenseits des Fensters verschmolz. Sie wühlte in den Taschen ihres wattierten Bademantels nach einem Taschentuch und schneuzte sich kräftig.

Janet sagte lauter als beabsichtigt: »Mutter, ich möchte wissen, ob ich das richtig verstanden habe. Mein Bruder Michael hatte einen Zwillingsbruder – war also ein Zwilling –und hat das vergessen? Glaubst du wirklich, er hat es vergessen?«

Mrs. O'Meara sagte naiv: »Warum sollte er sich daran erinnern?«

»Und sein Zwillingsbruder Sean ist ertrunken? – bei einem Badeunfall? – in einem See in New Hampshire? – im Jahr 1953?«

»Es *war* ein Unfall.« Mrs. O'Meara nickte grimmig.

»Und du weißt wirklich nicht – ich meine, du weißt nicht *wirklich* –, ob mein Bruder Michael ist oder der andere?«

»›Michael‹ und ›Sean‹ sind doch nur Namen, Liebes. Wir geben unseren Kindern Namen, um sie an uns zu gewöhnen, wie Haustiere. Manchmal hat es diese Wirkung und manchmal nicht. Wollen wir uns den Rest Cognac teilen?«

»Warte mal«, sagte Janet. Sie rang nach Worten wie jemand, der sich mit kraftloser werdenden Händen an einem Vorsprung festhält. »Sie waren eineiige Zwillinge – absolut *gleich?*«

»Ich habe Sean als den Jungen erkannt, der ertrank. Der Name entfuhr mir einfach, und alle haben angenommen, was ja natürlich ist, daß eine Mutter ihr eigenes Kind erkennt. Selbst eine hysterische Mutter erkennt ihr Kind.« Mrs. O'Meara nahm die Cognacflasche und goß den kleinen Rest zu gleichen Teilen in ihr und Janets Glas: Janet hielt ihr das Glas mit zittriger Hand hin. »Und so ist der nicht ertrunkene Junge eben immer ›Michael‹ gewesen.«

»Und daran hat niemand gezweifelt? Auch *er* nicht?«

»Er war zwei Jahre alt. Als sein Zwillingsbruder ertrank, ist auch die Hälfte von ihm ertrunken. Man könnte behaupten, daß damals beide, ›Sean‹ und ›Michael‹, in sechzig Zentimeter tiefem Wasser ertranken. Der, der überlebte, war jemand anders.« Mrs. O'Meara sprach langsam, vernünftig. Sie lehnte den Nacken an die Rücklehne des Sofas, so daß die schlaffe, gerötete Haut unter ihrem Kinn zum Vorschein kam. Ihre Augen waren tief umschattet, wie in Gedanken, in nachrechnende Überlegungen versunken. »Als dein Vater ankam, habe ich ihm zugeschrien, daß Sean ertrunken ist. Konnte ich denn sagen: ›Einer unserer Söhne ist ertrunken!‹ – als ob ich nicht gewußt hätte, welcher?«

Für kurze Zeit herrschte Schweigen. Auf der Second Avenue, dreißig Stockwerke tiefer, heulte eine Sirene, gleich darauf noch eine. Janet stellte im nachhinein fest, daß sie fast die ganze Nacht über von nah und fern Sirenen gehört hatten. Sie waren schließlich in New York City.

Schnell trank sie ihren Cognac aus. Ah! – die brennende

Flüssigkeit stieg ihr in die Nebenhöhlen, breitete sich erwärmend durch die Lungen, den Blutkreislauf aus.

Sie starrte nicht aufs, sondern durchs Fenster. Mit blicklosen Augen, wie blind.

Der Gedanke, der an der Schwelle ihres Bewußtseins glimmte – *Nein. Es ist unvorstellbar.*

Janet lachte, zuerst leichthin. Dann sprang sie auf. Sie konnte es nicht länger ertragen!

»Warum erzählst du mir diese gräßlichen Geschichten, Mutter? – warum *jetzt?* Willst du sie bloß loswerden?« fragte sie. Ihre Stimme wurde schrill. Ihr Haar sträubte sich knisternd vor Elektrizität, vor Entsetzen. »Und was soll *ich* da tun?«

Am nächsten Morgen vernichtete Janet O'Meara systematisch alles: ihre gesamten Notizen, Entwürfe, Unterlagen, alle ihre auf Band aufgenommenen und abgeschriebenen Interviews für »Schlangenauge«.

EPILOG

Und nun dies: der erste Morgen des ersten Tages.
So viele Morgen in den vergangenen Monaten hat er dieses Gefühl gehabt!

Und er kann nicht sagen, warum. Er kann nicht wissen, warum. *Aber er weiß.*

»Michael? – Bist du da?« Die Frage klingt matt, klagend, kaum hörbar.

Er ist unten am Strand, pfeift, harkt munter Laub und andere Überbleibsel vom Gewitter in der Nacht zuvor zusammen, blickt nun hoch, hält die Hand vor die Augen, weil die Sonne blendet, und sieht sie unerwartet auf der Türschwelle: eine dünne, schwankende, verhüllte Gestalt mit einem hellen schleierartigen Tuch um den Kopf, übergroßer dunkler Sonnenbrille, die ihr Gesicht weitgehend verbirgt. Sie trägt lose Sommersachen, weiße Hosen, ein Hemd, einen unförmigen blaßrosa Pullover, einen dieser modernen Sweater, die extra so weit sind, daß die Schultern fast bis zu den Ellbogen fallen und die Ärmel an den Handgelenken unübersehbar aufgerollt werden müssen. Dieser Stil läßt noch etwas von der alten Gina erkennen: Aber natürlich hat sie alle ihre Kleidungsstücke vor dem Überfall gekauft.

Ihre dünnen Finger betasten den Türrahmen, umklammern den Knauf der Fliegenfenstertür, dort hält sie sich fest und schaut angestrengt nach ihm aus. Er steht nur etwa zehn Meter von ihr entfernt, kann sie ihn nicht sehen?

Es ist Anfang August. In den Poconos. Am Swart Lake, einem der kleineren, abgelegeneren Bergseen, wo Michael O'Meara ein geräumiges Cottage einen Monat lang für seine Familie gemietet hat. Er kann nicht die ganze Zeit da sein, weil er eine neue und interessante Tätigkeit in einer Anwaltspraxis in Newark hat, aber er ist die meiste Zeit da und immer an den Wochenenden. Das Cottage am Swarts Lake ist eigentlich kein Geheimnis, aber Michael hat es bei Freunden in Mount Orion auch nicht groß angekündigt. Die meisten von ihnen denken, die O'Mearas sind auf Cape Cod, wo sie bisher immer ihre Sommerferien verbracht haben.

Denn es ist nicht nur Gina, die gesund werden und sich erholen muß: es ist die ganze Familie.

Und wie ruhig und friedlich, wie *erholsam* es hier am Swarts Lake ist inmitten von Beständen hoher Kiefern, scharf abgegrenzter Weißbirkengruppen, einem Meer von Laubbäumen! – nur die Bergluft zu atmen, zu spüren, wie sie die Lungen füllt und weitet, ist tief befriedigend. Um den verwinkelten See verstreut liegt etwa ein Dutzend schöner, spezialangefertigter Cottages wie das O'Mearasche – *Cottages* ist vielleicht ein zu bescheidenes Wort, aber es ist das übliche Wort –, die durch das Laub und die steilen Hänge und keilförmig vorspringenden Felsschründe des Geländes diskret voreinander verborgen sind. Auf dem See herrscht zwar Bootsbetrieb, aber nach stillschweigender Übereinkunft gibt es keinen störenden Lärm durch Außenbordmotoren; und überhaupt keine Boote nach Einbruch der Dunkelheit. Kenny und Joel fühlten sich anfangs einsam und waren ärgerlich, daß man sie in eine so abgeschiedene Gegend verbannt hatte, aber in den letzten Tagen haben sie begonnen, den See abenteuerlustig zu erkunden, und lassen sich oft stundenlang nicht blicken. Falls einer der See-Nachbarn der O'Mearas von ihrer Identität weiß, so hat Michael jedenfalls kein Anzeichen, das darauf hinwiese, bemerkt. Wenn er ins Dorf Swarts Lake fährt, um Besorgungen zu machen, achtet er darauf, Unterhaltungen auf ein Minimum zu beschränken. Er hat es umsichtig so eingerichtet, daß die Miete für das Cottage über seinen Schwiegervater läuft, damit der Name »O'Meara« in diesem Zusammenhang offiziell nicht auftaucht.

Ginas Stimme wird aus Besorgnis, nicht wirklich vor Angst höher, als sie nun wieder ruft: »Michael? Wo bist du?«

Michael antwortet schnell. »Hier Gina. Am Strand.«

Gina dreht sich erschrocken und blinzelnd in die Richtung, aus der seine Stimme kommt, und jetzt sieht sie ihn, oder zumindest scheint es so. Vielleicht versucht sie ein Lächeln – Michael ist sich nicht sicher. Dies ist ein heikler Augenblick, denn zum ersten Mal in den neun Tagen, die sie in Swarts Lake ist, hat sie sich vor der Abenddämmerung auf die Terrasse herausgewagt.

»Ist sonst noch jemand da, Michael?«

»Nein, Liebling. Ich bin allein. Beim Harken.«

»Bist du sicher?«

Michael blickt wie zur Bestätigung des Sachverhalts um sich. Natürlich ist er allein: Die Zwillinge scheinen keine Lust zu haben, viel Zeit mit Daddy zu verbringen, und sind allein auf Entdeckungsreise gegangen.

»Ziemlich sicher«, sagt Michael fröhlich.

»Aber – am Seeufer. Weißt du's genau?«

Michael widersteht dem Impuls, vorschnell zu antworten und dadurch Ginas Angst deutlich werden zu lassen. Er wirft einen flüchtigen Blick über den See, wo ungefähr fünfhundert Meter entfernt jemand segelt. Ein Stück weiter weg am Ufer, wo Felsen eine Kieselsandbucht und damit einen reizvollen, urwüchsigen Strand umrahmen, liegen Leute in der Sonne oder schwimmen.

Gina fragt nervös weiter: »Wenn jemand da ist, könnte man doch durchs Fernglas gucken und mich sehen? Die Terrasse liegt so frei.« Die Terrasse liegt nicht sehr frei, sondern zu beiden Seiten im Schutz immergrüner Büsche. Dennoch bleibt Gina in der Tür stehen, fingert an ihrem Schal, ihrer Sonnenbrille, ihrem unförmigen rosa Pullover herum, der ihr bis über die Hüften reicht.

Michaels Herz macht einen Freudensprung angesichts der Möglichkeit, daß Gina sich am hellichten Tag tatsächlich nach draußen wagt, sich auf einen der Gartenstühle setzt oder sich auf die Segeltuchliege legt, wie er gehofft hatte. Er sagt: »Niemand ist zu sehen, Liebling, niemand guckt zu, ich *verspreche* es dir.« Wie ein überschwenglicher junger Verehrer läßt er die Harke fallen, springt die Stufen zur Veranda herauf, nimmt Ginas dünne Hände in die seinen, bevor sie sich wieder nach drinnen zurückziehen kann, und drängt sie in die Sonne.

»Komm, setz dich. Ich hol uns was zu trinken«, sagt er.

An sein steifes Knie denkt er offenbar nicht mehr, so mühelos hat er die Stufen genommen.

Gina entzieht ihm nicht gleich ihre Hände, obwohl sie seit dem grauenvollen Abend im März selbst vor den zartesten Berührungen ihres Mannes oft zurückschreckt. (Die ärztlichen Untersuchungen sind Alpträume für sie – sie muß vorher einen Tranquilizer nehmen.) Mit skeptisch gefurchter Stirn späht sie zum See herüber. Kann sie die elegante weiße Jacht mit den geblähten Segeln richtig erkennen, oder ist sie für sie nur ein verschwommener Fleck? Ist das Ufer da hinten, das Michael gestochen scharf sieht, für sie überhaupt vorhanden? Auf dem linken Auge ist sie so gut wie blind; die Sehkraft des rechten Auges ist unwesentlich besser, aber unberechenbar. Die dicken Gläser ihrer Brille, die schwer auf ihrem zarten Nasenrücken lastet und ihr ein bizarres insektenhaftes Aussehen verleiht, verbergen ihre Augen vor Michaels prüfendem Blick.

Gina sagt: »Wenn aber jemand weiß, daß wir hier draußen sind –«

Michael sagt: »Wer soll es denn wissen, Liebling? Also wirklich!«

»– man könnte uns doch fotografieren, oder? – mit einem Teleobjektiv?«

»Aber, Gina, warum sollte das jemand machen? So wichtig sind wir nicht.«

»Menschen sind grausam«, meint Gina vielsagend. Nun entzieht sie Michael doch, wenn auch höflich, ihre Hände. Als fielen sie ihr jetzt erst ein, fragt sie besorgt: »Wo sind Joel und Kenny?«

»Irgendwo im Wald oder unten am See beim Spielen.«

»Allein?«

»Vielleicht haben sie andere Kinder zum Spielen gefunden, aber ich glaube nicht. Als ich sie zuletzt gesehen habe, wollten sie auf ›Entdeckungsreise‹ gehen.«

»Nicht zum Baden?«

»Auf dieser Seite ist das Ufer zu steinig.«

»Bist du sicher?«

»Wie meinst du – sicher?«

»Daß sie nicht hier sind?«

»Soll ich sie rufen?«

»Nein, sie wollen mich hier draußen nicht sehen, nicht so. Sie wollen nicht, daß ich *gesehen* werde, sie haben schreckliche Angst vor mir.«

»Das stimmt nicht, Gina«, sagte Michael unnachgiebig. »Joel und Kenny haben keine ›Angst‹ vor dir. Sie lieben dich, und natürlich –«

Gina nickt langsam, zerstreut. Eigentlich hört sie nicht zu: Die Möglichkeit, daß fremde Leute sie vom See her, der so offen und lichtüberflutet daliegt, beobachten könnten, beunruhigt sie mehr.

»Sie möchten nur, daß es dir gut geht, Gina. Und daß du glücklich bist. Was ich ja auch möchte.«

Gina läßt sich, Michaels sanftem Drängen nachgebend, auf einem der rot-weiß gestreiften Segeltuchstühle nieder. Seit dem Überfall bewegt sie sich mit extremer Behutsamkeit, als ob sie jede Verlagerung der Körperhaltung und des Gleichgewichts genau berechnen müßte; als ob nicht nur ihr Gesicht und ihr Kopf, sondern auch ihre Glieder verletzt worden wären. Ihr Chirurg in der Kessler-Macon-Klinik erklärte Michael, daß solche Vorsicht in Fällen schwerer psychophysiologischer Traumatisierung, bei einer gravierenden Störung des Lagesinns oder der Eigenwahrnehmung des Betroffenen normal sei.

Der Chirurg sagte ferner, daß jeder Mensch die Welt aus der Perspektive seines inneren Körperbilds wahrnimmt und daß sich, wenn das innere Körperbild verletzt wird, natürlich auch die Perspektive verändert. Michael fragte voller Angst vor der Antwort, ob Ginas »Perspektive« sich je wieder völlig oder annähernd normalisieren würde, und erfuhr, ja, diese Möglichkeit bestände durchaus, vielleicht, mit der Zeit.

Und unter der Voraussetzung, daß kein weiteres Trauma entsteht.

Gina sitzt steif und beklommen da; die Arme fest unter der Brust verschränkt, als ob ihr kalt sei; das entstellte Gesicht tapfer der Sonne zugekehrt. Michael umfaßt ihre Schultern, drückt sie, wie man ein Kind drückt, um Freude und Anerkennung zu zeigen. »Ich hole uns einen Obstsaft, ja? Bleib hier!«

Er läuft nach drinnen, in die Küche. Er kommt fast um vor Durst! Eine Stunde lang hat er den Strand saubergeharkt, die körperliche Anstrengung hat er richtig genossen, es befriedigt ihn, sich für eine nützliche Sache ins Zeug zu legen.

In Swarts Lake wacht er stets früh auf, steht er immer früh auf, schon bei Tagesanbruch.

Hier und zu Hause in Mount Orion schläft er ruhiger, als man erwarten könnte: Die alten schuldbeladenen Alpträume sind verschwunden, vielleicht für immer.

Seit sein Feind tot ist und er sich moralisch frei von Schuld weiß, gäbe es da einen vernünftigen Grund für Schuldgefühle?

Seine tragische Beziehung zu Lee Roy Sears gehört der Vergangenheit an. Warum also sollte er für den Rest seines Lebens nicht ein vernünftiger Mann sein?

Er pfeift in der Küche vor sich hin. *Muß* glücklich sein.

Er gießt für Gina und sich Grapefruitsaft in hohe, kalte Gläser und bringt sie nach draußen.

(Gina, die fast ständig Medikamente nehmen muß, darf keinen Alkohol trinken, und deshalb trinkt er aus Mitgefühl auch keinen. Und er schluckt überhaupt keine Pillen mehr, außer manchmal Aspirin – *das* alles liegt endgültig hinter ihm.)

Als er wieder auf die Terrasse hinaustritt, sieht er zu seiner Enttäuschung, daß Gina ihren Stuhl umgedreht hat, so daß sie mit dem Rücken zum See sitzt.

Michael tut so, als bemerke er es nicht. Er maßt sich kein Urteil an. »Hier, mein Schatz«, sagt er lächelnd und reicht ihr das Glas. Sieht aber nicht zu, als sie es an die Lippen führt – sie ist gehemmt, wenn sie sich beobachtet fühlt.

Er denkt: Es ist schon eine erhebliche Leistung. Daß Gina sich in ihrer Verfassung überhaupt nach draußen gewagt hat, in das erbarmungslose Tageslicht.

Seit März hat es zahlreiche Veränderungen in Michael O'Mearas Leben gegeben. Einige von ihnen leicht zu ermessen, andere nicht.

Zum Beispiel hat er seit Mitte Mai eine neue Tätigkeit. In einer auf Zivilsachen spezialisierten Anwaltskanzlei in Newark.

Kein weiteres Vertreten von Pearce, Inc., gegen geschädigte Kläger. Keine weiteren »Wundermittel« für ihn.

Er hatte die Peverol-Aktenberge seinem Nachfolger mit herzlich gemeinten guten Wünschen übergeben.

(Hatte sich Pearce, Inc., wegen der als peinlich empfundenen Publicity sachte von Michael O'Meara getrennt, oder hatte sich Michael O'Meara seinerseits sachte und mit ungeheurer Erleichterung von Pearce getrennt? Das wußten selbst Michaels langjährige Freunde in Mount Orion nicht genau.)

Noch eine Entwicklung jüngeren Datums (falls es überhaupt eine Entwicklung der Sears-Episode ist und nicht etwas, das gar nicht damit zusammenhängt) ist das unvermutete Verhalten von Michaels Schwester Janet, der er sich nahe verbunden glaubte und die er sehr gern hatte. Denn eines Tages im April rief Janet Michael urplötzlich, ohne jede Vorwarnung an und teilte ihm andeutungsweise mit, daß sie eine Stellung als Programmdirektorin bei einem öffentlichen Fernsehsender in Portland, Oregon, angenommen habe und so bald umziehen würde, daß sie sich nicht mehr persönlich von ihm und seiner Familie verabschieden könnte!

Und Mrs. O'Meara war erwartungsgemäß plötzlich nach Palm Beach zurückgekehrt, ohne überhaupt zu den O'Mearas nach Mount Orion zu kommen.

Michael versuchte, sein Erstaunen über ein so merkwürdiges, ja, ruppiges und herzloses Verhalten nicht zu zeigen. Seine eigene Schwester! Seine einzige Schwester! Hatten sie nicht eine echte Zuneigung zueinander empfunden, nicht bloß als Schwester und Bruder, sondern als Freunde? Michael hatte das jedenfalls gedacht, als Janet das letzte Mal zu ihnen gekommen war. Was hatte sie in der Einfahrt zu ihm gesagt: »Du hast getan, was du tun mußtest ... Du bist ein *Held*.«

Gina, die alles auf sich bezog, war weniger überrascht.

Mit einer an Resignation grenzenden Bitterkeit sagte sie: »Deine Schwester und deine Mutter haben mich schon *vorher* nie gemocht.« Sie hielt inne. »Jetzt fürchten sie sich davor, mich zu besuchen und sagen zu müssen, ich sähe ›gut‹ aus.«

Mit dem traurigen Nachsatz: »An ihrer Stelle würde ich genauso handeln.«

Michael war als scharfsinniger Anwalt nicht so sicher, daß das die Erklärung dafür war. Oder die ganze Erklärung. Er wußte anscheinend, und das Wissen machte ihn stutzig, daß Janet sich vor *ihm* fürchtete.

»Na ja. So ist es eben.«

Seine einzige Schwester. Sein einziges Geschwister.

Michael erinnerte sich, daß die Geschworenen im England des Mittelalters nicht nur ein Urteil von zweien, sondern eins von vieren aussprechen konnten: Zusätzlich zu *schuldig* oder *nicht schuldig* gab es *ignoramus* (»wir wissen es nicht«) und *ignorabimus* (»wir werden es nie wissen«).

Die beiden letztgenannten Urteilsformeln, insbesondere die zweite, erschienen ihm in dieser Frage der Beziehung zu anderen, so unergründlichen Menschen unübertrefflich.

Und dann waren da Joel und Kenny.

Die Michael weiterhin *nicht* »die Zwillinge« nannte.

(Obwohl alle anderen das natürlich taten. Es war zum Verrücktwerden! – »die Zwillinge« oder zumindest »die Jungen«. Warum machte das Daddy so wütend?)

Joel und Kenny, jetzt erst acht, waren stämmige, energiegeladene, unruhige Jungen, die älter aussahen – sie hätten zehn, sogar elf Jahre alt sein können! Sie waren innerhalb eines Jahres sehr groß geworden und aus Schuhen, Kleidungsstücken, Spielsachen in einem erstaunlichen Tempo herausgewachsen. Wie der Kinderarzt der Familie ironisch bemerkte: Sie sind nun mal *gesund*. Michael fand es eher verblüffend als beunruhigend. Er war enttäuscht, daß ihr ursprünglich hellblondes Haar, das Ginas so ähnlich sah, ständig und bei beiden in gleichem Maß nachdunkelte; bald würde es so dunkel sein wie seins vor der Ergrauung. Ihre Augenfarbe, früher ein wunderschönes Blaugrün, genau wie bei Gina, schien ebenfalls einen dunkleren Ton angenommen zu haben, ein sehr gewöhnliches Braun. Wie konnte das geschehen und noch dazu so schnell? Im Lauf von einem Jahr oder achtzehn Monaten?

Michael wußte, daß Lee Roy Sears' fatale Teilhabe am Leben der Familie Joel und Kenny tief beeinflußt hatte: Aber auf welche Weise waren sie beeinflußt worden? Seit seinem Tod hatten sie ihn mit keinem Wort erwähnt; vor seinem Tod, in jenen schrecklichen Wochen der Belagerung des O'Mearaschen Haushalts, hatten sie weder ihrem Vater noch ihrer Mutter gegenüber direkt von ihm gesprochen, aber Michael hatte zufällig mit angehört (er war sicher, daß er es gehört hatte), wie sie über »Mr. Sears« flüsterten und kicherten.

Kein Zweifel, Sears hatte sie verleitet, das Schulgelände zu verlassen und mit ihm in den Park zu gehen: Joel hatte es heftig abgestritten, und Kenny hatte es heftig abgestritten, aber Daddy kam die Sache verdächtig vor.

Er hütete sich freilich, sie regelrecht zu verhören, ihnen Angst einzujagen.

Daddy gehörte nicht zu jenen hysterisch-paranoiden Eltern, von denen in letzter Zeit soviel die Rede ist, die beim geringsten Anlaß »Kindesmißbrauch« vermuten und ihre Kinder das Fürchten lehren.

Deshalb hatte er es dabei belassen. Aber er wußte, was er glaubte.

Er wußte, was er *wußte*.

Sicher, der auf den zugefrorenen Teich gezogene blutige Hundekadaver hatte Joel und Kenny furchtbar erschreckt. Sie hatten danach sogar von ihm oder von etwas geträumt, das übel zugerichtet, blutüberströmt war – Alpträume, aus denen Daddy sie wecken mußte, um sie zu trösten. Doch ärgerlicherweise hatten sie den gräßlichen Vorfall in einen ihrer »Codes« übernommen, um insgeheim darüber sprechen und den Nervenkitzel krampfhaft kichernd genießen zu können.

Und das heisere, zischende Gewispere, das man nie richtig verstehen konnte, das Daddy aber sehr wohl verstand: *Mr. Sears. Mr. Sears. Mr. Sears.*

Michael hatte im Zimmer der Jungen, tief versteckt in einem Schrank, ihren Comic-Roman gefunden, an dem sie jahrelang gickelnd gearbeitet hatten. Er hatte die einzelnen Bögen, teils Zeichenpapier, in der Mehrzahl aber nur Schreibblockpapier, rasch durchgeblättert, um sich die Seiten aus jüngster Zeit anzusehen: Sie waren mit derb, aber geschickt gezeichneten Figuren übersät, Menschen, Tieren, Tiermenschen, die allerlei lustige Streiche vollführten, wie man sie aus dem Fernsehen und aus Kinderfilmen kennt. Da gab es Kinder, (Joel, Kenny?), die Erwachsene (Daddy, Mommy?) überragten; da gab es einen geheimnisvollen Mann mit schwarzem Haar (Lee Roy Sears?), der eine um den Arm und manchmal um den Hals gewickelte Schlange trug, die hin und wieder auch aus seinem Mund züngelte und unheilvollen Ulk nach Art der Comics trieb.

Die Zeichnungen beeindruckten und beunruhigten Michael, denn er fand sie zwar begabt, sah aber auch etwas Boshaftes und Grausames in ihnen, selbst unter Berücksichtigung der Tatsache, die man berücksichtigen muß, daß Kinder das instinktive Bedürfnis haben, ihrer Phantasie ungehindert durch Erwachsene freien Lauf zu lassen.

Natürlich waren es Produkte der Einbildungskraft. Und Daddy hatte kein Recht, sich einzumischen.

Besorgniserregender, weil es sich nicht um eine Privatangelegenheit handelte, waren die Beschwerden von Lehrern über Joels und Kennys Benehmen in der Riverside School: Sie seien »überaktiv«, sie »drangsalierten und bedrohten« kleinere Kinder, gingen »tätlich« gegen sie vor und wären »unsozial«.

Ihre Noten, einschließlich die für Benehmen, hatten sich ständig verschlechtert.

Damit wollte sich Michael O'Meara im September befassen, falls das Problem nach dem Übergang in die dritte Klasse bestehenblieb.

Gina konnte während ihrer Rekonvaleszenz mit solchen Familienproblemen nicht behelligt werden, weil sie sich nur aufregen würde, und wozu auch? – Es gab Tage, wo die Arme die bloße Tatsache, daß sie Mutter war, nur höchst undeutlich wahrnahm.

Und wenn sie sich dessen bewußt wurde, fuhr sie sich mit einer zuckenden, zaghaften Bewegung der Finger über das Gesicht. »Oh! – sie dürfen mich nicht ansehen, o bitte!«

Denn es traf zu, obgleich Michael es sich nicht eingestehen mochte, daß Joel und Kenny, die ihre Mutter ja sehr liebten und ihre tägliche Gegenwart ungeheuer vermißten, Angst vor ihr hatten und sie nicht sehen wollten; wie auch Gina sie, jedenfalls vorläufig, nicht sehen wollte.

Das würde sich mit der Zeit natürlich ändern. Gina sollte sich im Herbst weiteren Operationen unterziehen. Und danach würde es anders werden.

Kurz bevor Michael seine Familie nach Swarts Lake gebracht hatte, hatte er zufällig den Kopf in Joels und Kennys Zimmer gesteckt und entdeckt, wie Joel in kindlicher Selbstvergessenheit mit einem bunten Kugelschreiber etwas auf Kennys linken Unterarm zeichnete, während Kenny in kindlicher Selbstvergessenheit mit Kugelschreiber etwas auf Joels linken Unterarm zeichnete. Die beiden waren so versunken, so in ihre Malerei mit blauer, grüner, schwarzer und leuchtendroter Farbe vertieft, daß sie Daddy nicht bemerkten, bis er in voller Größe neben bei ihnen stand und lauter zu ihnen sprach, als er eigentlich wollte.

»Du lieber Gott! – was *macht* ihr denn da?«

Erschrocken, schuldbewußt starrten sie ihn mit großen Augen und offenem Mund an, ließen gleichzeitig die Kulis fallen und duckten sich, als erwarteten sie, geschlagen zu werden.

»Ich habe gefragt, was ihr hier eigentlich macht? Tätowiert ihr euch gegenseitig?«

Michael packte die Jungen an den Armen und sah sich das Ergebnis an: Die Zeichnungen waren kindlich in der Auffassung, aber pedantisch ausgeführt: Auf dem Unterarm beider Jungen ringelte sich eine etwa zehn Zentimeter lange Schlange, kreuzweise blau-grün-schwarz schraffiert mit roten Augen und einer roten gespaltenen Zunge. Die Farbe war zum Teil schon verlaufen, so daß die »Tätowierungen« ungewollt komisch und albern aussahen.

Es gelang Michael, keinen väterlich mißbilligenden Ton anzuschlagen, aber er rang sich auch kein Lächeln über das Kunstwerk seiner Söhne ab.

»Habt ihr das im Fernsehen gesehen? Auf Video?«

Joel nickte und nuschelte »Ja, Daddy«, während Kenny im selben Augenblick nickte und »Nein, Daddy« nuschelte. Dann schüttelte Joel heftig den Kopf und sagte: »N-nein, Daddy«, und Kenny schüttelte gleichzeitig den Kopf und sagte: »J-ja, Daddy!«

Nun mußte Michael O'Meara doch lachen. Er zauste beiden das Haar und sagte: »Okay, Kinder, *wascht das alles ab.*«

Und nun dies: der erste Morgen des ersten Tages.

Der erste Tag in Swarts Lake, diesem Ort der Genesung und des Friedens, an dem sich Gina O'Meara auf die Terrasse des schönen Ferienhauses hinauswagt, das ihr Mann den August über für die Familie gemietet hat; das erste Mal seit dem Überfall, daß sie, von vereinzelten Augenblicken zu Hause abgesehen, ihm zu vertrauen scheint.

Flüsternd: »Du bist sicher, daß uns keiner beobachtet?«

Michael drückt ihr die Hand. »Ganz sicher, Gina.«

»Und die Jungen –?«

»Die sind losgezogen.«

Gina bindet zaghaft ihr Kopftuch auf. Ihr Haar, wegen der Operationen rasiert, ist dünn und ungleichmäßig nachgewachsen und mehr silbrig als blond; der Ansatz hat sich nach hinten verschoben und gibt die Stirn frei, die sowohl horizontal als auch vertikal zerschnitten wurde und ein längs und quer schraffiertes grellrotes Narbengewebe bildet. Ginas untere Gesichtshälfte wurde von der Klinge nicht nur zerschnitten, sondern wie mit einem Löffel aufgegraben, ausgehöhlt, zerfetzt. Die Wirkung ist mitleiderregend, grotesk. Gina sieht wie eine Porzellanpuppe aus, deren Gesicht in tausend Scherben zersprungen ist, laienhaft repariert wurde und jeden Augenblick wieder zersplittern könnte. Der chirurgische Versuch, das fehlende Fleisch am linken Nasenloch und der Unterlippe zu ersetzen, ist nur zum Teil gelungen, als ob jemand Porzellan unbeholfen mit Kitt ausgebessert hätte.

Die arme Gina hat drei Hauttransplantationen hinter sich und soll im September eine vierte über sich ergehen lassen. Falls sie die erforderliche Kraft hat, sie durchzustehen.

Plötzlich schreit sie auf: »O Gott, Michael! Ich seh furchtbar aus! Laß mich doch bitte sterben!«

»Gina, ich habe dich gebeten, sag so etwas nicht! Ich liebe dich doch.«

Michael ergreift ihre Hand, so daß sie sie nicht vors Gesicht halten kann, um es zu verstecken.

Er weiß, daß sie, wenn sie allein ist, sich unablässig, unermüdlich berührt. Selbst im Schlaf.

Inständig sagt er: »Gina, du darfst nicht verzweifeln. Denk an unsere Söhne, denk an mich. Es wird alles gut.«

»Aber –«

»Gina, ich bin dein Mann, ich liebe dich mehr denn je.«

Eine Träne rollt ihr über die verunstaltete Wange, und dann noch eine und noch eine, obgleich sie nicht wirklich weint; ihr Gesicht, eine Maske, bleibt starr und ausdruckslos. Was denkt sie hinter der Maske? Wer ist sie jetzt? Sie hat so stark abgenommen, daß auch ihr Körper entstellt wirkt; ihre Brüste sind geschrumpft und trotzdem schlaff; das Schlüsselbein, die Rippen, die Hüftknochen treten hervor. Daher die Schichten von Kleidungsstücken selbst an diesem warmen Sommertag.

Michael betrachtet seine Frau liebevoll, doch mit eingeübter Distanz, fast mit einer gewissen Befriedigung. Denn jetzt gehört die Frau ihm. Ihm allein. Ungeachtet künftiger Wunderwerke der Chirurgie, ungeachtet der Anfälle von Hoffnung, Mut, Schmerz wird kein Mann sie je wieder ansehen.

Sollte sie in jenem vergangenen anderen Leben einen Liebhaber oder Liebhaber gehabt haben – wer von ihnen würde sie jetzt noch wollen?

Aber daran denkt Michael O'Meara nicht wirklich.

Wie er auch nicht daran denkt, sich im Grunde nicht einmal genau erinnert, was zwischen ihm und Lee Roy Sears in Sears' Atelier geschah. Und auf der Feuertreppe.

Jener ganze Tag, der Alptraum jenes Tages, die winzigen Augenblicke und die Zeitsprünge zwischen jenen Augenblicken, die so synchron abliefen, wie ein Uhrwerk: alles das jetzt eine Lücke in seinem Gedächtnis. Eine leere Stelle. Ein Vakuum.

Michael beugt sich vor, um Gina zu küssen, und instinktiv, kaum merklich erstarrt sie, obwohl sie es besser wissen müßte.

Sanft berührt er ihre Lippen mit den seinen; er achtet darauf, keinen Druck auszuüben, keinen Schmerz zu verursachen. Der Frau zu zeigen, daß er sich, anders als andere Männer, vor der entstellten Unterlippe nicht ekelt.

Murmelt: »Du weißt, daß ich dich liebe, nicht wahr? Nicht wahr, Gina, Liebling, das weißt du doch, ja?«

Bis sie schließlich mit tränenglänzendem Gesicht sagt, als würden die Worte, kleine Schreie der Verzweiflung, der Hilflosigkeit, der Angst, aus ihr herausgepreßt: »Ja. Ich weiß.«